PREFACE

Of an early novel by Congreve Dr. Johnson remarks that he would rather praise it than read it, and students may well feel the same about the writings of Marx, Nietzsche, and Freud. Yet these are thinkers who just cannot be passed by. To begin with, their thought is still shaping the age in which we live, and this alone is reason enough for having some knowledge of what they actually wrote. Then again, each of them has been an influence not just on German literature, the language in which they wrote, but on that of the whole western world. The impact of Nietzsche and Freud on writers of the twentieth century is too well known to need emphasizing. But it is sometimes overlooked that the doctrines of Marx (and Engels) have also, for better or for worse, inspired a not inconsiderable body of writings, both creative and critical. And, for good measure, Marxist and Freudian theories can provide some penetrating insights into the literature and art of the more distant past. Of course, it is quite possible to become acquainted with these three influential writers simply by reading about them. Yet it is an unnecessary detour, for each of them is ultimately his own best expositor. As Friedrich Engels points out in a letter included in this selection, "it is really much easier to go to the original sources"; he would certainly have agreed when we add "and study them in the original language." This reader has been compiled in the belief that students ought to be encouraged to do just that. The encounter will prove stimulating — and beneficial to the learning of German as well.

A hundred pages or so culled from three seminal thinkers whose writings, taken together, would fill several shelves of an average-sized bookcase is unlikely to satisfy everyone. To take but one example, Nietzsche enthusiasts are bound to ask why so little of *Zarathustra* has been included. But, with a strictly limited amount of space available, the answer is simple. This philosophical poem in prose (or is it really a novel, as certain critics have claimed?) has been touched on somewhat lightly, not because it is considered unimportant, but because some of the ideas it contains are set out more succinctly (if less rhapsodically and symbolically) in extracts from Nietzsche's other works. And, as the title of this reader is intended to indicate, our concern is primarily with ideas. In any case, *Zarathustra* is best approached when one is already fairly conversant with Nietzsche's thought; it is hardly a work for beginners. Naturally, there are also gaps in the selections from Marx and Freud, but these are, I feel, a little easier to justify.

The general policy in arranging the material has been to leave the original German well alone, but to use English as far as possible throughout the introductory notes and textual annotations. The latter, I freely admit, will not take students over every single obstacle they are likely to encounter in these decidedly difficult texts. That would have required an apparatus four or five times the size of the present one, and even then it is doubtful that complete satisfaction could be guaranteed. As additional aids, I can only recommend the various English translations that are available. At this point, I would mention that the headings over the German text are sometimes borrowings from the authors themselves, sometimes an adaptation or an invention of my own.

This preface would be incomplete without a word of gratitude to colleagues in Bloomington, Ind. and Sheffield, Yorks. who have, in one way or another, given kind encouragement and offered suggestions and corrections. I find myself particularly indebted to Professor William F. Mainland of Sheffield University for reading through a substantial part of my manuscript, and to Professor Karl S. Weimar of Brown University for much helpful advice and unstinting support in this project. In addition I would like to thank the staff of the Modern Language Division of Prentice-Hall for invaluable assistance, both literary and technical, during the final revision and preparation for the press. Any remaining faults are my own responsibility. In conclusion, I would like to thank the S. Fischer Verlag for kind permission to reprint this selection from the works of Sigmund Freud.

D. B.-E.

MAKERS
OF THE TWENTIETH CENTURY

PRENTICE-HALL GERMAN SERIES

Karl S. Weimar, Editor

edited by

David Brett-Evans

University of Toronto

MAKERS OF THE TWENTIETH CENTURY

MARX NIETZSCHE FREUD

PRENTICE-HALL, INC. *Englewood Cliffs, New Jersey*

PRENTICE-HALL INTERNATIONAL, INC., *London*
PRENTICE-HALL OF AUSTRALIA, PTY. LTD., *Sydney*
PRENTICE-HALL OF CANADA, LTD., *Toronto*
PRENTICE-HALL OF INDIA PRIVATE LTD., *New Delhi*
PRENTICE-HALL OF JAPAN, INC., *Tokyo*

Library of Congress Catalog Card No.: 68-10740

Current printing (last digit)
10 9 8 7 6 5 4 3 2

Printed in the United States of America

CONTENTS

KARL MARX

SIGMUND FREUD

MAKERS
OF THE TWENTIETH CENTURY

Eigentlich lernen wir nur von Büchern,
die wir nicht beurteilen können.

JOHANN WOLFGANG VON GOETHE
Maximen und Reflexionen

MAKERS OF THE TWENTIETH CENTURY

KARL MARX

(1818—1883)

Photograph courtesy of Sovfoto.
Drawing by N. Zhukov.

KARL MARX born on May 5, 1818, in Trier in the Rhineland, was the son of a cultured and fairly prosperous lawyer. On both sides of the family there were ancestors who had been rabbis, but Marx's parents adopted the Christian faith while he was still quite young. In 1835 he enrolled to study law at Bonn University, intending, not without some prompting from his father, to become an advocate or a civil servant, but a year later he moved to Berlin, where he came to devote more and more of his time to philosophy and history. Like most of his generation, Marx fell under the influence of the outstanding philosopher of that age, Georg Friedrich Wilhelm Hegel (1770–1831), and, in one form or another, it was an influence that remained with him for the rest of his life. He became associated with the so-called Young Hegelians, a group of radically-minded intellectuals, radical in their increasingly materialistic philosophy, which developed into a revolt against Hegel, and radical in their politics as well. The latter, in particular, was beginning to attract the student Marx. In 1841 he submitted a dissertation on Greek philosophy by post to Jena University—he had never studied there—and was duly awarded his doctor's degree in absentia. He had cherished hopes of becoming a university teacher himself, but academic authority frowned on a person of such radical and unorthodox views. As a result Marx turned to journalism.

In May 1842 he began as a contributor to the liberal *Rheinische Zeitung* and by October was already occupying its editorial chair. But outspoken criticism of the Prussian government and a tendency to atheistic pronouncements led to the paper's being suppressed in the spring of 1843. Marx found himself unemployed and with uncertain prospects. The problem of earning a living became urgent when he married Jenny von Westphalen, a gentile aristocrat, daughter of a high Prussian official and four years his senior; she was to remain his faithful companion through the many years of hardship that lay ahead. In the fall of 1843 Marx went with his bride to Paris, where he cooperated with another Young Hegelian, Arnold Ruge, in editing the *German-French Yearbooks*. But this periodical, as short-lived as Marx's earlier venture into journalism, ceased publication in 1844. Nevertheless, it provided him with the unique opportunity of becoming personally acquainted with many leading representatives of socialist and communist thought; he had already begun to think of himself as a revolutionary socialist.

Among the personalities Marx met in Paris was the man whose name has been linked with his ever since, Friedrich Engels. Almost immediately they joined forces to write *The Holy Family* (1845) and the *German Ideology* (completed 1846, but not published until 1932). Marx's political activities in France finally induced the French authorities, with a nudge from the ever-watchful Prussian government, to formally expel him, and the Marx family moved to Brussels, where they spent the next three years. It was there that he wrote *The Misery of Philosophy* (1847), a biting attack on a book by the French socialist leader, Pierre-Joseph Proudhon, and important because it contains the first systematic account of Marxism —not that the word meant anything as yet to the world at large.

Then came the great year of revolution—1848—and Marx's contribution, though not without the customary assistance from Engels, was the famous *Communist Manifesto*. With the final collapse of revolutionary movements on the Continent, Marx had little option but to seek refuge in London, where, except for a few brief absences, he was to spend the rest of his life. The connections he had made with the various workers' organizations during the pre-revolutionary decade remained, but his existence now became essentially that of a private scholar, toiling away at his monumental research in the British Museum by day and poring over his papers at home until late into the night. Outwardly, this part of his life was not especially eventful, but for himself and his family these were years of privation, ill health, and misfortune. It was only the generosity of Engels that enabled Marx to keep his family together with a roof over their heads. The dismal financial position improved somewhat after 1860 through the timely arrival of a family inheritance, but the fact is that, after emigrating to England, Marx was never again in anything that could be termed regular employment. What little money he did manage to earn came from intermittent articles on European affairs for the *New York Tribune* and poorly paid stints of hack writing for other journals. And there were frequent occasions when the self-sacrificing Engels helped him out with these journalistic chores.

Marx's two main works from this period are the *Critique of Political Economy* (1859) and, what is in effect its sequel, the first volume of *Capital* (1867), undoubtedly his major contribution to political and economic theory. But writing and research did not bring an end to Marx's political activities, and in 1864, due in no small measure to his exertions, the International Workingmen's Association was founded. To keep such an organization viable and effective was a considerably more difficult task; and by 1872 it had fallen apart, undermined by internal disputes over leadership and a running feud between the followers of Marx and the anarchists led by Michael Bakunin. Nevertheless, Marx continued to wield great influence over the parties of the left that were springing up all over the world, and his writings, now elevated to almost canonical status, formed the official basis of the programs drawn up by most socialist parties. Only in Britain, where he had lived and worked for over thirty years, did his adherents remain numerically small and relatively uninfluential. Marx died in London on March 14, 1883, still a German national, and his grave in the North London suburb of Highgate has become a place of pilgrimage for his many followers and admirers. Of his six children, only three daughters, Jenny, Laura, and Eleanor, survived to reach adulthood.

The teachings and writings of Marx are so inextricably bound up with the life and work of Friedrich Engels that it is hardly possible to consider the two men independently. Born on November 28, 1820, in the industrial town of Barmen in the Ruhr, Engels was the son of a wealthy textile manufacturer and, being destined for a career in commerce, did not attend a university. At seventeen he was already at work in the office of his ultraconservative and pietistic father and, in 1842, settled in Manchester, where he eventually rose to the position of partner in the firm of Ermen & Engels. But he had already been converted to the cause of socialism after a meeting with the "Communist rabbi," Moses Hess, and for the rest of his life he served it with no less fervor and devotion than Marx. Otherwise, the two men were completely unlike. Though just as rebellious by nature, Engels showed remarkable tact and savoir-faire in his dealings with the bourgeois society he was intent on overthrowing, even to the extent of donning a pink jacket and riding off with the local Manchester gentry to hunt the fox. This did not prevent him from defying bourgeois respectability (which, paradoxically enough, meant much to Marx and even more to Marx's wife) by living for nearly twenty years with his common-law wife, Mary Burns, a simple red-headed Irish factory worker. He was heart-broken when she died in 1863. In everything he undertook, Engels proved himself a man of exceptional personal integrity and of incredible energy and industry; and, unlike most German radicals of that era, he kept a firm grip on reality. Quite early in life he had made good his lack of formal academic education by voracious reading in practically every field of knowledge. In addition, he had the gift of writing fluently and clearly in both German and English. An early work of his, *The Condition of the Working Classes in England* (1845), reveals a grim picture of contemporary industrial life, and, characteristically, Engels based it largely on his own observations of early capitalism in the north of England. It was this practical, down-to-earth approach which, more than anything else, made him the very man to supplement Marx's essentially theoretical appraisal of social problems. When presented by Engels, Marx's ideas, often expressed in a diffuse and tortuous German, became a good deal more intelligible and acceptable to the masses. This is not the least of his achievements, though, naturally enough, it involved some oversimplification of what Marx actually wrote. All in all, it is difficult to think of a more lasting or fruitful bond of friendship between two men.

When the 1848 revolution broke out, Engels joined Marx for a brief period in Cologne to help bring out the *Neue Rheinische Zeitung,* yet another radical daily founded to rouse the German masses from their slumbers. Within a matter of months it, too, had fallen a victim to Prussian censorship. Later he took an active part in an armed insurrection in southern Germany which proved equally unsuccessful. By the end of 1849 he was back again in England, continuing that strange dual existence: trading in cotton and wool and furthering the cause of world revolution —largely by ministering to Marx's intellectual and financial needs. Indeed, without him it is doubtful if the major works of Marxism would have been completed. We must not forget, however, that Engels published works significant in their own right, notably *The Peasant War in Germany* (1850) and a once widely read booklet, *Socialism: Utopian and Scientific* (1893). After the death of Marx he was revered as the intellectual leader of socialists the world over. As the disciple closest to the master, Engels' pronouncements and interpretations of Marxist theory were—and still are—of considerable interest and importance. He died in London on August 5, 1895.

Not least of the difficulties in coming to grips with Marxism is deciding exactly what it is. Consider any one of the several heavily fraught sentences in the introduction to the *Critique of Political Economy*—for example, "The mode of production in material life generally determines the social, political, and intellectual processes of life" (p. 40); it is immediately evident that we are not dealing simply with economic theory, still less with a plank in the program of a political party. Such a statement has far-reaching implications for the economist and the politician, but it is of no less interest to the sociologist—nor can the historian of literature ignore it. So we begin to see that Marxism is an all-embracing philosophical system which can be brought to bear on practically any field of human activity.

It is, of course, theoretically possible to break down this system into its component parts; in practice they are difficult to isolate. For the followers of Marx, "dialectical materialism" is his outstanding achievement and the keystone to the whole edifice of his thought. Like many thinkers before him (and not a few after him—e.g., Spengler and Toynbee), Marx was determined to fathom the workings of the historical process, to employ the scientific method "to discover the law of evolution in human history," as Engels put it. The objection that human affairs might not be subject to a scientific law, nor even to a complex of such laws, would have been rudely brushed aside. The dialectic method he took over from Hegel, who had come to the conclusion (perhaps a very natural conclusion for an academic philosopher) that the course of history follows the rhythmical pattern of a philosophical dialogue: first the thesis (which he would identify with a particular historical idea or event), then the antithesis, and finally the synthesis. Thus in seventeenth-century England—this example does not come from Hegel—the aristocracy upholding the Divine Right of Kings was opposed by the merchant classes supporting the claims of Parliament, and from the resultant clash there emerged the "synthesis," a more firmly established form of constitutional government. Moreover, Hegel, a notably difficult philosopher with a somewhat Romantic preference for the abstract and the ethereal, held that a vaguely pantheistic *Weltgeist* was the moving force in world history, and from this alone the physical happenings of history proceed. For him, the idea was supreme. Marx claimed to have turned this system upside down, and so he did, in one sense—by maintaining that, on the contrary, ideas are dependent on, and therefore have their origin in, the material world. For the rest, he was fascinated by this triadic dialectic, functioning with machine-like regularity and precision as it wove historical events into a recognizable pattern, so much so, that he retained it in his own system. Thus all history has a meaning and a purpose, if one can but discern the workings of the dialectic. But whereas Hegel had modestly concerned himself with what had happened in the past, Marx was prepared to use the historical laws he had discovered to predict the future.

From this view of history a number of other interesting theories follow, though we can only touch on them briefly here. First, there is the assertion that "the history of all society so far is the history of class struggles" (p. 14), that ideas are only the outer shell, the façade behind which the real struggle for power between different interest groups takes place. Next, there is the contention that the human mind merely reflects its material environment; in other words, the politics, religion, philosophy, as well as the art and literature, of any historical period are ultimately dependent on its methods of production. This "materialist conception of history" is a very important thesis, and there are few scholars today who would reject it in its entirety. The question, unanswered by Marx—and perhaps unanswerable—is the extent of its validity.

Then there is the word "scientific," which figures so largely in Marxist terminology, for Marx and Engels were both convinced that by the scientific analysis of history and society the capitalist world could be transformed, indeed, inevitably would be transformed into a socialist one. Consequently, they insisted that their version of socialism was "scientific" as opposed to the Utopian socialism of other contemporary reformers. In the intellectual climate of the nineteenth century this appeal to the scientific method contributed enormously to the widespread acceptance of Marx's theories. At the same time, it determined the tactics of Marxist socialists. To be successful, they felt they had only to arouse the sense of "class consciousness" in the proletariat, and then, as Marx had predicted, capitalist society would fall apart through its inherent "contradictions." The juggernaut of historical change would move on relentlessly and inexorably toward the final outcome. And to Marx, a good Victorian who fervently believed in the inevitability of progress, it was unthinkable that this outcome could be other than beneficial to mankind. To appeal to the nobler and more generous instincts in human nature or simply to demand that the new industrial society should organize itself in a more rational and efficient manner was, he held, wrong-headed and, what is more, irrelevant.

From this it might seem that, logically, Marxism has little room for ethical values, but this is not so. Whether one accepts its premises or not, its ultimate goal, "an association in which the free development of each is the condition for the free development of all" (p. 36), is undeniably an ethical one. Indeed, it was the frightful conditions under which men—and women and young children—had to toil in early Victorian Britain, the affront to human dignity which this represented, that aroused the moral indignation of both Marx and Engels. And their protest—one in which, it should not be forgotten, they were joined by personalities as diverse as Carlyle, Dickens, Kingsley, and Disraeli—did much to stir the social conscience of contemporaries. Ultimately it brought about a marked improvement in the lot of those whose cause they were championing. Yet what is the point in fulminating against wicked capitalists if these men are merely the helpless victims of the workings of immutable historical laws? At this point we begin to encounter some of the inconsistencies in the Marxist thesis.

But more serious than inconsistencies are demonstrable fallacies. To be fair, Marx did anticipate some of the trends in nineteenth-century society with remarkable success, but at this distance in time it is not difficult to show how wide of the mark were his other predictions. The most glaring example of a false prognosis is, of course, the fate of the bourgeoisie, the middle classes. Far from sinking into the mire of proletarian squalor, as prophesied in the *Communist Manifesto* (p. 24), they triumphantly survived the nineteenth century, and their ranks are now swelled by increasingly large numbers of workers. Such, at least, is the trend in Western society, and there seems no reason to believe that the process will not be repeated as technological advance gains momentum in the underdeveloped countries. No doubt it is the fate of every thinker who embarks on historical prophecy on the grand scale to be finally caught out by history itself, though Marx's failure here, it should be noted, does not automatically invalidate his other theories. Even so, formidable objections have been leveled at practically every tenet of Marxism.

How then, one is bound to ask, did it ever become a major force in world history? How has it come to rate as an article of faith for so many inhabitants of our planet or, at any rate, to form the official creed of the states in which they live? For some, no doubt, such widespread acceptance is itself evidence of the validity of the Marxist case, and it certainly is not easy to explain how theories that are supposed to be entirely fallacious can still decisively shape the mid-twentieth century. Part of the answer to these questions is, of course, that some of the things Marx said and wrote are substantially true—and a skeptic might add that they were true even before Marx came along and incorporated them into his system. Another part of the answer lies in the fact that, as we have seen, Marxism is not merely an economic theory or a body of political doctrine. With its insistence on the coming millennium, the wrathful vengeance that is called down on the exploiters of the meek and the humble, the vision of the proletariat as the chosen people that will one day inherit the earth, its undertones must be recognized as undeniably religious. With good reason, Marxism has been called the first "secular world religion," one that has its own angelology and its own demonology, its own version of the hosts of light that finally overcome the hordes of darkness. And there is the additional attraction that its followers are promised rewards in this world. Nor should its appeal to the inmost recesses of the human psyche be underestimated; by casting some men in the roles of oppressors and tyrants, the impulse to hate and to be aggressive is amply provided for. To use a religious metaphor, Marxism has been effective because it calls upon the just "to fight the good fight."

Clearly the man who could so powerfully influence the course of history from a desk in the reading room of the British Museum was no ordinary mortal. And it is a tribute to Marx the thinker and writer that, while parts of his imposing philosophical edifice have been reduced to ruins, there is still much that remains amazingly vital and challenging. The vast literature that has grown up on Marxism is proof enough of this, for even where they provoke violent disagreement, Marx's writings still have the power to illumine problems of our own age. They provide an excellent starting-point for the serious study of history, sociology, and economics—and, indeed, of literature and the arts.

SUGGESTIONS FOR FURTHER READING

Berlin, Isaiah, *Karl Marx. His Life and Environment.* Galaxy Books, 1963. One of the best short biographies, scholarly and, in its way, remarkably comprehensive.

Blumenberg, Werner, *Marx in Selbstzeugnissen und Bilddokumenten.* Rowohlt Taschenbuch Verlag, 1962. Interesting text enhanced by numerous contemporary photographs and illustrations, also contains excellent bibliography.

Cole, G. D. H., *The Meaning of Marxism.* University of Michigan Press, 1964. A sympathetic, but by no means uncritical reappraisal of Marxism by a prominent British Fabian socialist.

Demetz, Peter, *Marx, Engels und die Dichter.* Deutsche Verlags-Anstalt, 1959. An interesting study of the impact of Marx's writings on literature and literary studies, though it ascribes to Marxist literary criticism an unduly dogmatic insistence on economic determinism.

Feuer, Lewis S., ed., *Marx and Engels. Basic Writings on Politics and Philosophy,* Doubleday Anchor, 1959. A handy comprehensive selection in English translation.

Mendel, Arthur P., ed., *Essential Works of Marxism.* Bantam Books, 1961. Similar to the above, though less of Marx and Engels, and presents Marxist writings in translation down to the present day.

Schwartzschild, Leopold, *Karl Marx. The Red Prussian.* The Universal Library, 1947. A more journalistic approach, eminently readable with a wealth of biographical detail.

Theimer, Walter, *Der Marxismus—Lehre, Wirkung, Kritik.* Francke Verlag, 1957. A modern German evaluation, more critical but scrupulously fair and informative.

Wilson, Edmund, *To the Finland Station*. Doubleday Anchor, 1953. Places Marx and Engels in the wider historical context. A fascinating account of the rise of socialism, especially the revolutionary brand, from the eighteenth century down to Lenin's return to Russia in1917.

DER KOMMUNISMUS ALS EUROPÄISCHE MACHT

The first draft of the Communist Manifesto, *without doubt the most widely read and influential party declaration ever written, was dashed off by Engels toward the end of 1847, and, together with other "professions of faith" presented at meetings of the Communist League in London, provided the basis for Marx to work on. What finally emerged must, however, be regarded as an original work in its own right. It is true that the* Manifesto *contains many ideas that were current at the time, but Marx gave them memorable expression, clothing them in striking phrases and imparting an emotional upsurge that was quite beyond the range of Engels and his other collaborators. If he had never written another line, Marx's name would still appear in history books. The* Manifesto *is the most concise, and by far the most readable, statement of Marx's ideas; many people, including Marxists, would regard it as the most important single document in the history of Marxism. Yet it had little influence on public opinion when it first appeared in London in February 1848. In fact, a second printing in German was not called for until 1872, and it was only about this time that it began to gain its preeminent place in European political and social thought. Since then translations have been run off the printing presses of practically every nation. Our text follows the final German edition which Engels brought out in 1890; the differences between this and the original version of 1848 are slight, involving only a handful of grammatical and stylistic improvements.*

Ein Gespenst geht um in Europa—das Gespenst des Kommunismus. Alle Mächte des alten Europa haben sich zu einer heiligen Hetzjagd gegen dies Gespenst verbündet, der Papst und der Zar, Metternich und Guizot, französische Radikale und deutsche Polizisten.[1]

[1] In point of fact, Pius IX had begun his pontificate in 1846 with a remarkable burst of liberalism. Czar Nicholas I was, by any reckoning, implacably opposed to even the

Wo ist die Oppositionspartei, die nicht von ihren regierenden Gegnern als kommunistisch verschrien worden wäre, wo die Oppositionspartei, die den fortgeschritteneren Oppositionsleuten sowohl wie ihren reaktionären Gegnern den brandmarkenden
5 Vorwurf des Kommunismus nicht zurückgeschleudert hätte?

Zweierlei geht aus dieser Tatsache hervor.

Der Kommunismus wird bereits von allen europäischen Mächten als eine Macht anerkannt.

Es ist hohe Zeit, daß die Kommunisten[2] ihre Anschauungsweise,
10 ihre Zwecke, ihre Tendenzen vor der ganzen Welt offen darlegen und dem Märchen vom Gespenst des Kommunismus ein Manifest der Partei selbst entgegenstellen.

Zu diesem Zweck haben sich Kommunisten der verschiedensten Nationalität in London versammelt und das folgende Manifest
15 entworfen, das in englischer, französischer, deutscher, italienischer, flämischer und dänischer Sprache veröffentlicht wird.[3]

Bourgeois und Proletarier[4]

Die Geschichte aller bisherigen Gesellschaft ist die Geschichte von Klassenkämpfen.

Freier und Sklave, Patrizier und Plebejer, Baron und Leibeigener,

---

slightest sign of liberalism, let alone socialism. From the Treaty of Vienna (1815) onward, Prince Metternich, Chancellor of the Habsburg Empire, had set his face against change and, thanks to his considerable diplomatic skill, prevailed upon most European governments to do likewise. François Guizot (1787–1874), in later life a distinguished historian, was French foreign minister from 1840 to 1848, and his ultraconservative policies were in no small measure responsible for the demise of the Orleans monarchy in 1848.

2 The term "Communist" was deliberately chosen to emphasize the difference between the men of the *Manifesto* and the "Socialists," as that word was then generally understood: i.e., those who believed in the gradual reform of society, either through experiments in communal living in newly founded settlements ("Utopian socialism"), or by practical policies of amelioration ("reform socialism").

3 Actually the *Manifesto* did not appear in English until 1850, and the earliest Russian publication dates from 1863.

4 Note by Engels to the English edition of 1888: "By *bourgeois* is meant the class of modern capitalists, owners of the means of social production and employers of wage-labor; by *proletariat,* the class of modern wage-laborers who, having no means of production of their own, are reduced to selling their labor power in order to live."

Zunftbürger[5] und Gesell, kurz, Unterdrücker und Unterdrückte standen in stetem Gegensatz[6] zueinander, führten einen ununterbrochenen, bald versteckten, bald offenen Kampf, einen Kampf, der jedesmal mit einer revolutionären Umgestaltung der ganzen Gesellschaft endete oder mit dem gemeinsamen Untergang der kämpfenden Klassen. 5

In den früheren Epochen der Geschichte finden wir fast überall eine vollständige Gliederung der Gesellschaft in verschiedene Stände, eine mannigfaltige Abstufung der gesellschaftlichen Stellungen. Im alten Rom haben wir Patrizier, Ritter, Plebejer, Sklaven; im Mittelalter Feudalherren, Vasallen, Zunftbürger, Gesellen, Leibeigene, und noch dazu in fast jeder dieser Klassen wieder besondere Abstufungen. 10

Die aus dem Untergange der feudalen Gesellschaft hervorgegangene moderne bürgerliche Gesellschaft hat die Klassengegensätze nicht aufgehoben. Sie hat nur neue Klassen, neue Bedingungen der Unterdrückung, neue Gestaltungen des Kampfes an die Stelle der alten gesetzt. 15

Unsere Epoche, die Epoche der Bourgeoisie,[7] zeichnet sich jedoch dadurch aus, daß sie die Klassengegensätze vereinfacht hat. Die ganze Gesellschaft spaltet sich mehr und mehr in zwei große feindliche Lager, in zwei große, einander direkt gegenüberstehende Klassen: Bourgeoisie und Proletariat. 20

Aus den Leibeigenen des Mittelalters gingen die Pfahlbürger[8] der ersten Städte hervor; aus dieser Pfahlbürgerschaft entwickelten sich die ersten Elemente der Bourgeoisie. 25

Die Entdeckung Amerikas, die Umschiffung Afrikas schufen der

---

5 **Zunftbürger** were those members of the medieval guilds recognized as master craftsmen, as opposed to the **Gesellen,** the journeymen still learning the craft and employed by the masters.

6 **in stetem Gegensatz:** in constant opposition, 'were forever warring with one another.'

7 It is characteristic of Marx that he generally prefers the French word to the more factual and unemotive German **Bürgertum,** and he is in no small measure responsible for the pejorative undertones it has subsequently acquired.

8 **Pfahlbürger** were originally tenant bondsmen who lived and worked on the agricultural holdings belonging to the medieval city and usually adjoining it. In the course of time they were accepted as equals by the townspeople and accorded full civic rights.

aufkommenden Bourgeoisie ein neues Terrain. Der ostindische und chinesische Markt, die Kolonisierung von Amerika, der Austausch mit den Kolonien, die Vermehrung der Tauschmittel und der Waren überhaupt gaben dem Handel, der Schiffahrt, der Industrie 5 einen nie gekannten Aufschwung und damit dem revolutionären Element in der zerfallenden feudalen Gesellschaft eine rasche Entwicklung.

Die bisherige feudale oder zünftige Betriebsweise der Industrie reichte nicht mehr aus für den mit neuen Märkten anwachsenden 10 Bedarf. Die Manufaktur[9] trat an ihre Stelle. Die Zunftmeister wurden verdrängt durch den industriellen Mittelstand; die Teilung der Arbeit zwischen den verschiedenen Korporationen[10] verschwand vor der Teilung der Arbeit in der einzelnen Werkstatt selbst.

15 Aber immer wuchsen die Märkte, immer stieg der Bedarf. Auch die Manufaktur reichte nicht mehr aus. Da revolutionierte der Dampf und die Maschinerie die industrielle Produktion. An die Stelle der Manufaktur trat die moderne große Industrie, an die Stelle des industriellen Mittelstandes traten die industriellen 20 Millionäre, die Chefs ganzer industrieller Armeen, die modernen Bourgeois.

Die große Industrie hat den Weltmarkt hergestellt, den die Entdeckung Amerikas vorbereitete. Der Weltmarkt hat dem Handel, der Schiffahrt, den Landkommunikationen eine unermeß- 25 liche Entwicklung gegeben. Diese hat wieder auf die Ausdehnung der Industrie zurückgewirkt, und in demselben Maße, worin Industrie, Handel, Schiffahrt, Eisenbahnen sich ausdehnten, in demselben Maße entwickelte sich die Bourgeoisie, vermehrte sie

---

[9] **Manufaktur** is used here in the sense of "factory system," i.e., a number of workers assembled together under one roof and so organized as to produce the separate parts of a particular article as efficiently as possible (historically, the stage prior to large-scale industry with extensive use of machinery). "Foreign" words of this kind, many of them culled from his extensive reading of English and French economists, were introduced freely by Marx when writing German, and the *Manifesto* contains its fair share of such borrowings.

[10] **Korporation:** guild.

ihre Kapitalien,[11] drängte sie alle vom Mittelalter her überlieferten Klassen in den Hintergrund.

Wir sehen also, wie die moderne Bourgeoisie selbst das Produkt eines langen Entwicklungsganges, einer Reihe von Umwälzungen in der Produktions- und Verkehrsweise ist.

Jede dieser Entwicklungsstufen der Bourgeoisie war begleitet von einem entsprechenden politischen Fortschritt. Unterdrückter Stand unter der Herrschaft der Feudalherren, bewaffnete und sich selbst verwaltende Assoziation in der Kommune,[12] hier unabhängige städtische Republik, dort dritter steuerpflichtiger Stand der Monarchie, dann zur Zeit der Manufaktur Gegengewicht gegen den Adel in der ständischen oder in der absoluten Monarchie, Hauptgrundlage der großen Monarchien überhaupt, erkämpfte sie sich endlich seit der Herstellung der großen Industrie und des Weltmarktes im modernen Repräsentativstaat[13] die ausschließliche politische Herrschaft. Die moderne Staatsgewalt[14] ist nur ein Ausschuß, der die gemeinschaftlichen Geschäfte der ganzen Bourgeoisklasse verwaltet.

Die Bourgeoisie hat in der Geschichte eine höchst revolutionäre Rolle gespielt.

Die Bourgeoisie, wo sie zur Herrschaft gekommen, hat alle feudalen, patriarchalischen, idyllischen Verhältnisse zerstört. Sie hat die buntscheckigen Feudalbande, die den Menschen an seinen natürlichen Vorgesetzten knüpften, unbarmherzig zerrissen und kein anderes Band zwischen Mensch und Mensch übriggelassen, als das nackte Interesse, als die gefühllose „bare Zahlung“.[15] Sie

---

11 **Kapitalien:** funds for further investment, capital.

12 Note by Engels to the English edition of 1888: "*Commune* was the name taken, n France, by the nascent towns even before they had conquered from their feudal lords ınd masters local self-government and political rights as the *third estate*. Generally peaking, for the economic development of the bourgeoisie, England is here taken as he typical country; for its political development, France."

13 **Repräsentativstaat:** a state with some form of parliamentary institutions repreenting the various national interests.

14 **Staatsgewalt:** executive, supreme power.

15 **„bare Zahlung“:** As well as the literal meaning of "cash payment," Marx learly intends a metaphorical one, untranslatable in English. In a capitalist economy

hat die heiligen Schauer der frommen Schwärmerei, der ritterlichen Begeisterung, der spießbürgerlichen[16] Wehmut in dem eiskalten Wasser egoistischer Berechnung ertränkt. Sie hat die persönliche Würde in den Tauschwert aufgelöst und an die Stelle 5 der zahllosen verbrieften[17] und wohlerworbenen Freiheiten die *eine* gewissenlose Handelsfreiheit gesetzt. Sie hat, mit einem Wort, an die Stelle der mit religiösen und politischen Illusionen verhüllten Ausbeutung die offene, unverschämte, direkte, dürre Ausbeutung gesetzt.

10 Die Bourgeoisie hat alle bisher ehrwürdigen und mit frommer Scheu betrachteten Tätigkeiten ihres Heiligenscheins entkleidet. Sie hat den Arzt, den Juristen, den Pfaffen, den Poeten, den Mann der Wissenschaft in ihre bezahlten Lohnarbeiter verwandelt.

Die Bourgeoisie hat dem Familienverhältnis seinen rührend-15 sentimentalen Schleier abgerissen und es auf ein reines Geldverhältnis zurückgeführt.

Die Bourgeoisie hat enthüllt, wie die brutale Kraftäußerung, die die Reaktion so sehr am Mittelalter bewundert, in der trägsten Bärenhäuterei[18] ihre passende Ergänzung fand. Erst sie hat be-20 wiesen, was die Tätigkeit der Menschen zustande bringen kann. Sie hat ganz andere Wunderwerke vollbracht als ägyptische Pyramiden, römische Wasserleitungen und gotische Kathedralen, sie hat ganz andere Züge ausgeführt[19] als Völkerwanderungen und Kreuzzüge.

---

money is the cold, unfeeling bond between worker and employer as compared with the more personal relationship which existed in the Middle Ages between master and apprentice.

16 In the Middle Ages a **Spießbürger** was, quite literally, a citizen equipped for military service with a pike (**Spieß**), but from the seventeenth century onward the term somehow took on the meaning of "philistine."

17 **verbrieft:** guaranteed by charter or deed.

18 **in der trägsten Bärenhäuterei:** 'in excessive indolence.' The word **Bärenhäuter** (lazybones, sluggard) goes back to the Humanists of the sixteenth century, who introduced it to describe their Germanic forebears, for, according to the account given by Tacitus in his *Germania,* these lived indolently in time of peace (Ch. 15) and wore the pelts of wild animals (Ch. 17).

19 **Züge ausführen:** to carry out expeditions. The interplay of **Züge** and **Kreuzzüge** adds a note of irony to this sentence which cannot be rendered into English.

Die Bourgeoisie kann nicht existieren, ohne die Produktionsinstrumente, also die Produktionsverhältnisse, also sämtliche gesellschaftlichen Verhältnisse fortwährend zu revolutionieren. Unveränderte Beibehaltung der alten Produktionsweise war dagegen die erste Existenzbedingung aller früheren industriellen Klassen. Die fortwährende Umwälzung der Produktion, die ununterbrochene Erschütterung aller gesellschaftlichen Zustände, die ewige Unsicherheit und Bewegung zeichnet die Bourgeoisepoche vor allen anderen aus. Alle festen eingerosteten Verhältnisse mit ihrem Gefolge von altehrwürdigen Vorstellungen und Anschauungen werden aufgelöst,[20] alle neugebildeten veralten, ehe sie verknöchern können. Alles Ständische und Stehende verdampft, alles Heilige wird entweiht, und die Menschen sind endlich gezwungen, ihre Lebensstellung, ihre gegenseitigen Beziehungen mit nüchternen Augen anzusehen.

Das Bedürfnis nach einem stets ausgedehnteren Absatz[21] für ihre Produkte jagt die Bourgeoisie über die ganze Erdkugel. Überall muß sie sich einnisten, überall anbauen, überall Verbindungen herstellen.

Die Bourgeoisie hat durch ihre Exploitation des Weltmarkts die Produktion und Konsumtion aller Länder kosmopolitisch gestaltet. Sie hat zum großen Bedauern der Reaktionäre den nationalen Boden der Industrie unter den Füßen weggezogen. Die uralten nationalen Industrien sind vernichtet worden und werden noch täglich vernichtet. Sie werden verdrängt durch neue Industrien, deren Einführung eine Lebensfrage für alle zivilisierten Nationen wird, durch Industrien, die nicht mehr einheimische Rohstoffe, sondern den entlegensten Zonen angehörige Rohstoffe verarbeiten und deren Fabrikate nicht nur im Lande selbst, sondern in allen Weltteilen zugleich verbraucht werden. An die Stelle der alten, durch Landeserzeugnisse befriedigten Bedürfnisse treten neue, welche die Produkte der entferntesten Länder und Klimate zu ihrer

---

20 **Alle festen . . . aufgelöst:** 'All firmly established and antiquated conditions with their train of time-honored notions and opinions are swept away.'

21 **Absatz:** market, outlet.

Befriedigung erheischen. An die Stelle der alten lokalen und nationalen Selbstgenügsamkeit und Abgeschlossenheit tritt ein allseitiger Verkehr, eine allseitige Abhängigkeit der Nationen voneinander. Und wie in der materiellen, so auch in der geistigen
5 Produktion. Die geistigen Erzeugnisse der einzelnen Nationen werden Gemeingut. Die nationale Einseitigkeit und Beschränktheit wird mehr und mehr unmöglich, und aus den vielen nationalen und lokalen Literaturen bildet sich eine Weltliteratur.[22]

Die Bourgeoisie reißt durch die rasche Verbesserung aller
10 Produktionsinstrumente, durch die unendlich erleichterten Kommunikationen alle, auch die barbarischsten Nationen in die Zivilisation. Die wohlfeilen Preise ihrer Waren sind die schwere Artillerie, mit der sie alle chinesischen Mauern in den Grund schießt, mit der sie den hartnäckigsten Fremdenhaß der Barbaren zur
15 Kapitulation zwingt. Sie zwingt alle Nationen, die Produktionsweise der Bourgeoisie sich anzueignen, wenn sie nicht zugrunde gehen wollen; sie zwingt sie, die sogenannte Zivilisation bei sich selbst einzuführen, d.h. Bourgeois zu werden. Mit einem Wort, sie schafft sich eine Welt nach ihrem eigenen Bilde.

20 Die Bourgeoisie hat das Land der Herrschaft der Stadt unterworfen. Sie hat enorme Städte geschaffen, sie hat die Zahl der städtischen Bevölkerung gegenüber der ländlichen in hohem Grade vermehrt und so einen bedeutenden Teil der Bevölkerung dem Idiotismus[23] des Landlebens entrissen. Wie sie das Land von
25 der Stadt, hat sie die barbarischen und halbbarbarischen Länder von den zivilisierten, die Bauernvölker von den Bourgeoisvölkern, den Orient vom Okzident abhängig gemacht.

Die Bourgeoisie hebt mehr und mehr die Zersplitterung der Produktionsmittel, des Besitzes und der Bevölkerung auf. Sie hat

---

22 The idea of "world literature," that literature ultimately transcends national frontiers, first came into prominence through Goethe during the early nineteenth century. For Goethe it was something primarily intellectual and aesthetic; but for Marx, significantly, (see p. 32) it is the inevitable consequence of economic developments.

23 **Idiotismus:** backwardness, ignorance.

die Bevölkerung agglomeriert,[24] die Produktionsmittel zentralisiert und das Eigentum in wenigen Händen konzentriert. Die notwendige Folge hiervon war die politische Zentralisation. Unabhängige, fast nur verbündete Provinzen mit verschiedenen Interessen, Gesetzen, Regierungen und Zöllen wurden zusammengedrängt in *eine* Nation, *eine* Regierung, *ein* Gesetz, *ein* nationales Klasseninteresse, *eine* Douanenlinie.[25]

Die Bourgeoisie hat in ihrer kaum hundertjährigen Klassenherrschaft massenhaftere und kolossalere Produktionskräfte geschaffen als alle vergangenen Generationen zusammen. Unterjochung der Naturkräfte, Maschinerie, Anwendung der Chemie auf Industrie und Ackerbau, Dampfschiffahrt, Eisenbahnen, elektrische Telegraphen, Urbarmachung ganzer Weltteile, Schiffbarmachung der Flüsse, ganze aus dem Boden hervorgestampfte Bevölkerungen— welches frühere Jahrhundert ahnte, daß solche Produktionskräfte im Schoß der gesellschaftlichen Arbeit schlummerten?

Wir haben also gesehen: Die Produktions- und Verkehrsmittel, auf deren Grundlage sich die Bourgeoisie heranbildete, wurden in der feudalen Gesellschaft erzeugt. Auf einer gewissen Stufe der Entwicklung dieser Produktions- und Verkehrsmittel entsprachen[26] die Verhältnisse, worin die feudale Gesellschaft produzierte und austauschte, die feudale Organisation der Agrikultur und Manufaktur, mit einem Wort die feudalen Eigentumsverhältnisse den schon entwickelten Produktivkräften nicht mehr. Sie hemmten die Produktion, statt sie zu fördern. Sie verwandelten sich in ebenso viele Fesseln. Sie mußten gesprengt werden, sie wurden gesprengt.

An ihre Stelle trat die freie Konkurrenz mit der ihr angemessenen

---

[24] Although **agglomerieren** is often translated as "to increase," it is more accurately "to concentrate, bring together in large numbers," as was indeed happening in the rapidly expanding towns of nineteenth-century Britain.

[25] **Douanenlinie:** *lit.* the demarcation line between states at which customs dues are levied; used here figuratively in the sense of "customs," "tariff barrier."

[26] **entsprechen** (*dat.*)**:** to comply with, be compatible with. A rather involved sentence, because the subject **Verhältnisse** is first amplified by a relative clause, then restated more precisely (**die feudale Organisation . . .**) and finally recapitulated (**die feudalen Eigentumsverhältnisse**)**;** only then does the indirect object (**Produktivkräfte**) appear.

gesellschaftlichen und politischen Konstitution, mit der ökonomischen und politischen Herrschaft der Bourgeoisklasse.

Unter unsern Augen geht eine ähnliche Bewegung vor. Die bürgerlichen Produktions- und Verkehrsverhältnisse, die bürgerlichen Eigentumsverhältnisse, die moderne bürgerliche Gesellschaft, die so gewaltige Produktions- und Verkehrsmittel hervorgezaubert hat, gleicht dem Hexenmeister, der die unterirdischen Gewalten nicht mehr zu beherrschen vermag, die er heraufbeschwor. Seit Dezennien ist die Geschichte der Industrie und des Handels nur die Geschichte der Empörung der modernen Produktivkräfte gegen die modernen Produktionsverhältnisse, gegen die Eigentumsverhältnisse, welche die Lebensbedingungen der Bourgeoisie und ihrer Herrschaft sind. Es genügt, die Handelskrisen zu nennen, welche in ihrer periodischen Wiederkehr immer drohender die Existenz der ganzen bürgerlichen Gesellschaft in Frage stellen. In den Handelskrisen wird ein großer Teil nicht nur der erzeugten Produkte, sondern der bereits geschaffenen Produktivkräfte regelmäßig vernichtet. In den Krisen bricht eine gesellschaftliche Epidemie aus, welche allen früheren Epochen als ein Widersinn erschienen wäre—die Epidemie der Überproduktion. Die Gesellschaft findet sich plötzlich in einen Zustand momentaner Barbarei zurückversetzt; eine Hungersnot, ein allgemeiner Vernichtungskrieg scheinen ihr alle Lebensmittel abgeschnitten zu haben; die Industrie, der Handel scheinen vernichtet, und warum? Weil sie zuviel Zivilisation, zuviel Lebensmittel, zuviel Industrie, zuviel Handel besitzt. Die Produktivkräfte, die ihr zur Verfügung stehen, dienen nicht mehr zur Beförderung der bürgerlichen Eigentumsverhältnisse; im Gegenteil, sie sind zu gewaltig für diese Verhältnisse geworden, sie werden von ihnen gehemmt; und sobald sie dies Hemmnis überwinden, bringen sie die ganze bürgerliche Gesellschaft in Unordnung, gefährden sie die Existenz des bürgerlichen Eigentums. Die bürgerlichen Verhältnisse sind zu eng geworden, um den von ihnen erzeugten Reichtum zu fassen.—Wodurch überwindet die Bourgeoisie die Krisen? Einerseits durch die erzwungene Vernichtung einer Masse von Produktivkräften;

anderseits durch die Eroberung neuer Märkte und die gründlichere Ausbeutung alter Märkte. Wodurch also? Dadurch, daß sie allseitigere und gewaltigere Krisen vorbereitet und die Mittel, den Krisen vorzubeugen, vermindert.

Die Waffen, womit die Bourgeoisie den Feudalismus zu Boden geschlagen hat, richten sich jetzt gegen die Bourgeoisie selbst. 5

Aber die Bourgeoisie hat nicht nur die Waffen geschmiedet, die ihr den Tod bringen; sie hat auch die Männer gezeugt, die diese Waffen führen werden—die modernen Arbeiter, die *Proletarier*.

In demselben Maße, worin sich die Bourgeoisie, d.h. das Kapital, entwickelt, in demselben Maße entwickelt sich das Proletariat, die Klasse der modernen Arbeiter, die nur so lange leben, als sie Arbeit finden, und die nur so lange Arbeit finden, als ihre Arbeit das Kapital vermehrt. Diese Arbeiter, die sich stückweis verkaufen müssen, sind eine Ware wie jeder andere Handelsartikel und daher gleichmäßig allen Wechselfällen der Konkurrenz, allen Schwankungen des Marktes ausgesetzt.[27] 10 15

Die Arbeit der Proletarier hat durch die Ausdehnung der Maschinerie und die Teilung der Arbeit allen selbständigen Charakter und damit allen Reiz für die Arbeiter verloren. Er wird ein bloßes Zubehör der Maschine, von dem nur der einfachste, eintönigste, am leichtesten erlernbare Handgriff[28] verlangt wird. Die Kosten, die der Arbeiter verursacht, beschränken sich daher fast nur auf die Lebensmittel, die er zu seinem Unterhalt und zur Fortpflanzung seiner Race bedarf. Der Preis einer Ware, also auch der Arbeit, ist aber gleich ihren Produktionskosten. In demselben Maße, in dem die Widerwärtigkeit der Arbeit wächst, nimmt daher der Lohn ab. Noch mehr, in demselben Maße, wie Maschinerie und Teilung der Arbeit zunehmen, in demselben Maße nimmt auch die Masse der Arbeit[29] zu, sei es durch Vermehrung der Arbeitsstunden, sei es durch Vermehrung der in einer gegebenen 20 25 30

[27] **und daher . . . ausgesetzt:** 'and are therefore equally exposed to the vicissitudes of competition and the fluctuations of the market.'

[28] **Handgriff:** action, manual operation.

[29] **die Masse der Arbeit:** the amount of work.

Zeit geforderten Arbeit, beschleunigten Lauf[30] der Maschinen usw.

Die moderne Industrie hat die kleine Werkstube des patriarchalischen Meisters in die große Fabrik des industriellen Kapitalisten 5 verwandelt. Arbeitermassen, in der Fabrik zusammengedrängt, werden soldatisch organisiert. Sie werden als gemeine Industriesoldaten unter die Aufsicht einer vollständigen Hierarchie von Unteroffiizieren und Offizieren gestellt. Sie sind nicht nur Knechte der Bourgeoisklasse, des Bourgeoisstaates, sie sind täglich und 10 stündlich geknechtet von der Maschine, von dem Aufseher, und vor allem von den einzelnen fabrizierenden Bourgeois selbst. Diese Despotie ist um so kleinlicher, gehässiger, erbitternder, je offener sie den Erwerb als ihren Zweck proklamiert.

Je weniger die Handarbeit Geschicklichkeit und Kraftäußerung[31] 15 erheischt, d.h. je mehr die moderne Industrie sich entwickelt, desto mehr wird die Arbeit der Männer durch die der Weiber verdrängt. Geschlechts- und Altersunterschiede haben keine gesellschaftliche Geltung mehr für die Arbeiterklasse. Es gibt nur noch Arbeitsinstrumente, die je nach Alter und Geschlecht 20 verschiedene Kosten machen.

Ist die Ausbeutung des Arbeiters durch den Fabrikanten so weit beendigt, daß er seinen Arbeitslohn bar ausgezahlt erhält, so fallen die andern Teile der Bourgeoisie über ihn her, der Hausbesitzer, der Krämer, der Pfandleiher usw.

25 Die bisherigen kleinen Mittelstände,[32] die kleinen Industriellen, Kaufleute und Rentiers, die Handwerker und Bauern, alle diese Klassen fallen ins Proletariat hinab, teils dadurch, daß ihr kleines Kapital für den Betrieb der großen Industrie nicht ausreicht und der Konkurrenz mit den größeren Kapitalisten erliegt, teils dadurch, 30 daß ihre Geschicklichkeit von neuen Produktionsweisen entwertet

---

30 **beschleunigten Lauf=durch beschleunigten Lauf.**

31 **Kraftäußerung:** expenditure of physical strength, exertion.

32 When referring to the lower stratum of the middle class, which exercised considerably less political power and which was, in his view, less inimical to working-class interests, Marx reverts to the more objective and dispassionate **Mittelstände.**

wird. So rekrutiert sich das Proletariat aus allen Klassen der Bevölkerung. . . .

Aber mit der Entwicklung der Industrie vermehrt sich nicht nur das Proletariat; es wird in größeren Massen zusammengedrängt, seine Kraft wächst, und es fühlt sie mehr. Die Interessen, die Lebenslagen innerhalb des Proletariats gleichen sich immer mehr aus, indem die Maschinerie mehr und mehr die Unterschiede der Arbeit verwischt und den Lohn fast überall auf ein gleich niedriges Niveau herabdrückt. Die wachsende Konkurrenz der Bourgeois unter sich und die daraus hervorgehenden Handelskrisen machen den Lohn der Arbeiter immer schwankender; die immer rascher sich entwickelnde, unaufhörliche Verbesserung der Maschinerie macht ihre ganze Lebensstellung[33] immer unsicherer; immer mehr nehmen die Kollisionen zwischen dem einzelnen Arbeiter und dem einzelnen Bourgeois den Charakter von Kollisionen zweier Klassen an. Die Arbeiter beginnen damit, Koalitionen[34] gegen die Bourgeois zu bilden; sie treten zusammen zur Behauptung ihres Arbeitslohns. Sie stiften selbst dauernde Assoziationen,[35] um sich für die gelegentlichen Empörungen[36] zu verproviantieren. Stellenweis bricht der Kampf in Emeuten[37] aus.

Von Zeit zu Zeit siegen die Arbeiter, aber nur vorübergehend. Das eigentliche Resultat ihrer Kämpfe ist nicht der unmittelbare Erfolg, sondern die immer weiter um sich greifende Vereinigung der Arbeiter. Sie wird befördert durch die wachsenden Kommunikationsmittel, die von der großen Industrie erzeugt werden und die Arbeiter der verschiedenen Lokalitäten miteinander in Verbindung setzen. Es bedarf aber bloß der Verbindung, um die vielen Lokalkämpfe von überall gleichem Charakter zu einem

---

33 **Lebensstellung:** livelihood.

34 **Koalitionen** refers to the workingmen's combinations of the early nineteenth century, the forerunners of modern trade unions.

35 Many of the early British trade unions did, in fact, describe themselves as "associations."

36 **Empörungen:** labor struggles, unrest.

37 **Emeuten:** riots, uprisings. (Cf. German **Meuterei** and English "mutiny," which come from the same root.)

nationalen, zu einem Klassenkampfe zu zentralisieren. Jeder Klassenkampf aber ist ein politischer Kampf. Und die Vereinigung, zu der die Bürger des Mittelalters mit ihren Vizinalwegen[38] Jahrhunderte bedurften, bringen die modernen Proletarier mit den Eisenbahnen in wenigen Jahren zustande.

Diese Organisation der Proletarier zur Klasse, und damit zur politischen Partei, wird jeden Augenblick wieder gesprengt durch die Konkurrenz unter den Arbeitern selbst. Aber sie ersteht immer wieder, stärker, fester, mächtiger. Sie erzwingt die Anerkennung einzelner Interessen der Arbeiter in Gesetzesform, indem sie die Spaltungen der Bourgeoisie unter sich benutzt. So die Zehnstundenbill[39] in England. . . .

In Zeiten endlich, wo der Klassenkampf sich der Entscheidung nähert, nimmt der Auflösungsprozeß innerhalb der herrschenden Klasse, innerhalb der ganzen alten Gesellschaft, einen so heftigen, so grellen Charakter an, daß ein kleiner Teil der herrschenden Klasse sich von ihr lossagt und sich der revolutionären Klasse anschließt, der Klasse, welche die Zukunft in ihren Händen trägt. Wie daher früher ein Teil des Adels zur Bourgeoisie überging, so geht jetzt ein Teil der Bourgeoisie zum Proletariat über, und namentlich ein Teil der Bourgeoisideologen,[40] welche zum theoretischen Verständnis der ganzen geschichtlichen Bewegung sich hinaufgearbeitet haben.

Von allen Klassen, welche heutzutage der Bourgeoisie gegenüberstehen, ist nur das Proletariat eine wirklich revolutionäre Klasse. Die übrigen Klassen verkommen und gehen unter mit der großen Industrie, das Proletariat ist ihr eigenstes[41] Produkt.

Die Mittelstände, der kleine Industrielle, der kleine Kaufmann,

---

38 **Vizinalweg** (*from Lat.* vicinalis: neighboring): minor routes and byways which linked neighboring communities in the Middle Ages.

39 **Zehnstundenbill:** By a Factory Act of 1847 the working day for women and children was limited to ten hours.

40 **Bourgeoisideologen** is sometimes rendered quite literally as "bourgeois ideologists," but "bourgeois theoreticians" or simply "bourgeois intellectuals" would be nearer and certainly more idiomatic.

41 **eigenstes:** a superlative of this adjective is not very usual; perhaps best translated as "unique."

der Handwerker, der Bauer, sie alle bekämpfen die Bourgeoisie, um ihre Existenz als Mittelstände vor dem Untergang zu sichern. Sie sind also nicht revolutionär, sondern konservativ. Noch mehr, sie sind reaktionär, sie suchen das Rad der Geschichte zurückzudrehen. Sind sie revolutionär, so sind sie es im Hinblick auf den ihnen bevorstehenden Übergang ins Proletariat, so verteidigen sie nicht ihre gegenwärtigen, sondern ihre zukünftigen Interessen, so verlassen sie ihren eigenen Standpunkt, um sich auf den des Proletariats zu stellen.

Das Lumpenproletariat,[42] diese passive Verfaulung der untersten Schichten der alten Gesellschaft, wird durch eine proletarische Revolution stellenweise in die Bewegung hineingeschleudert, seiner ganzen Lebenslage nach wird es bereitwilliger sein, sich zu reaktionären Umtrieben[43] erkaufen zu lassen.

Die Lebensbedingungen der alten Gesellschaft sind schon vernichtet in den Lebensbedingungen des Proletariats. Der Proletarier ist eigentumslos; sein Verhältnis zu Weib und Kindern hat nichts mehr gemein mit dem bürgerlichen Familienverhältnis; die moderne industrielle Arbeit, die moderne Unterjochung unter das Kapital, dieselbe in England wie in Frankreich, in Amerika wie in Deutschland, hat ihm allen nationalen Charakter abgestreift. Die Gesetze, die Moral, die Religion sind für ihn ebenso viele bürgerliche Vorurteile, hinter denen sich ebenso viele bürgerliche Interessen verstecken.

Alle früheren Klassen, die sich die Herrschaft eroberten, suchten ihre schon erworbene Lebensstellung zu sichern, indem sie die ganze Gesellschaft den Bedingungen ihres Erwerbs unterwarfen. Die Proletarier können sich die gesellschaftlichen Produktivkräfte nur erobern, indem sie ihre eigene bisherige Aneignungsweise[44] und damit die ganze bisherige Aneignungsweise abschaffen. Die Proletarier haben nichts von dem ihrigen zu sichern, sie haben

---

[42] **Lumpenproletariat:** slum proletariat, dregs of society. One of the few German words to pass into English literary usage.

[43] **reaktionäre Umtriebe:** reactionary intrigues, counterrevolutions.

[44] **Aneignungsweise:** mode of acquiring property.

alle bisherigen Privatsicherheiten und Privatversicherungen[45] zu zerstören.

Alle bisherigen Bewegungen waren Bewegungen von Minoritäten oder im Interesse von Minoritäten. Die proletarische Bewegung ist die selbständige Bewegung der ungeheuren Mehrzahl im Interesse der ungeheuren Mehrzahl. Das Proletariat, die unterste Schichte der jetzigen Gesellschaft, kann sich nicht erheben, nicht aufrichten, ohne daß der ganze Überbau der Schichten, die die offizielle Gesellschaft bilden, in die Luft gesprengt wird.[46]

Obgleich nicht dem Inhalt, ist der Form nach der Kampf des Proletariats gegen die Bourgeoisie zunächst ein nationaler. Das Proletariat eines jeden Landes muß natürlich zuerst mit seiner eigenen Bourgeoisie fertig werden.

Indem wir die allgemeinsten Phasen der Entwicklung des Proletariats zeichneten, verfolgten wir den mehr oder minder versteckten Bürgerkrieg innerhalb der bestehenden Gesellschaft bis zu dem Punkt, wo er in eine offene Revolution ausbricht und durch den gewaltsamen Sturz der Bourgeoisie das Proletariat seine Herrschaft begründet.

Alle bisherige Gesellschaft beruhte, wie wir gesehen haben, auf dem Gegensatz unterdrückender und unterdrückter Klassen. Um aber eine Klasse unterdrücken zu können, müssen ihr[47] Bedingungen gesichert sein, innerhalb derer sie wenigstens ihre knechtische Existenz fristen kann. Der Leibeigene hat sich zum Mitglied der Kommune[48] in der Leibeigenschaft herangearbeitet, wie der Kleinbürger zum Bourgeois unter dem Joch des feudalistischen Absolutismus. Der moderne Arbeiter dagegen, statt sich mit dem Fortschritt der Industrie zu heben, sinkt immer tiefer unter die Bedingungen seiner eigenen Klasse herab. Der Arbeiter wird

---

45 **Privatsicherheiten und Privatversicherungen:** securities and insurances in respect of private property.

46 **ohne daß . . . gesprengt wird:** 'without the whole stratification of official society being shattered.' Marx's German, especially the phrase **Überbau der Schichten,** is rather difficult to render literally.

47 **ihr** is dative singular.

48 **Kommune:** see p. 17, note 12.

zum Pauper, und der Pauperismus entwickelt sich noch schneller als Bevölkerung und Reichtum. Es tritt hiermit offen hervor, daß die Bourgeoisie unfähig ist, noch länger die herrschende Klasse der Gesellschaft zu bleiben und die Lebensbedingungen ihrer Klasse der Gesellschaft als regelndes Gesetz aufzuzwingen. Sie ist 5 unfähig zu herrschen, weil sie unfähig ist, ihrem Sklaven die Existenz selbst innerhalb seiner Sklaverei zu sichern, weil sie gezwungen ist, ihn in eine Lage herabsinken zu lassen, wo sie ihn ernähren muß, statt von ihm ernährt zu werden. Die Gesellschaft kann nicht mehr unter ihr leben, d.h. ihr Leben ist nicht mehr ver- 10 träglich mit der Gesellschaft.

Die wesentliche Bedingung für die Existenz und für die Herrschaft der Bourgeoisklasse ist die Anhäufung des Reichtums in den Händen von Privaten, die Bildung und Vermehrung des Kapitals; die Bedingung des Kapitals ist die Lohnarbeit. Die 15 Lohnarbeit beruht ausschließlich auf der Konkurrenz der Arbeiter unter sich. Der Fortschritt der Industrie, dessen willenloser und widerstandsloser Träger die Bourgeoisie ist, setzt an die Stelle der Isolierung der Arbeiter durch die Konkurrenz ihre revolutionäre Vereinigung durch die Assoziation.[49] Mit der Entwicklung der 20 großen Industrie wird also unter den Füßen der Bourgeoisie die Grundlage selbst hinweggezogen, worauf sie produziert und die Produkte sich aneignet. Sie produziert vor allem ihren eigenen Totengräber. Ihr Untergang und der Sieg des Proletariats sind gleich unvermeidlich.[50] 25

Proletarier und Kommunisten

In welchem Verhältnis stehen die Kommunisten zu den Proletariern überhaupt?

Die Kommunisten sind keine besondere Partei gegenüber den andern Arbeiterparteien. . . .

---

49 **Assoziation:** see p. 25, note 35.

50 Observe how Marx closes this section of the *Manifesto* with two short sentences, in their way both memorable, neatly summing up his argument so far and, equally important, striking a characteristic note of confident prophecy.

Der nächste Zweck der Kommunisten ist derselbe wie der aller übrigen proletarischen Parteien: Bildung des Proletariats zur Klasse, Sturz der Bourgeoisieherrschaft, Eroberung der politischen Macht durch das Proletariat.

5 Die theoretischen Sätze der Kommunisten beruhen keineswegs auf Ideen, auf Prinzipien, die von diesem oder jenem Weltverbesserer erfunden oder entdeckt sind.

Sie sind nur allgemeine Ausdrücke tatsächlicher Verhältnisse eines existierenden Klassenkampfes, einer unter unsern Augen 10 vor sich gehenden geschichtlichen Bewegung. Die Abschaffung bisheriger Eigentumsverhältnisse ist nichts den Kommunismus eigentümlich Bezeichnendes.[51]

Alle Eigentumsverhältnisse waren einem beständigen geschichtlichen Wechsel, einer beständigen geschichtlichen Veränderung 15 unterworfen.

Die französische Revolution z.B. schaffte das Feudaleigentum zugunsten des bürgerlichen ab.

Was den Kommunismus auszeichnet, ist nicht die Abschaffung des Eigentums überhaupt, sondern die Abschaffung des bürger- 20 lichen Eigentums. . . .

Man hat eingewendet, mit der Aufhebung des Privateigentums werde alle Tätigkeit aufhören und eine allgemeine Faulheit einreißen.[52]

Hiernach müßte die bürgerliche Gesellschaft längst an der 25 Trägheit zugrunde gegangen sein; denn die in ihr arbeiten, erwerben nicht, und die in ihr erwerben, arbeiten nicht. Das ganze Bedenken[53] läuft auf die Tautologie hinaus, daß es keine Lohnarbeit mehr gibt, sobald es kein Kapital mehr gibt.

Alle Einwürfe, die gegen die kommunistische Aneignungs-

---

51 **nichts den Kommunismus eigentümlich Bezeichnendes:** 'is in no wise a distinctive feature of communism.' Note how Marx allows the religious-emotional note to subside in the first part of this section and adopts a dispassionate "scientific" approach, arguing that communism is inevitable since it will be produced by an inexorable historical process.

52 **einreißen:** to set in.

53 **Bedenken:** criticism, objection.

und Produktionsweise der materiellen Produkte gerichtet werden, sind ebenso auf die Aneignung und Produktion der geistigen Produkte ausgedehnt worden. Wie für den Bourgeois das Aufhören des Klasseneigentums das Aufhören der Produktion selbst ist, so ist für ihn das Aufhören der Klassenbildung identisch mit dem 5 Aufhören der Bildung überhaupt.

Die Bildung, deren Verlust er bedauert, ist für die enorme Mehrzahl die Heranbildung zur Maschine.[54]

Aber streitet nicht mit uns, indem ihr an euren bürgerlichen Vorstellungen von Freiheit, Bildung, Recht usw. die Abschaffung 10 des bürgerlichen Eigentums meßt. Eure Ideen selbst sind Erzeugnisse der bürgerlichen Produktions- und Eigentumsverhältnisse, wie euer Recht nur der zum Gesetz erhobene Wille eurer Klasse ist, ein Wille, dessen Inhalt gegeben ist in den materiellen Lebensbedingungen eurer Klasse. . . . 15

Werft ihr uns vor, daß wir die Ausbeutung der Kinder durch ihre Eltern aufheben wollen? Wir gestehen dieses Verbrechen ein.

Aber, sagt ihr, wir heben die trautesten Verhältnisse[55] auf, indem wir an die Stelle der häuslichen Erziehung die gesellschaftliche setzen. 20

Und ist nicht auch eure Erziehung durch die Gesellschaft bestimmt? Durch die gesellschaftlichen Verhältnisse, innerhalb derer ihr erzieht, durch die direktere oder indirektere Einmischung der Gesellschaft, vermittelst der Schule usw.? Die Kommunisten erfinden nicht die Einwirkung der Gesellschaft auf die Erziehung; 25 sie verändern nur ihren Charakter, sie entreißen die Erziehung dem Einfluß der herrschenden Klasse.

Die bürgerlichen Redensarten über Familie und Erziehung, über das traute Verhältnis von Eltern und Kindern werden um so ekelhafter, je mehr infolge der großen Industrie alle Familienbande 30

---

[54] **Die Bildung . . . zur Maschine:** 'The culture, the loss of which he laments, means for the vast majority being trained to work like a machine.' The juxtaposition of **Bildung** (culture, liberal education) and **Heranbildung** (training) tends to heighten the contrast.

[55] **die trautesten Verhältnisse:** 'the most intimate and hallowed of relationships.'

für die Proletarier zerrissen und die Kinder in einfache Handelsartikel und Arbeitsinstrumente verwandelt werden. . . .

Den Kommunisten ist ferner vorgeworfen worden, sie wollten das Vaterland, die Nationalität abschaffen.

Die Arbeiter haben kein Vaterland. Man kann ihnen nicht nehmen, was sie nicht haben. Indem das Proletariat zunächst sich die politische Herrschaft erobern, sich zur nationalen Klasse erheben, sich selbst als Nation konstituieren muß, ist es selbst noch national, wenn auch keineswegs im Sinne der Bourgeoisie.

Die nationalen Absonderungen und Gegensätze der Völker verschwinden mehr und mehr schon mit der Entwicklung der Bourgeoisie, mit der Handelsfreiheit, dem Weltmarkt, der Gleichförmigkeit der industriellen Produktion und der ihr entsprechenden Lebensverhältnisse.

Die Herrschaft des Proletariats wird sie noch mehr verschwinden machen. Vereinigte Aktion, wenigstens der zivilisierten Länder, ist eine der ersten Bedingungen seiner Befreiung.

In dem Maße, wie die Exploitation des einen Individuums durch das andere aufgehoben wird, wird die Exploitation einer Nation durch die andere aufgehoben.

Mit dem Gegensatz der Klassen im Innern der Nation fällt die feindliche Stellung der Nationen gegeneinander.[56]

Die Anklagen gegen den Kommunismus, die von religiösen, philosophischen und ideologischen Gesichtspunkten überhaupt erhoben werden, verdienen keine ausführlichere Erörterung.

Bedarf es tiefer Einsicht, um zu begreifen, daß mit den Lebensverhältnissen der Menschen, mit ihren gesellschaftlichen Beziehungen, mit ihrem gesellschaftlichen Dasein, auch ihre Vorstellungen, Anschauungen und Begriffe, mit einem Worte, auch ihr Bewußtsein sich ändert?

Was beweist die Geschichte der Ideen anders, als daß die geistige

---

56 **Mit dem Gegensatz . . . gegeneinander:** 'As class antagonism within the nation disappears, so, too, will the hostility of the nations toward each other.'

Produktion sich mit der materiellen umgestaltet?[57] Die herrschenden Ideen einer Zeit waren stets nur die Ideen der herrschenden Klasse.

Man spricht von Ideen, welche eine ganze Gesellschaft revolutionieren; man spricht damit nur die Tatsache aus, daß sich innerhalb der alten Gesellschaft die Elemente einer neuen gebildet haben, daß mit der Auflösung der alten Lebensverhältnisse die Auflösung der alten Ideen gleichen Schritt hält.

Als die alte Welt im Untergehen begriffen war,[58] wurden die alten Religionen von der christlichen Religion besiegt. Als die christlichen Ideen im 18. Jahrhundert den Aufklärungsideen unterlagen, rang die feudale Gesellschaft ihren Todeskampf mit der damals revolutionären Bourgeoisie. Die Ideen der Gewissens- und Religionsfreiheit sprachen nur die Herrschaft der freien Konkurrenz auf dem Gebiete des Wissens aus.[59]

„Aber", wird man sagen, „religiöse, moralische, philosophische, politische, rechtliche Ideen usw. modifizierten sich allerdings im Lauf der geschichtlichen Entwicklung. Die Religion, die Moral, die Philosophie, die Politik, das Recht erhielten sich stets in diesem Wechsel.

Es gibt zudem ewige Wahrheiten, wie Freiheit, Gerechtigkeit usw., die allen gesellschaftlichen Zuständen gemeinsam sind. Der Kommunismus aber schafft die ewigen Wahrheiten ab, er schafft die Religion ab, die Moral, statt sie neu zu gestalten, er widerspricht also allen bisherigen geschichtlichen Entwicklungen."

Worauf reduziert sich diese Anklage? Die Geschichte der ganzen

---

57 **sich umgestalten:** to change, be transformed (in relation to something else). 'What else does the history of ideas prove than that intellectual production changes its character to the extent that material production is changed?' This sentence is a variation on one of the fundamental tenets of Marxism.

58 **im Untergehen begriffen sein:** to be in the process of decline, disintegration; *here,* 'was in its last throes.'

59 Here, in embryonic form, is one of Marx's most interesting theories, the close connection between the history of religion and ideas, on the one hand, and developments in the economic field, on the other—in this instance, between the Enlightenment (**Gewissens- und Religionsfreiheit**) and laissez-faire economics. He comes back to this theory in his later writings (cf. p. 47 and p. 58).

bisherigen Gesellschaft bewegte sich in Klassengegensätzen, die in den verschiedenen Epochen verschieden gestaltet waren.

Welche Form sie aber auch immer angenommen, die Ausbeutung des einen Teils der Gesellschaft durch den andern ist eine allen 5 vergangenen Jahrhunderten gemeinsame Tatsache. Kein Wunder daher, daß das gesellschaftliche Bewußtsein aller Jahrhunderte, aller Mannigfaltigkeit und Verschiedenheit zum Trotz, in gewissen gemeinsamen Formen sich bewegt, in Bewußtseinsformen, die nur mit dem gänzlichen Verschwinden des Klassengegensatzes 10 sich vollständig auflösen.

Die kommunistische Revolution ist das radikalste Brechen mit den überlieferten Eigentumsverhältnissen; kein Wunder, daß in ihrem Entwicklungsgange am radikalsten mit den überlieferten Ideen gebrochen wird.

15 Doch lassen[60] wir die Einwürfe der Bourgeoisie gegen den Kommunismus.

Wir sahen schon oben, daß der erste Schritt in der Arbeiterrevolution die Erhebung des Proletariats zur herrschenden Klasse, die Erkämpfung der Demokratie ist.

20 Das Proletariat wird seine politische Herrschaft dazu benutzen, der Bourgeoisie nach und nach alles Kapital zu entreißen, alle Produktionsinstrumente in den Händen des Staats, d.h. des als herrschende Klasse organisierten Proletariats, zu zentralisieren und die Masse der Produktionskräfte möglichst rasch zu vermehren.

25 Es kann dies natürlich zunächst nur geschehn vermittelst despotischer Eingriffe in das Eigentumsrecht und in die bürgerlichen Produktionsverhältnisse, durch Maßregeln also, die ökonomisch unzureichend und unhaltbar erscheinen, die aber im Lauf der Bewegung über sich selbst hinaustreiben[61] und als Mittel zur 30 Umwälzung der ganzen Produktionsweise unvermeidlich sind.

Diese Maßregeln werden natürlich je nach den verschiedenen Ländern verschieden sein.

---

60 **lassen:** *here,* to have done with, drop.

61 **über sich selbst hinaustreiben:** to exert an influence over and above themselves, 'have long-term effects.'

Für die fortgeschrittensten Länder werden jedoch die folgenden ziemlich allgemein in Anwendung kommen können:

1. Expropriation des Grundeigentums und Verwendung der Grundrente zu Staatsausgaben.
2. Starke Progressivsteuer. 5
3. Abschaffung des Erbrechts.
4. Konfiskation des Eigentums aller Emigranten und Rebellen.
5. Zentralisation des Kredits in den Händen des Staats durch eine Nationalbank mit Staatskapital und ausschließlichem Monopol.
6. Zentralisation des Transportwesens in den Händen des Staats. 10
7. Vermehrung der Nationalfabriken,[62] Produktionsinstrumente, Urbarmachung und Verbesserung der Ländereien[63] nach einem gemeinschaftlichen Plan.
8. Gleicher Arbeitszwang für alle, Errichtung industrieller Armeen, besonders für den Ackerbau. 15
9. Vereinigung des Betriebs von Ackerbau und Industrie. Hinwirken auf[64] die allmähliche Beseitigung des Unterschieds von Stadt und Land.
10. Öffentliche und unentgeltliche Erziehung aller Kinder. Beseitigung der Fabrikarbeit der Kinder in ihrer heutigen Form. 20 Vereinigung der Erziehung mit der materiellen Produktion usw.

Sind im Laufe der Entwicklung die Klassenunterschiede verschwunden und ist alle Produktion in den Händen der assoziierten Individuen konzentriert, so verliert die öffentliche Gewalt[65] den politischen Charakter. Die politische Gewalt im eigentlichen 25 Sinne ist die organisierte Gewalt einer Klasse zur Unterdrückung einer andern. Wenn das Proletariat im Kampfe gegen die Bourgeoisie sich notwendig zur Klasse vereint, durch eine Revolution sich zur herrschenden Klasse macht und als herrschende Klasse

---

[62] **Nationalfabriken:** nationalized factories.

[63] **Ländereien:** landed property, estates.

[64] **hinwirken auf:** *lit.* to tend toward, aim at. An idiomatic rendering of this phrase might run: 'working toward the gradual abolition of the differences between the urban and rural ways of life.'

[65] **die öffentliche Gewalt:** a legal term for the powers that are invested in the state; 'public authority.'

gewaltsam die alten Produktionsverhältnisse aufhebt, so hebt es mit diesen Produktionsverhältnissen die Existenzbedingungen des Klassengegensatzes, die Klassen überhaupt, und damit seine eigene Herrschaft als Klasse auf.

5 An die Stelle der alten bürgerlichen Gesellschaft mit ihren Klassen und Klassengegensätzen tritt eine Assoziation, worin die freie Entwicklung eines jeden die Bedingung für die freie Entwicklung aller ist.

Stellung der Kommunisten zu den verschiedenen oppositionellen Parteien[66]

. . .

In Deutschland kämpft die Kommunistische Partei, sobald die 10 Bourgeoisie revolutionär auftritt, gemeinsam mit der Bourgeoisie gegen die absolute Monarchie, das feudale Grundeigentum[67] und die Kleinbürgerei.

Sie unterläßt aber keinen Augenblick, bei den Arbeitern ein möglichst klares Bewußtsein über den feindlichen Gegensatz 15 zwischen Bourgeoisie und Proletariat herauszuarbeiten, damit die deutschen Arbeiter sogleich die gesellschaftlichen und politischen Bedingungen, welche die Bourgeoisie mit ihrer Herrschaft herbeiführen[68] muß, als ebenso viele Waffen gegen die Bourgeoisie kehren können, damit, nach dem Sturz der reaktionären Klassen

---

66 After discussing the attitude to be adopted by Communists toward the other parties and organizations working for social reform, from the Chartists in Britain to the idealistic agrarian communities in the United States, in this fourth and final section of the *Manifesto* Marx briefly outlines their tactics in the approaching struggle for power in Europe. As our extract shows, he had high hopes that Germany would give a lead to her Western neighbors in carrying through the next revolution. (The possibility of one of the Slavic nations staging such a revolution was never seriously considered by Marx.) In retrospect, one cannot help feeling that, while the *Manifesto* discounts—in fact, completely underestimates—the strength of national sentiment, Marx was himself swayed by a certain pride in his erstwhile German fatherland to make this prediction.

67 **das feudale Grundeigentum:** feudal landowners, "squirearchy."

68 **herbeiführen:** to introduce, establish.

in Deutschland, sofort der Kampf gegen die Bourgeoisie selbst beginnt.

Auf Deutschland richten die Kommunisten ihre Hauptaufmerksamkeit, weil Deutschland am Vorabend einer bürgerlichen Revolution steht und weil es diese Umwälzung unter fortgeschrittneren Bedingungen der europäischen Zivilisation überhaupt, und mit einem viel weiter entwickelten Proletariat vollbringt als England im siebenzehnten und Frankreich im achtzehnten Jahrhundert, die deutsche bürgerliche Revolution also nur das unmittelbare Vorspiel einer proletarischen Revolution sein kann.

Mit einem Wort, die Kommunisten unterstützen überall jede revolutionäre Bewegung gegen die bestehenden gesellschaftlichen und politischen Zustände.

In allen diesen Bewegungen heben sie die Eigentumsfrage, welche mehr oder minder entwickelte Form sie auch angenommen haben möge, als die Grundfrage der Bewegung hervor.

Die Kommunisten arbeiten endlich überall an der Verbindung und Verständigung[69] der demokratischen Parteien aller Länder.

Die Kommunisten verschmähen es, ihre Ansichten und Absichten zu verheimlichen. Sie erklären es offen, daß ihre Zwecke nur erreicht werden können durch den gewaltsamen Umsturz aller bisherigen Gesellschaftsordnung. Mögen die herrschenden Klassen vor einer kommunistischen Revolution zittern. Die Proletarier haben nichts in ihr zu verlieren als ihre Ketten. Sie haben eine Welt zu gewinnen.

Proletarier aller Länder, vereinigt euch!

Aus dem Manifest
der Kommunistischen Partei (1848).

---

69 **Verbindung und Verständigung:** 'unity and better understanding.' In effect, the promotion of a united front between Communists and democrats, the latter term being used at that time for a whole range of political opinion on the left, ranging from radicalism to socialism.

DIE GRUNDZÜGE DES „HISTORISCHEN MATERIALISMUS"

In many respects, the Critique of Political Economy *anticipates the main arguments of Marx's major work* Capital, *albeit in a form that is rather summary and obtuse. It is, therefore, perhaps no accident that the preface contains a celebrated thumbnail exposition of the materialist conception of history. In fact, not a few of the difficulties of this theory arise from the highly compressed form in which it is stated. Nevertheless it remains the clearest and most authoritative pronouncement on the subject to have come from Marx. Included in our extract are one or two other passages of biographical interest; in particular, they show that Marx was not, as is often supposed, entirely without a sense of humor.*

Mein Fachstudium war das der Jurisprudenz, die ich jedoch nur als untergeordnete Disziplin neben Philosophie und Geschichte betrieb. Im Jahre 1842/43, als Redakteur der „Rheinischen Zeitung", kam ich zuerst in die Verlegenheit, über sogenannte ma-
5 terielle Interessen mitsprechen zu müssen. Die Verhandlungen des Rheinischen Landtags über Holzdiebstahl[1] und Parzellierung des Grundeigentums,[2] die amtliche Polemik, die Herr von Schaper, damals Oberpräsident der Rheinprovinz, mit der „Rheinischen Zeitung" über die Zustände der Moselbauern eröffnete, Debat-
10 ten endlich über Freihandel und Schutzzoll, gaben die ersten Anlässe zu meiner Beschäftigung mit ökonomischen Fragen. Andererseits hatte zu jener Zeit, wo der gute Wille „weiterzugehen" Sachkenntnis vielfach aufwog,[3] ein schwach philosophisch gefärbtes Echo des französischen Sozialismus und Kommunismus

1 At issue was whether the peasants could be prosecuted for gathering wood in the forests, a right which had been theirs since medieval times.

2 **Parzellierung des Grundeigentums:** the division of land into small holdings. Cf. **parzellieren:** to divide into lots (*from French* parcelle: a plot of land).

3 **wo der . . . aufwog:** 'when well-meaning intentions to "get on with the job" far outran knowledge of the facts.'

sich in der „Rheinischen Zeitung" hörbar gemacht. Ich erklärte mich gegen diese Stümperei,[4] gestand aber zugleich in einer Kontroverse mit der „Allgemeinen Augsburger Zeitung" rundheraus, daß meine bisherigen Studien mir nicht erlaubten, irgendein Urteil über den Inhalt der französischen Richtungen selbst zu wagen. 5
Ich ergriff vielmehr begierig die Illusion der Geranten[5] der „Rheinischen Zeitung", die durch schwächere Haltung des Blattes das über es gefällte Todesurteil rückgängig machen zu können glaubten, um mich von der öffentlichen Bühne in die Studierstube zurückzuziehn. 10

Die erste Arbeit, unternommen zur Lösung der Zweifel, die mich bestürmten, war eine kritische Revision der Hegelschen Rechtsphilosophie, eine Arbeit, wovon die Einleitung in den 1844 in Paris herausgegebenen „Deutsch-Französischen Jahrbüchern"[6] erschien. Meine Untersuchung mündete in dem Ergebnis, daß 15
Rechtsverhältnisse[7] wie Staatsformen weder aus sich selbst zu begreifen sind noch aus der sogenannten allgemeinen Entwicklung des menschlichen Geistes, sondern vielmehr in den materiellen Lebensverhältnissen wurzeln, deren Gesamtheit Hegel, nach dem Vorgang der Engländer und Franzosen des 18. Jahrhunderts, 20
unter dem Namen „bürgerliche Gesellschaft" zusammenfaßt, daß aber die Anatomie der bürgerlichen Gesellschaft in der politischen Ökonomie zu suchen sei. Die Erforschung der letztern, die ich in Paris begann, setzte ich fort zu Brüssel, wohin ich infolge eines Ausweisungsbefehls des Herrn Guizot übergewandert war.[8] Das 25
allgemeine Resultat, das sich mir ergab und, einmal gewonnen, meinen Studien zum Leitfaden diente, kann kurz so formuliert

---

4 **Stümperei:** inexpertise, 'bungling amateurism.'

5 **Gerant:** an older word (pronounced as in French) for editor or a business associate responsible for publication.

6 **„Deutsch-Französische Jahrbücher":** see p. 4.

7 A strict translation of **Rechtsverhältnisse** would be "legal conditions" or "legal relations," and the word is, in fact, rendered this way in the standard translations. But in this context an English-speaking writer might well have written quite simply "laws."

8 As a result of this expulsion order signed by Guizot (see p. 14, note 1), Marx was required in January 1845 to leave France within four weeks.

werden: In der gesellschaftlichen Produktion ihres Lebens gehen die Menschen bestimmte, notwendige, von ihrem Willen unabhängige Verhältnisse ein, Produktionsverhältnisse,[9] die einer bestimmten Entwicklungsstufe ihrer materiellen Produktivkräfte[10] entsprechen. Die Gesamtheit dieser Produktionsverhältnisse bildet die ökonomische Struktur der Gesellschaft, die reale Basis, worauf sich ein juristischer und politischer Überbau[11] erhebt, und welcher bestimmte gesellschaftliche Bewußtseinsformen entsprechen. Die Produktionsweise des materiellen Lebens bedingt den sozialen, politischen und geistigen Lebensprozeß überhaupt. Es ist nicht das Bewußtsein der Menschen, das ihr Sein, sondern umgekehrt ihr gesellschaftliches Sein, das ihr Bewußtsein bestimmt. Auf einer gewissen Stufe ihrer Entwicklung geraten die materiellen Produktivkräfte der Gesellschaft in Widerspruch mit den vorhandenen Produktionsverhältnissen oder, was nur ein juristischer Ausdruck dafür ist, mit den Eigentumsverhältnissen, innerhalb deren sie sich bisher bewegt hatten. Aus Entwicklungsformen der Produktivkräfte schlagen diese Verhältnisse in Fesseln[12] derselben um. Es tritt dann eine Epoche sozialer Revolution ein. Mit der Veränderung der ökonomischen Grundlage wälzt sich der ganze ungeheure Überbau langsamer oder rascher um. In der Betrachtung solcher Umwälzungen muß man stets unterscheiden zwischen der materiellen naturwissenschaftlich treu zu konstatierenden[13] Umwälzung in den ökonomischen Produktionsbedin-

---

9 **Produktionsverhältnisse:** 'relationships which form the basis for the production of goods.' The standard translations play safe by rendering this compound as "relations of production" (a phrase actually used by English economists of the nineteenth century), but at critical points in his argument Marx's German not infrequently requires elucidation as well as translation to be meaningful in English.

10 **Produktivkräfte:** 'powers of production,' also translated as 'forces of production.'

11 **Überbau:** an important part of Marxist terminology, usually rendered as "superstructure."

12 **in Fesseln schlagen:** *lit.* "to change into fetters," i.e., to hold back, impede. 'From being forms which developed the powers of production, these same relationships become their fetters.'

13 **naturwissenschaftlich treu zu konstatierend:** 'capable of being determined with scientific precision.'

gungen und den juristischen, politischen, religiösen, künstlerischen oder philosophischen, kurz, ideologischen Formen, worin sich die Menschen dieses Konflikts bewußt werden und ihn ausfechten. So wenig man das, was ein Individuum ist, nach dem beurteilt, was es sich selbst dünkt, ebensowenig kann man eine solche Umwälzungsepoche aus ihrem Bewußtsein beurteilen, sondern muß vielmehr dies Bewußtsein aus den Widersprüchen des materiellen Lebens, aus dem vorhandenen Konflikt zwischen gesellschaftlichen Produktivkräften und Produktionsverhältnissen erklären. Eine Gesellschaftsformation geht nie unter, bevor alle Produktivkräfte entwickelt sind, für die sie weit genug ist, und neue höhere Produktionsverhältnisse treten nie an die Stelle, bevor die materiellen Existenzbedingungen derselben im Schoß der alten Gesellschaft selbst ausgebrütet worden sind.[14] Daher stellt sich die Menschheit immer nur Aufgaben, die sie lösen kann, denn genauer betrachtet wird sich stets finden, daß die Aufgabe selbst nur entspringt, wo die materiellen Bedingungen ihrer Lösung schon vorhanden oder wenigstens im Prozeß ihres Werdens begriffen sind. In großen Umrissen können asiatische, antike, feudale und modern bürgerliche Produktionsweisen als progressive[15] Epochen der ökonomischen Gesellschaftsformation bezeichnet werden. Die bürgerlichen Produktionsverhältnisse sind die letzte antagonistische Form des gesellschaftlichen Produktionsprozesses, antagonistisch nicht im Sinn von individuellem Antagonismus, sondern eines aus den gesellschaftlichen Lebensbedingungen der Individuen hervorwachsenden Antagonismus, aber die im Schoß der bürgerlichen Gesellschaft sich entwickelnden Pro-

---

[14] The implication of this statement would seem to be that a revolution, even a socialist one, cannot immediately lead to socialism in a primitive or underdeveloped country. It remains to be seen how far recent developments in some of the African and Asian countries will bear Marx out.

[15] **progressiv**: *here,* 'following in a regular progression,' i.e., successive, consecutive. Marx thought he perceived a stagnant quality in Asian societies, which he attributed to their practice of owning the land communally, a condition favorable to a particularly static kind of despotism. Hence, slavery (the economy or *Produktionsverhältnis* of the ancient world), feudalism, and capitalism all represent later and more advanced stages in the evolution of society than the "Asiatic mode of production."

duktivkräfte schaffen zugleich die materiellen Bedingungen zur Lösung dieses Antagonismus. Mit dieser Gesellschaftsformation schließt daher die Vorgeschichte der menschlichen Gesellschaft ab.

Friedrich Engels, mit dem ich seit dem Erscheinen seiner 5 genialen Skizze zur Kritik der ökonomischen Kategorien (in den „Deutsch-Französischen Jahrbüchern") einen steten schriftlichen Ideenaustausch unterhielt, war auf anderm Wege (vergleiche seine „Lage der arbeitenden Klasse in England") mit mir zu demselben Resultat gelangt, und als er sich im Frühling 1845 ebenfalls in 10 Brüssel niederließ, beschlossen wir, den Gegensatz unsrer Ansicht gegen die ideologische der deutschen Philosophie gemeinschaftlich auszuarbeiten, in der Tat mit unserm ehemaligen philosophischen Gewissen abzurechnen. Der Vorsatz ward ausgeführt in der Form einer Kritik der nachhegelschen Philosophie.[16] Das Manu- 15 skript, zwei starke Oktavbände, war längst an seinem Verlagsort in Westfalen angelangt, als wir die Nachricht erhielten, daß veränderte Umstände den Druck nicht erlaubten. Wir überließen das Manuskript der nagenden Kritik der Mäuse um so williger, als wir unsern Hauptzweck erreicht hatten—Selbstverständigung.[17]

Aus dem Vorwort zur Kritik der politischen Ökonomie (1859).

EINE VOLKSWIRTSCHAFTLICHE ROBINSONADE

In Capital *Marx set himself the task of developing in full the implications, especially the economic implications, of the ideas he and*

---

16 The critique of post-Hegelian philosophy referred to is the *German Ideology* (see p. 4), written in Brussels during 1845–46.

17 **Selbstverständigung:** 'clarification of the problem to our mutual satisfaction.'

Engels had spawned during their early years together; these had now to be laboriously unraveled and elucidated. As Marx himself wrote in the preface to the first volume: "It is the ultimate aim of this work to lay bare the economic law of motion of modern society." Unlike the majority of economic theorists of the mid-nineteenth century, Marx did not regard the prevailing economic system as sacrosanct, as something final and unalterable that could only be described and analyzed. What Newton and Darwin had achieved in their respective fields was, he held, equally possible with the study of political economy. Here, too, there were immutable laws at work which, on the evidence of Marx's own materialist interpretation of history, had first brought capitalism into existence and then caused it to undergo significant changes. Eventually, he was convinced, the inherent contradictions (thesis and antithesis) within capitalism would clash and lead to its destruction, an idea which is, of course, quite clearly expressed in the Manifesto *of 1848. Once again, Marx is appearing in his dual role of economic theorist and prophet of a new social order.*

Opinions as to the value of Capital *as a contribution to economic theory have varied since it first came off the press in Hamburg a hundred years ago. Naturally enough, in the communist countries it has been treated with a reverence normally accorded only to sacred writings, but in the West, too, there are scholars who hold it in high esteem. One suspects that the debate has more to do with the general validity of Marx's ideas than with just this one work. Viewed historically, there is no doubt that* Capital *represents a formidable intellectual achievement—the more so, when one recalls the poverty, ill-health, and distressing family circumstances that dogged Marx while he was writing it. Wholly admirable is Marx's unshakable faith in man's ability to solve his terrestrial problems; this alone, however, cannot make his writings an infallible guide to the problems of another age.*

Whatever the final judgment, it is most certainly a work of awe-inspiring proportions; the first volume alone, the only part to appear while Marx was alive, runs to some 800 pages, and to this were added in 1885 and 1894 a second and a third volume respectively, both of them arduously put together by Engels from Marx's posthumous papers. Thus the whole work takes up a good 2500 pages of print. That such a detailed and fundamental study of economics could be light reading is hardly to be expected; indeed, much of it is impenetrable to all but the specialist. True, there was a time when, according to Engels, it was known as "the bible of the working class," but, as Bertrand Russell remarks in another connection, it is the fate of bibles to go largely unread. Yet Capital *does contain passages which, with a little patience and concentration, are by no means beyond the general reader, and, as our first extract bears out, there is even an occasional flash of wit to enliven the exposition. This selection, one of the many historical sections in Volume I, quite apart from testifying to Marx's extensive knowledge of conditions in Britain over the centuries, is of considerable interest in itself.*

Da die politische Ökonomie Robinsonaden liebt, erscheine zuerst Robinson auf seiner Insel.[1] Bescheiden, wie er von Haus aus[2] ist, hat er doch verschiedenartige Bedürfnisse zu befriedigen und muß daher nützliche Arbeiten verschiedner Art verrichten, Werkzeuge machen, Möbel fabrizieren, Lama zähmen, fischen, jagen usw. Vom Beten u. dgl. sprechen wir hier nicht, da unser Robinson daran sein Vergnügen findet und derartige Tätigkeit als Erholung betrachtet. Trotz der Verschiedenheit seiner produktiven Funktionen weiß er, daß sie nur verschiedne Betätigungsformen desselben Robinson, also nur verschiedne Weisen menschlicher Arbeit sind. Die Not selbst zwingt ihn, seine Zeit genau zwischen seinen verschiednen Funktionen zu verteilen. Ob die eine mehr, die andre weniger Raum in seiner Gesamttätigkeit einnimmt, hängt ab von der größeren oder geringeren Schwierigkeit, die zur Erzielung des bezweckten Nutzeffekts zu überwinden ist.[3] Die Erfahrung lehrt ihn das, und unser Robinson, der Uhr, Hauptbuch, Tinte und Feder aus dem Schiffbruch gerettet, beginnt als guter Engländer bald Buch über sich selbst zu führen. Sein Inventarium enthält ein Verzeichnis der Gebrauchsgegenstände, die er besitzt, der ver-

---

1 Defoe's *Robinson Crusoe* had an immense vogue in eighteenth- and nineteenth-century Germany, inspiring a flood of imitations which were invariably known as *Robinsonaden*.

2 **von Haus aus:** basically, fundamentally.

3 **die . . . zu überwinden ist:** 'which must be overcome in order to achieve the efficiency he is aiming at.'

schiednen Verrichtungen, die zu ihrer Produktion erheischt[4] sind, endlich der Arbeitszeit, die ihm bestimmte Quanta[5] dieser verschiednen Produkte im Durchschnitt kosten. Alle Beziehungen zwischen Robinson und den Dingen, die seinen selbstgeschaffnen Reichtum bilden, sind hier so einfach und durchsichtig, daß selbst Herr M. Wirth[6] sie ohne besondre Geistesanstrengung verstehn dürfte. Und dennoch sind darin alle wesentlichen Bestimmungen des Werts enthalten.

Versetzen wir uns nun von Robinsons lichter Insel in das finstre europäische Mittelalter. Statt des unabhängigen Mannes finden wir hier jedermann abhängig—Leibeigne und Grundherrn, Vasallen und Lehnsgeber, Laien und Pfaffen. Persönliche Abhängigkeit charakterisiert ebensosehr die gesellschaftlichen Verhältnisse der materiellen Produktion als die auf ihr aufgebauten Lebenssphären. Aber eben weil persönliche Abhängigkeitsverhältnisse die gegebne gesellschaftliche Grundlage bilden, brauchen Arbeiten und Produkte nicht eine von ihrer Realität verschiedne phantastische Gestalt anzunehmen. Sie gehn als Naturaldienste und Naturalleistungen[7] in das gesellschaftliche Getriebe ein. Die Naturalform der Arbeit, ihre Besonderheit, und nicht, wie auf Grundlage der Warenproduktion, ihre Allgemeinheit, ist hier ihre unmittelbar gesellschaftliche Form. Die Fronarbeit[8] ist ebensogut durch die Zeit gemessen wie die Waren produzierende Arbeit, aber jeder Leibeigne weiß, daß es ein bestimmtes Quantum seiner persönlichen Arbeitskraft ist, die er im Dienst seines Herrn verausgabt.[9] Der dem Pfaffen zu leistende Zehnten[10] ist klarer als der Segen des Pfaffen.

---

[4] **erheischen:** to demand, require.

[5] **Quanten:** quantity, amount. In modern German the plural would be **Quanten.**

[6] **Max Wirth:** (1822–1900) an economist and writer of the period. A good example of the sarcastic tone Marx likes to adopt when dealing with his innumerable opponents.

[7] **Naturaldienste und Naturalleistungen:** services and payments in kind.

[8] **Fronarbeit:** socage, the yearly amount of work owed by the feudal tenant to his lord. The first part of this compound contains an older word (from Old High German **frô**) for "lord" or "master."

[9] **verausgeben:** to spend.

[10] **Zehnten:** tithe, tenth part of the produce from a tenant's land or its equivalent in money, paid for the upkeep of the church. In modern German, usually **Zehnte.**

Wie man daher immer die Charaktermasken beurteilen mag, worin sich die Menschen hier gegenübertreten, die gesellschaftlichen Verhältnisse der Personen in ihren Arbeiten erscheinen jedenfalls als ihre eignen persönlichen Verhältnisse, und sind nicht verkleidet in gesellschaftliche Verhältnisse der Sachen, der Arbeitsprodukte.

Für die Betrachtung gemeinsamer, d. h. unmittelbar vergesellschafteter Arbeit[11] brauchen wir nicht zurückzugehn zu der naturwüchsigen[12] Form derselben, welche uns an der Geschichtsschwelle aller Kulturvölker begegnet. Ein näherliegendes Beispiel bildet die ländlich patriarchalische Industrie einer Bauernfamilie, die für den eignen Bedarf Korn, Vieh, Garn, Leinwand, Kleidungsstücke usw. produziert. Diese verschiednen Dinge treten der Familie als verschiedne Produkte ihrer Familienarbeit gegenüber, aber nicht sich selbst wechselseitig als Waren. Die verschiednen Arbeiten, welche diese Produkte erzeugen, Ackerbau, Viehzucht, Spinnen, Weben, Schneiderei usw. sind in ihrer Naturalform gesellschaftliche Funktionen, weil Funktionen der Familie, die ihre eigne, naturwüchsige Teilung der Arbeit besitzt so gut wie die Warenproduktion. Geschlechts- und Altersunterschiede, wie die mit dem Wechsel der Jahreszeit wechselnden Naturbedingungen der Arbeit, regeln ihre Verteilung unter die Familie und die Arbeitszeit der einzelnen Familienglieder. Die durch die Zeitdauer gemeßne Verausgabung der individuellen Arbeitskräfte erscheint hier aber von Haus aus als gesellschaftliche Bestimmung der Arbeiten selbst, weil die individuellen Arbeitskräfte von Haus aus nur als Organe der gemeinsamen Arbeitskraft der Familie wirken.

Stellen wir uns endlich, zur Abwechslung, einen Verein freier Menschen vor, die mit gemeinschaftlichen[13] Produktionsmitteln arbeiten und ihre vielen individuellen Arbeitskräfte selbstbewußt als eine gesellschaftliche Arbeitskraft verausgaben. Alle Bestimmungen von Robinsons Arbeit wiederholen sich hier, nur gesell-

---

11 **unmittelbar vergesellschaftete Arbeit:** labor performed directly for the whole community, i.e., in a society based on some form of common ownership.

12 **naturwüchsig:** spontaneous, unconstrained.

13 **gemeinschaftlich:** communal, cooperative.

schaftlich statt individuell. Alle Produkte Robinsons waren sein ausschließlich persönliches Produkt und daher unmittelbar Gebrauchsgegenstände für ihn. Das Gesamtprodukt des Vereins ist ein gesellschaftliches Produkt. Ein Teil dieses Produkts dient wieder als Produktionsmittel. Er bleibt gesellschaftlich. Aber ein anderer Teil wird als Lebensmittel von den Vereinsgliedern verzehrt. Er muß daher unter sie verteilt werden. Die Art dieser Verteilung wird wechseln mit der besondren Art des gesellschaftlichen Produktionsorganismus selbst und der entsprechenden geschichtlichen Entwicklungshöhe der Produzenten. Nur zur Parallele mit der Warenproduktion setzen wir voraus, der Anteil jedes Produzenten an den Lebensmitteln sei bestimmt durch seine Arbeitszeit. Die Arbeitszeit würde also eine doppelte Rolle spielen. Ihre gesellschaftlich planmäßige Verteilung regelt die richtige Proportion der verschiednen Arbeitsfunktionen zu den verschiednen Bedürfnissen. Andrerseits dient die Arbeitszeit zugleich als Maß des individuellen Anteils des Produzenten an der Gemeinarbeit und daher auch an dem individuell verzehrbaren Teil des Gemeinprodukts. Die gesellschaftlichen Beziehungen der Menschen zu ihren Arbeiten und ihren Arbeitsprodukten bleiben hier durchsichtig einfach in der Produktion sowohl als in der Distribution.

Für eine Gesellschaft von Warenproduzenten, deren allgemein gesellschaftliches Produktionsverhältnis darin besteht, sich zu ihren Produkten als Waren, also als Werten zu verhalten, und in dieser sachlichen Form ihre Privatarbeiten aufeinander zu beziehn als gleiche menschliche Arbeit, ist das Christentum, mit seinem Kultus des abstrakten Menschen, namentlich in seiner bürgerlichen Entwicklung, dem Protestantismus, Deismus usw., die entsprechendste Religionsform.[14] In den altasiatischen, antiken usw. Produktionsweisen spielt die Verwandlung des Produkts in Ware, und daher das Dasein der Menschen als Warenproduzenten, eine un-

[14] This cursory but nevertheless penetrating attempt by Marx to explain Christianity as a reflection of man's economic activities and, in particular, to see a connection between the advent of Protestantism and the social ascendency of a bourgeois trading class anticipates the detailed studies on this interesting subject by later social historians and philosophers—e.g., Max Weber, *Die protestantische Ethik und der Geist des Kapitalismus* (1904–5) or R. H. Tawney, *Religion and the Rise of Capitalism* (1926).

tergeordnete Rolle, die jedoch um so bedeutender wird, je mehr die Gemeinwesen in das Stadium ihres Untergangs treten. Eigentliche Handelsvölker existieren nur in den Intermundien der alten Welt, wie Epikurs Götter,[15] oder wie Juden in den Poren der polni-
5 schen Gesellschaft. Jene alten gesellschaftlichen Produktionsorganismen sind außerordentlich viel einfacher und durchsichtiger als der bürgerliche, aber sie beruhen entweder auf der Unreife des individuellen Menschen, der sich von der Nabelschnur des natürlichen Gattungszusammenhangs mit andren noch nicht los-
10 gerissen hat, oder auf unmittelbaren Herrschafts- und Knechtschaftsverhältnissen.[16] Sie sind bedingt durch eine niedrige Entwicklungsstufe der Produktivkräfte der Arbeit und entsprechend befangene[17] Verhältnisse der Menschen innerhalb ihres materiellen Lebenserzeugungsprozesses, daher zueinander und zur Natur.[18]
15 Diese wirkliche Befangenheit spiegelt sich ideell wider in den alten Natur- und Volksreligionen. Der religiöse Widerschein der wirklichen Welt kann überhaupt nur verschwinden, sobald die Verhältnisse des praktischen Werktagslebens den Menschen tagtäglich durchsichtig vernünftige Beziehungen zueinander und zur
20 Natur darstellen. Die Gestalt des gesellschaftlichen Lebensprozesses, d. h. des materiellen Produktionsprozesses, streift nur ihren mystischen Nebelschleier ab, sobald sie als Produkt frei vergesellschafteter Menschen unter deren bewußter planmäßiger Kontrolle steht.[19] Dazu ist jedoch eine materielle Grundlage der Gesellschaft
25 erheischt oder eine Reihe materieller Existenzbedingungen, welche

---

15 It was the view of the Greek philosopher Epicurus (341–270 B. C.) that the gods existed in the "intermundia," open spaces between the heavenly bodies.

16 **der sich . . . Knechtschaftsverhältnissen:** 'who has not yet severed the umbilical cord of primitive communal feeling that ties him to his fellow men, or they rest upon the direct relationship of lord and servant.'

17 **befangen:** narrow, straitened.

18 **daher zueinander und zur Natur:** 'and consequently the relations between man and man, and man and nature, are equally narrow.' Such compression, clear enough in the original German, requires considerable expansion to become intelligible in English.

19 **Die Gestalt . . . steht:** 'The form of societal organization, i.e., of the material process of production, only sheds its air of mystery when, as the achievement of men who have freely entered into social obligations, it comes under their consciously regulated planning.' Marx implies here that the basic, logically fundamental, and most "natural" way of organizing society is to base it on the economy of communism.

selbst wieder das naturwüchsige Produkt einer langen und qualvollen Entwicklungsgeschichte sind.

Die politische Ökonomie hat nun zwar, wenn auch unvollkommen, Wert und Wertgröße analysiert und den in diesen Formen versteckten Inhalt entdeckt. Sie hat niemals auch nur die Frage gestellt, warum dieser Inhalt jene Form annimmt, warum sich also die Arbeit im Wert und das Maß der Arbeit durch ihre Zeitdauer in der Wertgröße des Arbeitsprodukts darstellt.[20] Formeln, denen es auf der Stirn geschrieben steht, daß sie einer Gesellschaftsformation angehören, worin der Produktionsprozeß die Menschen, der Mensch noch nicht den Produktionsprozeß bemeistert, gelten ihrem bürgerlichen Bewußtsein für eben so selbstverständliche Naturnotwendigkeit als die produktive Arbeit selbst. Vorbürgerliche Formen des gesellschaftlichen Produktionsorganismus werden daher von ihr behandelt, wie etwa von den Kirchenvätern vorchristliche Religionen.[21]

Das Kapital (1867),
Bd. I, Kap. 1, Abschnitt 4.

GESCHICHTLICHE TENDENZ DER KAPITALISTISCHEN AKKUMULATION

In style and content, there is a marked contrast between the previous passage and this second extract from Capital, *in which an argument*

20 For Marx, the absolute value of work in the bourgeoise society (its **Wert**) is a pure cash transaction. The magnitude of work (**Wertgröße**), its *relative* value, depends on the length of time needed by a particular worker to produce this absolute value.

21 Bourgeois society has not fully analyzed this relationship "in which the process of production masters man, rather than man the process of production." It fails to see its own finiteness and relativity, and therefore regards earlier societies with their characteristic modes of production "in the same way as pre-Christian religions were regarded by the Church fathers."

in abstract terms is carefully presented and brought to a compelling conclusion. As elsewhere in Marx's writings, there is an abundance of borrowings from English and French (cf. p. 16, note 9)—e.g., Expropriation, Ökonomisierung, Produzent, exploitieren— *very few of which have passed into general usage.*

Worauf kommt die ursprüngliche Akkumulation des Kapitals, d. h. seine historische Genesis, hinaus? Soweit sie nicht unmittelbare Verwandlung von Sklaven und Leibeignen in Lohnarbeiter, also bloßer Formwechsel ist, bedeutet sie nur die Expropriation
5 der unmittelbaren Produzenten, d.h. die Auflösung des auf eigner Arbeit beruhenden Privateigentums.[1]

Privateigentum, als Gegensatz zum gesellschaftlichen, kollektiven Eigentum, besteht nur da, wo die Arbeitsmittel und die äußeren Bedingungen der Arbeit Privatleuten gehören. Je nachdem aber
10 diese Privatleute die Arbeiter oder die Nichtarbeiter sind, hat auch das Privateigentum einen andern Charakter. Die unendlichen Schattierungen, die es auf den ersten Blick darbietet, spiegeln nur die zwischen diesen beiden Extremen liegenden Zwischenzustände wider.[2]

15 Das Privateigentum des Arbeiters an seinen Produktionsmitteln ist die Grundlage des Kleinbetriebs, der Kleinbetrieb eine notwendige Bedingung für die Entwicklung der gesellschaftlichen Produktion und der freien Individualität des Arbeiters selbst. Allerdings existiert diese Produktionsweise auch innerhalb der
20 Sklaverei, Leibeigenschaft und andrer Abhängigkeitsverhältnisse. Aber sie blüht nur, schnellt[3] nur ihre ganze Energie, erobert nur die adäquate klassische Form, wo der Arbeiter freier Privateigentümer seiner von ihm selbst gehandhabten Arbeitsbedingungen

---

1 **die Expropriation . . . Privateigentums:** the expropriation of the immediate agents of production (the workers)—that is, the liquidation of private property acquired through one's own labor.

2 **spiegeln . . . wider:** 'only reflect the intermediary stages between these two extremes.'

3 **schnellen:** to release, let loose (with rapidity).

ist, der Bauer des Ackers, den er bestellt, der Handwerker des Instruments, worauf er als Virtuose spielt.

Diese Produktionsweise unterstellt[4] Zersplitterung des Bodens und der übrigen Produktionsmittel. Wie die Konzentration der letztren, so schließt sie auch die Kooperation, Teilung der Arbeit 5 innerhalb derselben Produktionsprozesse, gesellschaftliche Beherrschung und Reglung der Natur, freie Entwicklung der gesellschaftlichen Produktivkräfte aus. Sie ist nur verträglich mit engen naturwüchsigen Schranken der Produktion und der Gesellschaft.[5] Sie verewigen wollen, hieße, wie Pecqueur[6] mit Recht sagt, „die 10 allgemeine Mittelmäßigkeit dekretieren". Auf einem gewissen Höhegrad bringt sie die materiellen Mittel ihrer eignen Vernichtung zur Welt. Von diesem Augenblick regen sich Kräfte und Leidenschaften im Gesellschaftsschoße, welche sich von ihr gefesselt fühlen. Sie muß vernichtet werden, sie wird vernichtet. 15 Ihre Vernichtung, die Verwandlung der individuellen und zersplitterten Produktionsmittel in gesellschaftlich konzentrierte, daher des zwerghaften Eigentums vieler in das massenhafte Eigentum weniger, daher die Expropriation der großen Volksmasse von Grund und Boden und Lebensmitteln und Arbeitsinstrumen- 20 ten, diese furchtbare und schwierige Expropriation der Volksmasse bildet die Vorgeschichte des Kapitals. Sie umfaßt eine Reihe gewaltsamer Methoden, wovon wir nur die epochemachenden als Methoden der ursprünglichen Akkumulation des Kapitals Revue passieren ließen.[7] Die Expropriation der unmittelbaren Produzen- 25 ten wird mit schonungslosestem Vandalismus und unter dem Trieb der infamsten, schmutzigsten, kleinlichst gehässigsten Leidenschaften vollbracht. Das selbsterarbeitete, sozusagen auf

4 **unterstellen:** to presuppose, assume.

5 **Sie ist . . . Gesellschaft:** 'It (the bourgeois economy) is only compatible with a system of production and a society which are both subject to narrow and primitive limitations.'

6 **Constantin Pecqueur:** (1801–87), French economist and Utopian socialist. Marx is quoting from his *Théorie nouvelle d'économie sociale et politique* (1842). The argument that follows is already familiar from the *Manifesto,* but it is now presented in much greater detail.

7 **Revue passieren lassen:** to run through quickly.

Verwachsung des einzelnen, unabhängigen Arbeitsindividuums mit seinen Arbeitsbedingungen beruhende Privateigentum wird verdrängt durch das kapitalistische Privateigentum, welches auf Exploitation fremder, aber formell freier Arbeit beruht.[8]

5 Sobald dieser Umwandlungsprozeß nach Tiefe und Umfang die alte Gesellschaft hinreichend zersetzt hat, sobald die Arbeiter in Proletarier, ihre Arbeitsbedingungen in Kapital verwandelt sind, sobald die kapitalistische Produktionsweise auf eignen Füßen steht, gewinnt die weitere Vergesellschaftung[9] der Arbeit und weitere 10 Verwandlung der Erde und andrer Produktionsmittel in gesellschaftlich ausgebeutete, also gemeinschaftliche Produktionsmittel, daher die weitere Expropriation der Privateigentümer, eine neue Form. Was jetzt zu expropriieren, ist nicht länger der selbstwirtschaftende Arbeiter, sondern der viele Arbeiter exploitierende 15 Kapitalist.

Diese Expropriation vollzieht sich durch das Spiel der immanenten Gesetze der kapitalistischen Produktion selbst,[10] durch die Zentralisation der Kapitale. Je ein Kapitalist schlägt viele tot. Hand in Hand mit dieser Zentralisation oder der Expropriation 20 vieler Kapitalisten durch wenige entwickelt sich die kooperative Form des Arbeitsprozesses auf stets wachsender Stufenleiter, die bewußte, technische Anwendung der Wissenschaft, die planmäßige Ausbeutung der Erde, die Verwandlung der Arbeitsmittel in nur gemeinsam verwendbare Arbeitsmittel, die Ökonomisie- 25 rung aller Produktionsmittel durch ihren Gebrauch als Produktionsmittel kombinierter, gesellschaftlicher Arbeit,[11] die Verschlingung aller Völker in das Netz des Weltmarkts und damit der

---

8 Marx makes a very definite distinction, thereby introducing his own emphatic values of good and bad, between the early (*kleinbürgerlich*) bourgeois society emerging from the Middle Ages, and the giant capitalism, which has ruthlessly destroyed the human values of the earlier form of society.

9 **Vergesellschaftung:** socialization.

10 **Diese Expropriation . . . selbst:** 'This expropriation is brought about by the operation of the laws which are inherent in capitalist production itself.'

11 **die Ökonomisierung . . . Arbeit:** the economization of all means of production through their use as means in a combined societal task; i.e., efficiency through large-scale organization.

internationale Charakter des kapitalistischen Regimes. Mit der beständig abnehmenden Zahl der Kapitalmagnaten,[12] welche alle Vorteile dieses Umwandlungsprozesses usurpieren und monopolisieren, wächst die Masse des Elends, des Drucks, der Knechtschaft, der Entartung, der Ausbeutung, aber auch die Empörung der stets anschwellenden und durch den Mechanismus des kapitalistischen Produktionsprozesses selbst geschulten, vereinten und organisierten Arbeiterklasse. Das Kapitalmonopol wird zur Fessel[13] der Produktionsweise, die mit und unter ihm aufgeblüht ist. Die Zentralisation der Produktionsmittel und die Vergesellschaftung der Arbeit erreichen einen Punkt, wo sie unverträglich werden mit ihrer kapitalistischen Hülle. Sie wird gesprengt. Die Stunde des kapitalistischen Privateigentums schlägt. Die Expropriateurs werden expropriiert.[14]

Die aus der kapitalistischen Produktionsweise hervorgehende kapitalistische Aneignungsweise, daher das kapitalistische Privateigentum, ist die erste Negation des individuellen, auf eigne Arbeit gegründeten Privateigentums. Aber die kapitalistische Produktion erzeugt mit der Notwendigkeit eines Naturprozesses ihre eigne Negation. Es ist Negation der Negation. Diese stellt nicht das Privateigentum wieder her, wohl aber das individuelle Eigentum auf Grundlage der Errungenschaft der kapitalistischen Ära: der Kooperation und des Gemeinbesitzes der Erde und der durch die Arbeit selbst produzierten Produktionsmittel.[15]

Die Verwandlung des auf eigner Arbeit der Individuen beruhenden, zersplitterten Privateigentums in kapitalistisches ist natürlich ein Prozeß, ungleich mehr langwierig, hart und schwierig als die Verwandlung des tatsächlich bereits auf gesellschaftlichem Pro-

---

[12] **Kapitalmagnaten:** 'industrial barons,' 'captains of industry.'

[13] **zu Fessel werden:** to retard, "put the brake on" (a favorite metaphor of Marx; see p. 40, note 12).

[14] In battle cries such as these one can still discern the hand that wrote the *Manifesto,* and it becomes apparent that *Capital* is not just a scholarly treatise on political economy.

[15] The way in which the argument in this paragraph is deployed—thesis, antithesis, synthesis—is a good example of how Marx uses the Hegelian dialectic (see p. 8), a debt that he openly acknowledges in the preface to the second edition (1873) of *Capital* by describing himself as "the pupil of that mighty thinker."

duktionsbetrieb beruhenden kapitalistischen Eigentums in gesellschaftliches.[16] Dort handelte es sich um die Expropriation der Volksmasse durch wenige Usurpatoren, hier handelt es sich um die Expropriation weniger Usurpatoren durch die Volksmasse.

Das Kapital (1867),
Bd. I, Kap. 32.

EINE REVOLUTION, DIE KEINE WAR

While Marx delved deeply into the past for evidence that would support his theories, he also sought to see them at work in the world of his own time. Events in France, from the fall of the Orleans monarchy in February 1848 onward, seemed to provide a classic example of the class struggle as the real driving force of history. The French bourgeoisie was, he maintained, utterly incapable of carrying through an effective social revolution, a view that the events of 1848 substantially confirmed, and this strengthened his conviction that there could be no final victory for the proletariat unless the machinery of the bourgeois state were first destroyed. His very detailed analysis of those eventful years in French history is set out in two works: a series of articles he wrote at the time (1848–50), later brought together by Engels under the title The Class Struggles in France, *and a collection of polemical essays which subsequently appeared as* The Eighteenth Brumaire of Louis Bonaparte. *His aim was, in the words of Engels, "to explain a piece of contemporary history out of the existing*

16 **in gesellschaftliches (Eigentum)**: into socialized property. Yet one more instance where the general line of argument (evolution contrasted with revolution) can already be found in the *Manifesto*.

economic situation by means of his own materialist interpretation."

Naturally enough, there is some squeezing of the facts into a Procrustean bed of theory, but, for one so close to the events he was seeking to understand, Marx proved himself an acute observer of the contemporary French scene, and his insight was, at times, quite remarkable. The role of each political party is discussed at considerable length, and, equally important, the real interests they represent. That Louis Napoleon should appear in this account as the embodiment of prevailing bourgeois interests rather than the "strong man" who bends events to his will and generally imposes his personality on history—a role this wily French politician certainly imagined himself playing—is perhaps inevitable. Nevertheless, it is a perfectly valid interpretation, and one that would find support in varying degrees from modern historians. Our extract comes from the opening of the second of these works. Begun in December 1851, it was finished by March 1852 and first published by a small German press in New York.

Hegel bemerkt irgendwo, daß alle großen weltgeschichtlichen Tatsachen und Personen sich sozusagen zweimal ereignen.[1] Er hat vergessen hinzuzufügen: das eine Mal als Tragödie, das andere Mal als Farce. Caussidière[2] für Danton, Louis Blanc[3] für Robespierre, die Montagne[4] von 1848–1851 für die Montagne von 1793 bis 1795, der Neffe für den Onkel.[5] Und dieselbe Karikatur in den 5

---

[1] The passage Marx has in mind occurs in the third part of Hegel's *Lectures on the Philosophy of World History* (1818 ff.).

[2] **Marc Caussidière:** (1808–61), French socialist leader. He first organized secret societies to overthrow the Orleans monarchy and later played a prominent role in the June uprising of 1848. After its failure he emigrated to England.

[3] **Louis Blanc:** (1811–82), French Utopian socialist and historian. By cooperating with the bourgeoisie, he hoped to ameliorate conditions among the working classes and accordingly entered the Provisional Government set up in March 1848 after the overthrow of the Orleans monarchy as a "workers' representative." But little came of his good intentions, and five months later he went to England as a political refugee.

[4] At the time of the French Revolution the "Montagnards," so named because they occupied the high benches to the left of the president's chair in the National Assembly, were the radical wing of the Jacobins. After the 1848 revolution the term "Mountain" was revived and taken over by the Radical-Democrats to describe their own party in the Assembly.

[5] More than anything else, the fact that Louis Napoleon was a nephew of the great Napoleon helped him to gain power.

Umständen unter denen die zweite Auflage des achtzehnten Brumaire[6] herausgegeben wird!

Die Menschen machen ihre eigene Geschichte, aber sie machen sie nicht aus freien Stücken, nicht unter selbstgewählten, sondern
5 unter unmittelbar vorgefundenen, gegebenen und überlieferten Umständen.[7] Die Tradition aller toten Geschlechter lastet wie ein Alp auf dem Gehirne der Lebenden. Und wenn sie eben damit beschäftigt scheinen, sich und die Dinge umzuwälzen, noch nicht Dagewesenes zu schaffen, gerade in solchen Epochen revolutio-
10 närer Krise beschwören sie ängstlich die Geister der Vergangenheit zu ihrem Dienste herauf, entlehnen ihnen Namen, Schlachtparole, Kostüme, um in dieser altehrwürdigen Verkleidung und mit dieser erborgten Sprache die neue Weltgeschichtsszene aufzuführen. So maskierte sich Luther als Apostel Paulus, die Revo-
15 lution von 1789–1814 drapierte sich abwechselnd als römische Republik und als römisches Kaisertum, und die Revolution von 1848 wußte nichts Besseres zu tun, als hier 1789, dort die revolutionäre Überlieferung von 1793–1795 zu parodieren. So übersetzt der Anfänger, der eine neue Sprache erlernt hat, sie immer zurück in
20 seine Muttersprache, aber den Geist der neuen Sprache hat er sich nur angeeignet, und frei in ihr zu produzieren vermag er nur, sobald er sich ohne Rückerinnerung[8] in ihr bewegt und die ihm angestammte Sprache in ihr vergißt.

Bei Betrachtung jener weltgeschichtlichen Totenbeschwörungen[9]

---

6 **Brumaire** ("the misty month") was the name given to November in the revolutionary calendar. On the 18th of Brumaire in the Year VIII of the Republic (November 9, 1799) Napoleon did away with the Directory by force of arms and assumed the title of First Consul. It was his first step to becoming dictator of France. For Marx "the second edition of the 18th of Brumaire" was the coup of December 2, 1851,(by which Louis Bonaparte amended the constitution of the Second Republic in his favor) because, as with the first Napoleon, it proved a short and easy route to the imperial crown. A year later, there was another hereditary "Emperor of the French," this time with the title of Napoleon III.

7 **nicht aus aus freien Stücken ... überlieferten Umständen**: not of their own free will ... not in circumstances of their own choosing, but in those which they directly come up against, circumstances which are directly given and handed down by the past.

8 **ohne Rückerinnerung**: 'without recalling what he has previously learned.'

9 **Bei Betrachtung ... Totenbeschwörungen**: 'When one considers this exorcism of the spirits of world history.'

zeigt sich sofort ein springender Unterschied. Camille Desmoulins,[10] Danton, Robespierre, St. Just,[11] Napoleon, die Heroen,[12] wie die Parteien und die Masse der alten französischen Revolution, vollbrachten in dem römischen Kostüm und mit römischen Phrasen die Aufgabe ihrer Zeit, die Entfesselung und Herstellung der modernen bürgerlichen Gesellschaft. Die einen schlugen den feudalen Boden in Stücke und mähten die feudalen Köpfe ab, die darauf gewachsen waren. Der andere schuf im Innern von Frankreich die Bedingungen, worunter erst die freie Konkurrenz entwickelt, das parzellierte[13] Grundeigentum ausgebeutet, die entfesselte industrielle Produktivkraft der Nation verwandt werden konnte, und jenseits der französischen Grenzen fegte er überall die feudalen Gestaltungen[14] weg, soweit es nötig war, um der bürgerlichen Gesellschaft in Frankreich eine entsprechende, zeitgemäße Umgebung auf dem europäischen Kontinent zu verschaffen. Die neue Gesellschaftsformation einmal hergestellt, verschwanden die vorsintflutlichen Kolosse und mit ihnen das wieder auferstandene Römertum—die Brutusse, Gracchusse, Publicolas,[15] die Tribunen, die Senatoren und Cäsar selbst. Die bürgerliche Gesellschaft in ihrer nüchternen Wirklichkeit hatte sich ihre wahren Dolmetscher und Sprachführer erzeugt in den Says, Cousins, Royer-Collards, Ben-

---

[10] **Camille Desmoulins:** (1760–94), a moderate Jacobin and friend of Danton. He was executed during the Reign of Terror by order of Robespierre.

[11] **Louis Saint-Just:** (1767–94), another prominent Jacobin who perished during the Terror.

[12] There is, of course, an element of irony about this Greek word when applied to the outstanding men of the revolutionary period, but it is also apposite because, as Marx indicates, the French Revolution saw the beginnings of a classical revival which culminated in the so-called Empire style under Napoleon I.

[13] **parzellieren:** see p. 38, note 2.

[14] **Gestaltung:** institution, organization.

[15] The historical allusion is a general one to the struggle for power in ancient Rome between the various conflicting interests. Publius Valerius Publicola, a somewhat legendary figure in the founding of the Roman republic, was reputedly one of the first consuls to take office (509 B.C.); he pursued a generally "progressive" policy, passing laws to guarantee the liberties of the citizen and bringing in plebeians to fill vacant seats in the Senate. The Gracchus brothers, Tiberius and Gaius, both made unsuccessful attempts (124–21 B.C.) to reform the land laws so as to break up the large estates and provide small farms for the poorer citizens—and both died violent deaths for their trouble. (Note that, as in English, modern German is not required to follow Latin when forming the plural of proper nouns: *Brutusse, Gracchusse, Publicolas.*)

jamin Constants und Guizots,[16] ihre wirklichen Heerführer saßen hinter dem Kontortisch, und der Speckkopf Ludwig XVIII.[17] war ihr politisches Haupt. Ganz absorbiert in die Produktion des Reichtums und in den friedlichen Kampf der Konkurrenz begriff sie nicht 5 mehr, daß die Gespenster der Römerzeit ihre Wiege gehütet hatten.[18] Aber unheroisch, wie die bürgerliche Gesellschaft ist, hatte es jedoch des Heroismus bedurft, der Aufopferung, des Schreckens, des Bürgerkriegs und der Völkerschlachten, um sie auf die Welt zu setzen. Und ihre Gladiatoren fanden in den klassisch strengen 10 Überlieferungen der römischen Republik die ideale und die Kunstformen, die Selbsttäuschungen, deren sie bedurften, um den bürgerlich beschränkten Inhalt ihrer Kämpfe sich selbst zu verbergen und ihre Leidenschaft auf der Höhe der großen geschichtlichen Tragödie zu halten. So hatten auf einer andern Entwicklugsstufe, 15 ein Jahrhundert früher, Cromwell und das englische Volk dem Alten Testament Sprache, Leidenschaften und Illusionen für ihre bürgerliche Revolution entlehnt.[19] Als das wirkliche Ziel erreicht, als die bürgerliche Umgestaltung der englischen Gesellschaft vollbracht war, verdrängte Locke den Habakuk.[20]

---

16 **Jean-Baptiste Say:** (1767–1832), economist and disciple of Adam Smith; **Victor Cousin:** (1792–1862), in his day a philosopher and educationalist of some note; **Pierre-Paul Royer-Collard:** (1763–1845), university professor and gifted orator; **Benjamin Constant:** (1767–1830), novelist, orator, and political philosopher; **François Guizot:** (see p. 14, note 1). All were eminent representatives of the wealthy upper middle-class and supporters of a conservative constitutional monarchy.

17 **der Speckkopf Ludwig XVIII.:** the Bourbon Louis XVIII. Brought back by the Quadruple Alliance to reign in France as constitutional monarch (1814–24), he became fat and gouty in his declining years and probably qualified for this not very complimentary epithet. Cf. English, "blubberhead."

18 **daß die Gespenster . . . hatten:** 'that ghosts from the days of Rome had watched over its cradle.'

19 A penetrating observation on the tendency of Cromwell and the Puritans to use biblical language to discuss the problems of their own age, particularly noticeable, for example, in the works of John Milton.

20 John Locke (1632–1704), with his insistence on the test of experience and his general spirit of reasonableness and compromise, stands at the beginning of modern political thought, in every way a contrast to the Book of Habakkuk, here symbolic of the Puritan addiction to the Old Testament. Analagous to the preceding example of the triumph of the bourgeoisie in France under the garb of a heroic tradition (the Roman), it is Marx's view that the Puritans achieved essentially the same result a century

Die Totenerweckung in jenen Revolutionen diente also dazu, die neuen Kämpfe zu verherrlichen, nicht die alten zu parodieren, die gegebene Aufgabe in der Phantasie zu übertreiben, nicht vor ihrer Lösung in der Wirklichkeit zurückzuflüchten, den Geist der Revolution wiederzufinden, nicht ihr Gespenst wieder umgehen zu machen. 5

1848–1851 ging nur das Gespenst der alten Revolution um, von Marrast,[21] dem *Républicain en gants jaunes,* der sich in den alten Bailly[22] verkleidete, bis auf den Abenteurer, der seine trivial-widrigen[23] Züge unter der eisernen Totenlarve Napoleons versteckt. Ein 10 ganzes Volk, das sich durch eine Revolution eine beschleunigte Bewegungskraft gegeben[24] zu haben glaubt, findet sich plötzlich in eine verstorbene Epoche zurückversetzt, und damit keine Täuschung über den Rückfall möglich ist, stehn die alten Data wieder auf,[25] die alte Zeitrechnung, die alten Namen, die alten 15 Edikte, die längst der antiquarischen Gelehrsamkeit verfallen, und die alten Schergen, die längst verfault schienen.[26] Die Nation kommt sich vor wie jener närrische Engländer in Bedlam,[27] der zur Zeit der alten Pharaonen zu leben meint und täglich über die

---

earlier under another heroic garb, the biblical. Once achieved, the revolution let its disguises fall, and the true spokesmen (Says, Cousins, etc., in France, and Locke in England) stepped forth.

21 **Armand Marrast:** (1801–52), publicist and politician, one of the leaders of the moderate bourgeois republicans. A noted dandy—hence the allusion to "the republican in yellow gloves."

22 **Jean-Sylvain Bailly:** (1736–93), a noted astronomer, entered politics at the outbreak of the French Revolution and was prominent as a constitutional liberal; he was executed during the Terror.

23 **trivial-widrig:** 'common and repulsive.'

24 **sich eine beschleunigte Bewegungskraft geben:** to accelerate one's tempo.

25 **stehn die alten Data wieder auf:** the old dates rise up once more. (Today the plural **Daten** is preferred.) During his presidency of the Second Republic (1848–52) Louis Napoleon frequently referred to the revolutionary period in his public utterances, even resurrecting some of the more harmless revolutionary ceremonies, in the hope of persuading liberal opinion that his, too, was a progressive regime.

26 **und die alten . . . schienen:** 'and the old custodians of the law who had long since seemed decayed and infirm.'

27 **Bedlam:** the popular name for St. Mary Bethlem (*from* Bethlehem), a famous London hospital, originally a medieval priory but used from the fifteenth century onward to house lunatics, and then later, by extension, the name for any institution of this kind.

harten Dienste jammert, die er in den äthiopischen Bergwerken als Goldgräber verrichten muß, eingemauert in dies unterirdische Gefängnis, eine spärlich leuchtende Lampe auf dem eigenen Kopfe befestigt, hinter ihm der Sklavenaufseher mit langer Peitsche und an den Ausgängen ein Gewirr von barbarischen Kriegsknechten, die weder die Zwangsarbeiter in den Bergwerken, noch sich untereinander verstehn, weil sie keine gemeinsame Sprache reden. „Und dies alles wird mir"—seufzt der närrische Engländer—„mir, dem freigebornen Briten, zugemutet,[28] um Gold für die alten Pharaonen zu machen." „Um die Schulden der Familie Bonaparte zu zahlen"—seufzt die französische Nation. Der Engländer, solange er bei Verstand war, konnte die fixe Idee des Goldmachens nicht loswerden. Die Franzosen, solange sie revolutionierten, nicht die napoleonische Erinnerung, wie die Wahl vom 10. Dezember[29] bewies. Sie sehnten sich aus den Gefahren der Revolution zurück nach den Fleischtöpfen Ägyptens, und der 2. Dezember 1851[30] war die Antwort. Sie haben nicht nur die Karikatur des alten Napoleon, sie haben den alten Napoleon selbst karikiert, wie er sich ausnehmen muß in der Mitte des neunzehnten Jahrhunderts.

Die soziale Revolution des neunzehnten Jahrhunderts kann ihre Poesie nicht aus der Vergangenheit schöpfen, sondern nur aus der Zukunft. Sie kann nicht mit sich selbst beginnen, bevor sie allen Aberglauben an die Vergangenheit abgestreift hat. Die früheren Revolutionen bedurften der weltgeschichtlichen Rückerinnerungen, um sich über ihren eigenen Inhalt zu betäuben. Die Revolution des neunzehnten Jahrhunderts muß die Toten ihre Toten begraben lassen, um bei ihrem eignen Inhalt anzukommen.[31] Dort

---

28 **jemandem etwas zumuten:** to expect something of a person. One of Marx's not infrequent digs at the British as a nation of money-grubbers.

29 In the presidential election of December 10, 1848, Louis Napoleon won an overwhelming victory over his three opponents, polling some five and a half million votes of the seven million cast.

30 **2. Dezember 1851:** see p. 56, note 6.

31 **um . . . anzukommen:** 'to catch up with its own content.' Another instance of Marx's turning words "inside out" to achieve novel interpretations.

ging die Phrase über den Inhalt, hier geht der Inhalt über die Phrase[32] hinaus.

Aus der Einleitung zum Achtzehnten Brumaire
des Louis Bonaparte (1852).

GOETHE UND SHAKESPEARE ZUR FRAGE: WAS IST GELD?

While Marx confidently claimed that creative writing, like any other artistic or intellectual activity, was merely a reflection of the prevailing economic "relations of production," that the literature of a particular period is, in effect, simply part of the total superstructure, he left it to others to establish precisely how this relationship comes into being. Not, it should be added, because he was indifferent to literature. On the contrary, he had a profound and genuine admiration for the classics, from Homer down to Goethe and Shakespeare, and it was a habit of his to read scenes from the latter's dramas aloud with his family. The simplest explanation for this surprising omission would be that, with Marx's almost total absorption in economic and political affairs, there was just no time or energy left for a serious study of literature. Or was it perhaps a "Freudian" reluctance to probe more deeply into this fascinating problem, a premonition that to unravel the tangled threads tying literature to society required a sensibility and subtlety of approach not his by temperament? Perhaps being involved in public affairs, whether as commentator or participant, is itself in some way detrimental to the appreciation of literature. Much the same is true of Engels, who was equally well read and, after his fashion, no less aware of the problem. At any rate, despite

32 **Phrase:** catchword, empty slogan.

numerous obiter dicta on the subject, neither of them systematically followed up the implications of Marxist theory for the study of literature.

The following extract is, in fact, one of Marx's rare ventures into this field, and all the more revealing because he is dealing with specific works; far too often, where literature and the arts are concerned, he was content to pontificate on the basis of vague generalities. As a piece of textual criticism, it would not be hard to discredit. To begin with, Marx persists in regarding the sentiments expressed by Timon of Athens as being identical with those of Shakespeare. That Timon—or, for that matter, Goethe's Mephistopheles—is a creation of the poet's imagination, not the poet himself, does not seem to have occurred to him. Then again, it is fairly obvious that Marx is more concerned with citing Goethe and Shakespeare as king's evidence in support of his own arguments than deepening the reader's understanding of these works. It could, of course, be objected with some justification that Marx's primary intention here is not publication: he is rather setting down his thoughts in a process of self-clarification. Our extract, in fact, comes from a lengthy manuscript, fragmentary and often difficult to decipher, bearing the significant subtitle Über den Zusammenhang der Nationalökonomie mit Staat, Recht, Moral und bürgerlichem Leben, *and is dated 1844. As this heading suggests, it is a first tentative sketch of Marxism, though it did not appear as part of Marxist literature until its publication in 1932.*

To scholars seeking to trace the genesis of Marx's ideas, the contents of this manuscript are naturally of great importance and have in recent years been subjected to detailed study. One of the main ideas it develops—a highly philosophical one which, like much else in Marx, is originally derived from Hegel—appears briefly in the latter part of this extract (p. 66). In simplified form the argument runs as follows: Homo sapiens *has the ability to "objectify" the world around him; reversing the coin, these "things" or objects he has created can become independent values which gain mastery over man, "confronting him as something hostile and alien." This alienation (an important word in the philosophical arguments of the 1844 manuscript and, incidentally, in the existentialist literature of such contemporary writers as Jaspers, Heidegger, and Sartre) from what man has himself produced leads to his estrangement from other men, and herein, ac-*

cording to Marx, lies the reason why some men oppose others—we have reached the origin of the class struggle.

Das Geld, indem es die Eigenschaft besitzt, alles zu kaufen, indem es die Eigenschaft besitzt, alle Gegenstände sich anzueignen, ist also der Gegenstand im eminenten Sinn.[1] Die Universalität seiner Eigenschaft ist die Allmacht seines Wesens; es gilt daher als allmächtiges Wesen. . . . Das Geld ist der Kuppler zwischen dem Bedürfnis und dem Gegenstand, zwischen dem Leben und dem Lebensmittel des Menschen. Was mir aber mein Leben vermittelt, das vermittelt mir auch das Dasein der andren Menschen für mich. Das ist für mich der andre Mensch. 5

„Was Henker! Freilich Händ' und Füße
Und Kopf und Hintre, die sind dein!
Doch alles, was ich frisch genieße,
Ist das drum weniger mein?
Wenn ich sechs Hengste zahlen kann
Sind ihre Kräfte nicht die meine?
Ich renne zu und bin ein rechter Mann,
Als hätt' ich vierundzwanzig Beine."

Goethe, *Faust*[2]

Shakespeare im *Timon von Athen*[3]

„Gold? Kostbar, flimmernd, rotes Gold? Nein, Götter!
Nicht eitel fleht' ich.
So viel hievon macht schwarz weiß, häßlich schön;
Schlecht gut, alt jung, feig tapfer, niedrig edel.
Dies lockt . . . den Priester vom Altar;
Reißt Halbgenesnen weg das Schlummerkissen;
Ja, dieser rote Sklave löst und bindet
Geweihte Bande; segnet den Verfluchten;

---

1 **der Gegenstand im eminenten Sinn:** 'the object in the most striking sense,' 'the prototype of the object.'

2 *Faust* I, vv. 1820*ff*.

3 *Timon of Athens,* IV, *iii*, vv. 26–43. Marx quotes, not always with complete accuracy, from the Schlegel-Tieck translation.

Er macht den Aussatz lieblich, ehrt den Dieb
Und gibt ihm Rang, gebeugtes Knie und Einfluß
Im Rat der Senatoren; dieser führt
Der überjähr'gen Witwe Freier zu;
Sie, von Spital und Wunden giftig eiternd,
Mit Ekel fortgeschickt, verjüngt balsamisch
Zu Maienjugend dies. Verdammt Metall,
Gemeine Hure du der Menschen, die
Die Völker tört."

Und weiter unten:[4]

„Du süßer Königsmörder, edle Scheidung
Des Sohns und Vaters! glänzender Besudler
Von Hymens reinstem Lager! tapfrer Mars!
Du ewig blüh'nder, zartgeliebter Freier,
Des roter Schein den heil'gen Schnee zerschmelzt
Auf Dianas reinem Schoß! sichtbare Gottheit,
Die du Unmöglichkeiten eng verbrüderst,
Zum Kuß sie zwingst! du sprichst in jeder Sprache,
Zu jedem Zweck! o du, der Herzen Prüfstein!
Denk, es empört dein Sklave sich, der Mensch!
Vernichte deine Kraft sie all verwirrend,
Daß Tieren wird die Herrschaft dieser Welt!"

Shakespeare schildert das Wesen des Geldes trefflich.[5] Um ihn zu verstehn, beginnen wir zunächst mit der Auslegung der Goethischen Stelle.

Was durch das Geld für mich ist, was ich zahlen, d. h. was das Geld kaufen kann, das bin ich, der Besitzer des Geldes selbst. So groß die Kraft des Geldes, so groß meine Kraft. Die Eigenschaften des Geldes sind meine—seines Besitzers—Eigenschaften und Wesenskräfte.[6] Das, was ich bin und vermag, ist also keineswegs durch meine Individualität bestimmt. Ich bin häßlich, aber ich kann mir die schönste Frau kaufen. Also bin ich nicht häßlich, denn die Wirkung der Häßlichkeit, ihre abschreckende Kraft ist

4 *Timon of Athens,* IV, *iii*, vv. 382–93.

5 Strictly speaking, it is gold, not money, that is denounced in these tirades of Timon.

6 **Wesenskräfte:** characteristics.

durch das Geld vernichtet. Ich—meiner Individualität nach—bin lahm, aber das Geld verschafft mir 24 Füße; ich bin also nicht lahm; ich bin ein schlechter, unehrlicher, gewissenloser, geistloser Mensch, aber das Geld ist geehrt, also auch sein Besitzer. Das Geld ist das höchste Gut, also ist sein Besitzer gut, das Geld über- 5
hebt mich überdem[7] der Mühe, unehrlich zu sein; ich werde also ehrlich präsumiert,[8] ich bin geistlos, aber das Geld ist der wirkliche Geist aller Dinge, wie sollte sein Besitzer geistlos sein? Zudem kann er sich die geistreichen Leute kaufen, und was die Macht über die Geistreichen ist, ist das nicht geistreicher als der Geist- 10
reiche? Ich, der durch das Geld alles, wonach ein menschliches Herz sich sehnt, vermag, besitze ich nicht alle menschlichen Vermögen? Verwandelt also mein Geld nicht alle meine Unvermögen in ihr Gegenteil?

Wenn das Geld das Band ist, das mich an das menschliche Leben, 15
das mir die Gesellschaft, das mich mit der Natur und den Menschen verbindet, ist das Geld nicht das Band aller Bande? Kann es nicht alle Bande lösen und binden? Ist es darum nicht auch das allgemeine Scheidungsmittel? Es ist die wahre Scheidemünze,[9] wie das wahre Bindungsmittel, die galvanochemische[10] Kraft der Gesellschaft. 20

Shakespeare hebt an dem Geld besonders zwei Eigenschaften hervor:

1. Es ist die sichtbare Gottheit, die Verwandlung aller menschlichen und natürlichen Eigenschaften in ihr Gegenteil, die allgemeine Verwechslung und Verkehrung der Dinge; es verbrüdert 25
Unmöglichkeiten;
2. Es ist die allgemeine Hure, der allgemeine Kuppler der Menschen und Völker.

Die Verkehrung und Verwechslung aller menschlichen und

---

[7] **überdem = überdies:** moreover, in addition.

[8] **ich werde . . . präsumiert:** I am therefore presumed to be honest.

[9] Marx makes a play here on the fact that **Scheidungsmittel** (separating agent) and **Scheidemünze** (small change) both have the stem **scheiden** (to divide from, separate out), though in the latter, of course, the effect of the derivation is no longer strongly felt.

[10] **galvanochemisch:** electrolytic, galvanic; *fig.* catalytic. The German adjective is formed from the name of the first investigator in this field, Luigi Galvani (1737–98).

natürlichen Qualitäten,[11] die Verbrüderung der Unmöglichkeiten—die göttliche Kraft—des Geldes liegt in seinem Wesen als dem entfremdeten, entäußernden und sich veräußernden Gattungswesen der Menschen.[12] Es ist das entäußerte Vermögen der Menschheit.

5 Was ich qua Mensch nicht vermag, was also alle meine individuellen Wesenskräfte nicht vermögen, das vermag ich durch das Geld. Das Geld macht also jede dieser Wesenskräfte zu etwas, was sie an sich nicht ist, d. h. zu ihrem Gegenteil.

Wenn ich mich nach einer Speise sehne oder den Postwagen brau-10 chen will, weil ich nicht stark genug bin, den Weg zu Fuß zu machen, so verschafft mir das Geld die Speise und den Postwagen, d. h. es verwandelt meine Wünsche aus Wesen der Vorstellung, es übersetzt sie aus ihrem gedachten, vorgestellten, gewollten Dasein in ihr sinnliches, wirkliches Dasein, aus der Vorstellung in 15 das Leben, aus dem vorgestellten Sein in das wirkliche Sein. Als diese Vermittlung ist das die wahrhaft schöpferische Kraft. . . .

Da das Geld als der existierende und sich betätigende Begriff des Wertes alle Dinge verwechselt, vertauscht, so ist es die allgemeine Verwechslung und Vertauschung aller Dinge, also die verkehrte 20 Welt, die Verwechslung und Vertauschung aller natürlichen und menschlichen Qualitäten.

Wer die Tapferkeit kaufen kann, der ist tapfer, wenn er auch feig ist. Da das Geld nicht gegen eine bestimmte Qualität, gegen ein bestimmtes Ding, menschliche Wesenskräfte, sondern gegen die 25 ganze menschliche und natürliche gegenständliche Welt sich austauscht, so tauscht es also—vom Standpunkt seines Besitzers angesehn—jede Eigenschaft gegen jede—auch ihr widersprechende Eigenschaft und Gegenstand—aus; es ist die Verbrüderung der

---

[11] **Die Verkehrung . . . Qualitäten:** 'The inversion and confusion of all human and natural qualities.'

[12] **liegt in seinem Wesen . . . der Menschen:** 'resides in its essence as the estranged generic being of mankind, which is given objective form and alienated from itself.' This particular passage bristles with difficulties, since, quite apart from the precise meaning of **entfremden, entäußern,** and **veräußern,** there are the philosophical implications of **Wesen** ("essence," "essential being," or just "being"?) to consider. In fact, any translation is bound to lay itself open to the charge of interpretation.

Unmöglichkeiten,[13] es zwingt das sich Widersprechende zum Kuß.

Setze den Menschen als Menschen und sein Verhältnis zur Welt als ein menschliches voraus, so kannst du Liebe nur gegen Liebe austauschen, Vertrauen nur gegen Vertrauen etc. Wenn du die Kunst genießen willst, mußt du ein künstlerisch gebildeter Mensch sein; wenn du Einfluß auf andere Menschen ausüben willst, mußt du ein wirklich anregend und fördernd auf andre Menschen wirkender Mensch sein. Jedes deiner Verhältnisse zum Menschen —und zu der Natur—muß eine bestimmte, dem Gegenstand deines Willens entsprechende Äußerung deines wirklichen individuellen Lebens sein. Wenn du liebst, ohne Gegenliebe hervorzurufen, d. h. wenn dein Lieben als Lieben nicht die Gegenliebe produziert, wenn du durch deine Lebensäußerung als liebender Mensch dich nicht zum geliebten Menschen machst, so ist deine Liebe ohnmächtig, ein Unglück.

Aus Nationalökonomie
und Philosophie (1844)

FRIEDRICH ENGELS AN JOSEPH BLOCH

Marx lived long enough to see that the theories he had so confidently formulated around the middle of the nineteenth century could not stand without some modification; thus "revisionism" was already an important question before 1900. No one was more aware of this than Marx's closest friend and collaborator, the indefatigable Engels, who, while resolutely defending the fundamental principles of Marxism, pleaded for flexibility and imagination when applying them. This is the position he takes up in the following letter, typical of several he

[13] **es ist . . . Unmöglichkeiten:** 'it makes possible the marriage of impossibilities.'

wrote during the last years of his life; and it is no less interesting as a human document, revealing the wide interests of the man as well as the generous and helpful side of his character.

Joseph Bloch, a young socialist student, had written to Engels for further information on two widely differing questions. The first reaches back into ancient history. How was it, Bloch wanted to know, that, while blood marriages tended to cease among civilized peoples, the Greeks did not frown upon every kind of incestuous union? It is characteristic of Engels and his zest for all branches of learning—and no less characteristic of the century in which he lived—that he takes this excursion into the sociology of ancient Greece in his stride, producing an answer in two short paragraphs (omitted in our extract).

He then goes on to tackle the second and far more weighty inquiry: what did he and Marx understand by the economic interpretation of history? And had they really maintained that economic conditions, especially the means of production, were the one and only decisive factor? In short, Engels is called upon to deliver a categorical answer to the vital question posed by Marx's theories. Not whether there is a relationship between what happens in the socioeconomic field and man's intellectual activities, a proposition from which few today would dissent, but the much more difficult question of how far and in what way the one interacts upon the other. Obviously, Engels' letter does not give a clear answer; indeed, there can hardly be a definitive answer when the problem is considered in the abstract. But it does show that the writer was refreshingly free from arid dogma and prejudice. It was first published in 1894 in Der sozialistische Akademiker, *a German socialist journal of the period, of which Joseph Bloch had become editor.*

London, 21. September 1890

Sehr geehrter Herr!

Ihr Brief vom 3.c.[1] wurde mir nach Folkestone nachgeschickt; da ich aber das betreffende Buch nicht dort hatte, konnte ich ihn

[1] **vom 3.c.:** of the 3rd of the month (an abbreviation widely used during the nineteenth century; *from* [mensis] currentis: of the current month).

nicht beantworten. Am 12. wieder zu Hause eingetroffen, fand ich einen solchen Haufen dringender Arbeit vor, daß ich erst heute dazu komme, Ihnen ein paar Zeilen zu schreiben. Dies zur Erklärung des Aufschubs mit Bitte um gefälligste Entschuldigung. . . .

Nach materialistischer Geschichtsauffassung ist das in letzter Instanz bestimmende Moment[2] in der Geschichte die Produktion und Reproduktion des wirklichen Lebens. Mehr hat weder Marx noch ich je behauptet. Wenn nun jemand das dahin verdreht,[3] das ökonomische Moment sei das einzig bestimmende, so verwandelt er jenen Satz in eine nichtssagende, abstrakte, absurde Phrase.[4] Die ökonomische Lage ist die Basis, aber die verschiedenen Momente des Überbaus[5]—politische Formen des Klassenkampfs und seine Resultate—Verfassungen, nach gewonnener Schlacht durch die siegende Klasse festgestellt usw.—Rechtsformen und nun gar die Reflexe aller dieser wirklichen Kämpfe im Gehirn der Beteiligten, politische, juristische, philosophische Theorien, religiöse Anschauungen und deren Weiterentwicklung zu Dogmensystemen, üben auch ihre Einwirkung auf den Verlauf der geschichtlichen Kämpfe aus und bestimmen in vielen Fällen vorwiegend deren Form. Es ist eine Wechselwirkung[6] aller dieser Momente, worin schließlich durch alle die unendliche Menge von Zufälligkeiten (d. h. von Dingen und Ereignissen, deren innerer Zusammenhang untereinander so entfernt oder so unnachweisbar ist, daß wir ihn als nicht vorhanden betrachten, vernachlässigen können)[7] als Notwendiges die ökonomische Bewegung sich durchsetzt. Sonst wäre die Anwendung der Theorie auf eine beliebige Geschichtsperiode ja leichter als die Lösung einer einfachen Gleichung ersten Grades.

---

[2] **Moment** (*neut.*)**:** momentum, impetus, factor.

[3] **Wenn nun . . . verdreht:** 'Now if someone twists this around so that it means . . .' (For the use of **dahin,** see also p. 169, note 7.)

[4] **Phrase:** see p. 61, note 32.

[5] **Überbau:** see p. 40, note 11.

[6] **Wechselwirkung:** interaction, interplay.

[7] Both **betrachten** and **vernachlässigen** are dependent on the same modal auxiliary: '. . . that we can regard it as nonexistent or even discount it.'

Wir machen unsere Geschichte selbst, aber erstens unter sehr bestimmten Voraussetzungen und Bedingungen. Darunter sind die ökonomischen die schließlich entscheidenden. Aber auch die politischen usw., ja selbst die in den Köpfen der Menschen spukende Tradition, spielen eine Rolle, wenn auch nicht die entscheidende. Der preußische Staat ist auch durch historische, in letzter Instanz ökonomische Ursachen entstanden und fortentwickelt. Es wird sich aber kaum ohne Pedanterie behaupten lassen, daß unter den vielen Kleinstaaten Norddeutschlands gerade Brandenburg durch ökonomische Notwendigkeit und nicht auch durch andere Momente (vor allem seine Verwicklung, durch den Besitz von Preußen, mit Polen und dadurch mit internationalen politischen Verhältnissen—die ja auch bei der Bildung der österreichischen Hausmacht entscheidend sind) dazu bestimmt war, die Großmacht zu werden, in der sich der ökonomische, sprachliche und seit der Reformation auch religiöse Unterschied des Nordens vom Süden verkörperte. Es wird schwerlich gelingen, die Existenz jedes deutschen Kleinstaates der Vergangenheit und Gegenwart oder den Ursprung der hochdeutschen Lautverschiebung,[8] die die geographische, durch die Gebirge von den Sudeten[9] bis zum Taunus[10] gebildete Scheidewand zu einem förmlichen Riß durch Deutschland erweiterte, ökonomisch zu erklären, ohne sich lächerlich zu machen.

Zweitens aber macht sich die Geschichte so, daß das Endresultat stets aus den Konflikten vieler Einzelwillen hervorgeht, wovon jeder wieder durch eine Menge besonderer Lebensbedingungen zu dem gemacht wird, was er ist; es sind also unzählige einander durchkreuzende Kräfte, eine unendliche Gruppe von Kräfteparallelogrammen,[11] daraus eine Resultante[12]—das geschichtliche

---

8 **hochdeutsche Lautverschiebung:** the High German, or second, sound shift (*ca.* 500 A.D.). By a general shifting of certain consonants, High German became distinct from Low German and all the other Germanic languages.

9 **die Sudeten:** the range of mountains separating Silesia from Czechoslovakia.

10 **der Taunus:** the mountain range coming down to the Rhine between the rivers Lahn and Main.

11 **Kräfteparallelogramm:** parallelogram of forces. It is typical of Engels (as well as Marx) that history is discussed in terms of the physical sciences.

12 **Resultante:** resultant; i.e., a force produced by the joint effect of other forces.

Ergebnis—hervorgeht, sie selbst wieder als das Produkt einer, als Ganzes, bewußtlos und willenlos wirkenden Macht angesehen werden kann. Denn was jeder einzelne will, wird von jedem andern verhindert, und was herauskommt, ist etwas, das keiner gewollt hat. So verläuft die bisherige Geschichte nach Art eines Naturprozesses und ist auch wesentlich denselben Bewegungsgesetzen unterworfen. Aber daraus, daß die einzelnen Willen—von denen jeder das will, wozu ihn Körperkonstitution und äußere, in letzter Instanz, ökonomische Umstände (entweder seine eignen persönlichen oder allgemein-gesellschaftliche) treiben—nicht das erreichen, was sie wollen, sondern zu einem Gesamtdurchschnitt, einer gemeinsamen Resultante verschmelzen, daraus darf doch nicht geschlossen werden, daß sie gleich Null zu setzen sind.[13] Im Gegenteil, jeder trägt zur Resultante bei und ist insofern in ihr einbegriffen.

Des weiteren möchte ich Sie bitten, diese Theorie in den Originalquellen und nicht aus zweiter Hand zu studieren, es ist wirklich viel leichter. Marx hat kaum etwas geschrieben, wo sie nicht eine Rolle spielt. Besonders aber ist „Der achtzehnte Brumaire des Louis Bonaparte“ ein ganz ausgezeichnetes Beispiel ihrer Anwendung. Ebenso sind im „Kapital“ viele Hinweise. Dann darf ich Sie auch wohl verweisen auf meine Schriften, „Herrn Eugen Dührings Umwälzung der Wissenschaft“[14] und „Ludwig Feuerbach und der Ausgang der klassischen deutschen Philosophie“,[15] wo ich die

---

13 **daß sie . . . sind:** 'that they are equal to zero.'

14 In *Herrn Eugen Dührings Umwälzung der Wissenschaft* (1878)—usually rendered into English, not entirely satisfactorily, as *Herr Eugen Dühring's Revolution in Science* and referred to for short as *Anti-Dühring*—Engels seeks to defend Marxism from the criticisms of Eugen Dühring (1833–1921), a leading social reformer of the time and professor of economics at Berlin University.

15 *Ludwig Feuerbach and the End of Classical German Philosophy* (1888) might be briefly described as an attempt to show that socialism—or, at least, Engels' and Marx's version —was rooted in the classical tradition of German philosophy, running through Kant and Hegel. Ludwig Feuerbach (1804–72), an influential thinker in his day and now rather unjustly neglected, was in some respects a forerunner of dialectical materialism. Equally important was his role as a critic of religion, which he sought to explain in psychological and anthropological terms, thus anticipating Marx and some aspects of Freud as well.

ausführlichste Darlegung[16] des historischen Materialismus gegeben habe, die meines Wissens existiert.

Daß von den Jüngeren zuweilen mehr Gewicht auf die ökonomische Seite gelegt wird, als ihr zukommt, haben Marx und ich
5 teilweise selbst verschulden müssen. Wir hatten den Gegnern gegenüber das von diesen geleugnete Hauptprinzip zu betonen, und da war nicht immer Zeit, Ort und Gelegenheit, die übrigen an der Wechselwirkung beteiligten Momente zu ihrem Recht kommen zu lassen.[17] Aber sowie[18] es zur Darstellung eines his-
10 torischen Abschnitts, also zur praktischen Anwendung kam, änderte sich die Sache, und da war kein Irrtum möglich. Es ist leider nur zu häufig, daß man glaubt, eine neue Theorie vollkommen verstanden zu haben und ohne weiteres handhaben zu können, sobald man die Hauptsätze sich angeeignet hat, und das auch
15 nicht immer richtig. Und diesen Vorwurf kann ich manchem der neueren „Marxisten"[19] nicht ersparen, und es ist da dann auch wunderbares Zeug geleistet worden. . . .[20]

Ich hoffe, die entsetzlichen Einschachtelungen,[21] die mir der Kürze halber in die Feder geflossen sind, werden Sie nicht zu
20 sehr abschrecken, und bleibe

Ihr ergebener

F. Engels

---

16 **Darlegung:** account, exposition.

17 **Wir hatten . . . zu lassen:** 'We were obliged to emphasize our main principle when faced with opponents who denied it, and there was not always the time, place, and opportunity to give the other factors involved in this interaction their proper due.' As admitted by Engels in the closing lines of the letter, this is not one of his most lucid sentences.

18 **sowie = sobald.**

19 Engels' use of quotation marks makes it clear that the followers of Marx were already split into opposing factions, each claiming to be the true interpreter of the master's words.

20 **und . . . geleistet worden:** 'and some of them have produced the most amazing trash.'

21 **Einschachtelung** (*from* **die Schachtel:** box)**:** clause or sentence awkwardly superimposed upon another; *hence* obscurity, stylistic monstrosity.

MAKERS
OF THE TWENTIETH CENTURY

FRIEDRICH NIETZSCHE

(1844—1900)

Photograph courtesy of The Bettmann Archive. After a charcoal drawing by Hans Olde.

FRIEDRICH NIETZSCHE the descendant of a line of Protestant clergymen and theologians reaching back into the seventeenth century, was born on October 15, 1844, at Röcken, a village in Prussian Saxony. His father, a conventional Lutheran pastor, died when the boy was only four, and he grew up largely in the company of the only two women from whom he received much affection—or to whom he was prepared to give any in return—his mother, Franziska, herself a pastor's daughter, and his sister Elisabeth (b. 1846). The atmosphere in the home in the small town of Naumburg, where the family had moved in 1850, was pious and orthodox; as a boy, Nietzsche considered himself a devout Lutheran. Already there was evidence of high intellectual and artistic ability (at ten he had begun to write poetry and showed a natural talent for music), but physically he was not overstrong. His worst affliction, chronic short-sightedness, coupled with voracious reading, led to the severe headaches that he suffered then and, indeed, throughout his life. At fourteen this gifted youth left his secluded home to become a boarder at the nearby Schulpforta, a famous and, by the standards of the time, excellent school, which could count Klopstock and Fichte among its illustrious alumni. It was here that Nietzsche received the thorough grounding in Greek and Latin which set him on the road to classical philology. Oddly enough, for one who later prided himself on being a "good European," his knowledge of modern languages was not, even in later years, impressive. Academically, his career at Schulpforta was outstanding, even if he had not always been a model pupil.

In 1864 Nietzsche departed for Bonn, where, to please his mother, he enrolled at the university to study theology, although he had ceased to believe in Christianity and was already struggling with doubts as to the validity of religion itself. A year later he followed his teacher, Friedrich Ritschl, to Leipzig, where he devoted himself entirely to classical philology. The formative influences of his student years were the philosopher Arthur Schopenhauer (1788–1860), whose main work, *The World as Will and Idea,* he had discovered by accident in a secondhand bookstore in 1865; and a personal encounter with Richard Wagner (1813–83) at Leipzig in 1868, drawing him irresistibly to both the man and his music. From there, he proceeded to combine the ideas of these two men with his own studies in early Greek philosophy, while elements from the Darwinian theory of the struggle for existence also shaped his thinking. When combined, all these influences produced the highly potent ideological mixture with which he launched his first assault on the assumptions and values of nineteenth-century society.

Nietzsche was a brilliant student, held in such high esteem by his teachers that in 1869 he was granted his doctorate without examination. Like Faust, he had already experienced moments of impatience and nausea at a life nurtured only by the dead world of books, yet it was his fate to become tied to academic life for the next ten years. Shortly before graduating, he was invited, at the unheard-of age of twenty-four, to take up a professorship in classics at Basel University; although plagued by misgivings and premonitions, he accepted with alacrity—he was in no position to refuse a professorial salary. By all accounts, he proved himself a gifted and conscientious, if somewhat unorthodox, teacher. Nevertheless, teaching was from the outset a "yoke," as he himself described it, and one which was to become increasingly burdensome with the passing years. Perhaps it was to get away from the classroom that Nietzsche volunteered for service in the Prussian army at the outbreak of the Franco-German War (1870), an action strangely at variance with his later denunciations of German nationalism and patriotic fervor. He had served only a few weeks as an orderly tending the sick and wounded when he himself came down with diphtheria and dysentery. Before the year was out, he was discharged from military service and returned to his teaching in Basel.

Living in Switzerland meant proximity to Wagner, who was at this time (1866–72) residing on the shores of Lake Lucerne. For a while the two men were on the closest terms. The high regard which Nietzsche held for Wagner can be seen from his first publication of note, *The Birth of Tragedy* (1872), which, while having some illuminating things to say about the beginnings of Greek drama, concludes with a glowing eulogy of the new music drama. By 1875, however, the relationship had cooled noticeably, and the rift rapidly widened into an irreparable breach. The new Festival Theater at Bayreuth (premiere season, 1876), far from realizing Nietzsche's enthusiastic dream of a rebirth of the Greek spirit, appeared to him to be developing into a center of "cultural philistinism," a focal point for all that was reprehensible in the new Bismarckian Germany. Worse than mere nouveau-riche vulgarity, there was now bigotry, chauvinism, and anti-Semitism, all of which were finding their way into Wagner's works. Nietzsche, in his own words, was never able to forgive Wagner because "he became *reichsdeutsch*." The pseudo-Christianity of a later work like *Parsifal* (1882) he found utterly repugnant. Now further than ever from becoming reconciled to the routine of academic life, plagued by ill health and a growing restlessness, in 1879 he resigned his professorship. Of his writings from this period the most notable for us today are *Untimely Meditations* (1873–76) and *Human, All Too Human* (1878–79); but these, along with his other works, were still unknown to the wider German public.

There followed ten years of wandering, years of alternating despair and exaltation, in Switzerland, northern Italy, and the French Riviera; except for the briefest of visits, he avoided his native Germany. The closest he came to settled existence were the several summers he spent in the remote Alpine village of Sils-Maria in the Oberengadin. And when Lou Salomé, a remarkably gifted young woman, the future beloved of Rilke and later a close acquaintance of Freud, refused his offer of marriage, he became resigned to an almost completely solitary existence.

Yet the loneliness of these years, to some extent self-imposed, and the continuous, desperate struggle against ill health seemed but to ripen his powers as writer and thinker. In rapid succession one major work after the other took shape: *The Dawn* (1881), *The Gay Science* (1882), *Thus Spake Zarathustra* (1883–85), *Beyond Good and Evil* (1886), *Toward a Genealogy of Morals* (1887) and *Twilight of the Idols* (1889). Then suddenly this feverish literary output came to an end. Early in 1889 the twilight of insanity descended upon him—perhaps it was congenital, perhaps it was the result of syphilis contracted as a student—and he returned home from Turin to be tended by his mother (d. 1897) and his sister.

By now his books were attracting attention inside and outside Germany, and it was during these last years of his life that the myth of a Teutonic Nietzsche, madman yet visionary, began, sedulously fostered by his conceited and not overscrupulous sister (d. 1935). He died in Weimar—his sister's motive in bringing him to the town of Goethe and Schiller is not hard to guess—on August 25, 1900. One further influential work, *The Will to Power* (first published 1901), was resurrected from his papers and played a notable part in sustaining this piece of national mythology.

"There is no 'cause'; it is only and nothing but a person." These sober words come from a letter written in March 1895 by Erwin Rohde. He had been close to Nietzsche during their student days at Leipzig and had just learned with dismay how his former friend was being transformed into a prophet of the new Reich. They are a fitting comment on the whole of Nietzsche's philosophy.

Nietzsche broke deliberately with the "system building" of the great philosophers of the past, Kant, Hegel, and—we may add—Marx. He was concerned to probe, to explore, to demolish rather than to construct. In itself, this does not make him an "unsystematic" thinker—again and again he returns to certain basic ideas, circling around them like a hawk over its prey—but his writings cannot be said to form a coherent whole, least of all a definitive system (an assertion which would, of course, be hotly disputed in some quarters). And in addition to being a philosopher, he was an artist, a poet, without doubt one of the great masters of German prose, which he handles arbitrarily but with dazzling virtuosity. It is a restless, provocative style, one that is forever darting and thrusting. The way in which he wrote was for Nietzsche no less important than what he wrote, and it was the artist in him that chose to set out his thoughts in a seemingly endless chain of aphorisms. But to write in aphorisms is to invite selective reading—and from there it is no great step to misrepresentation and downright falsification, especially when the tone is prophetic, ecstatic, or chosen deliberately to shock. For the questionable use that was later made of his writings, Nietzsche is himself not entirely blameless, and there is more than a grain of truth in the view that he is one of those oracles whose message depends on the interpreters. Certainly, any attempt to present a "true" or an "essential" Nietzsche through a judicious selection from his works becomes an interpretation, however objective or fair-minded the intention. The "whole" Nietzsche is to be found in his complete writings—and nowhere else. Nor do the difficulties end there. Much of what Nietzsche had to say is abstruse, extremely subtle, at times perhaps even over-intellectualized; and the last thing he wanted was to be understood by the many, for whom he felt only undisguised contempt. His thought just cannot be distilled into a few lucid and well-turned paragraphs of print, though it is, of course, the duty of an editor to try.

Nietzsche was without question one of the intellectual giants of the nineteenth century, yet there is a repulsive, almost megalomaniacal side to him, both as a man and as a writer, which cannot be glossed over. Nor is this irrelevant to a consideration of the mainstream of his thought, as some apologists are fond of pretending. It is one thing to claim that "a more masculine, a warlike age" has arrived (p. 109, §24), but the gleeful tone in which Nietzsche does so suggests a destructive psychopath rather than a philosopher. Granted there is something positive about his wild visions of the future, for this holocaust is to be the birth pangs of a new world; purged of the weak and the mediocre, it will be a place where the strong and the creative rule supreme. Yet it is hard to know whether he himself really believed this. And at such moments he fell all too readily into the bombastic, theatrical tone that he so roundly condemned in others. In other things Nietzsche was wholly self-contradictory. To read his rhapsodic praise of Napoleon (p. 107, §22) or his scorn for ineffectual "do-gooders" and democrats who perversely ignore the facts of life (p. 111, §26), one might be forgiven for supposing that here was an enthusiastic supporter of Bismarck, the Iron Chancellor, who, on his own admission, had not the slightest use for "parliamentary decisions"; or for assuming that the author was a passionate believer in the new Germany which was rapidly becoming the strongest military and industrial power in Europe. Quite the contrary. Nietzsche turned away from the present with disgust. For all his bravado, it was really the old Germany, the pre-industrial "land of poets and thinkers," that he hankered for (p. 106, §20). In this and many other such utterances he was, more than he realized, the dissatisfied German Romantic who can never become reconciled to things as they actually are.

But far more damaging to Nietzsche's reputation has been the course of German history from his death down to 1945. To claim him, as National Socialism did, as a prophet of the superiority of the Germanic race and an advocate of German world domination is only possible by ignoring the greater part of what he wrote. In point of fact, Nietzsche despised the anti-Semite (p. 106, §21), and, in his more lucid moments, there was no sterner critic of that bigoted German nationalism which Heine wittily termed "Teutomania" (p. 105, §19). Yet there is a connection, and it is not just the facile one that comes from stringing together emotive phrases such as "will to power," "master morality," "blond beast," "superman," and the like. For if loving one's fellow men or suffering from a bad conscience signifies degeneration, it seems to follow that wickedness and ruthlessness are a sign of vitality; if democracy and socialism are only the double talk of weaklings and cowards, then self-respecting men will want to be ruled by an heroic elite; if "higher culture" involves being hard and merciless toward others, then a nation will be justified in conquering, even exterminating its neighbors—this is the perverse logic which led to Auschwitz and Maidanek. Of course, Nietzsche would have been horrified at what happened; as an artist-philosopher, he was attempting a critique of hitherto accepted moral values, not writing a primer for international gangsters. Yet it cannot be denied that the germ of these things is present in what he wrote.

How much of this was just so much wish-fantasy, the daydreams of a studious recluse who, in real life, was totally unlike the warrior man of action that flits across the pages of his books? At any rate, it seems to have escaped Nietzsche that there might be political implications to the ethos he was propounding—but then, it would be difficult to think of anyone with less experience of the practical workings of politics. And when he writes that "politics devour all seriousness of purpose as far as really intellectual matters are concerned" (*Twilight of the Idols,*

VIII. 1), he is echoing a view widely held by the German intelligentsia from the eighteenth century onward. The task he set himself as a thinker, the direction in which his thinking consistently tended, both spring quite naturally from this basic conviction that the intellectual's prime duty is to himself, not to his fellow men. Here, too, Nietzsche was partly a throwback of the very culture he spent so much time denouncing.

But what of the "positive" Nietzsche, the sane Nietzsche who posed the weighty questions that Western intellectuals are still asking in the mid-twentieth century? In early works like *The Future of our Educational Establishments* (1872), where the tone is still moderate and tempered, he is the individualist standing up for liberal education, stressing the dangers that will arise if society educates purely for utilitarian reasons; in short, he was one of the first to foresee some of the problems raised by "mass culture." And having moved on to consider the role of history in our lives, he issued a salutary challenge to the dogmatic belief in human progress, even suggesting reasons why it might be better to live "unhistorically" (p. 86). In the early 1870's he had been powerfully stimulated by both Schopenhauer and Wagner, but he later reached a position where he had to turn against them; in the process he subjected his own assumptions and feelings to a most ruthless and impersonal investigation. In fact, the thinking of his mature period (1879–89) was, in a very real sense, a descent into the depths of his own ego, an Odyssey through the labyrinths of his own soul such as few men could have undertaken. Thus Nietzsche can be regarded as one of the first explorers of the infant discipline of psychology (p. 117, §32). One of the most significant conclusions he came to in this field was that traditional morality consists of different expressions for the same thing, that "good" actions and "bad" actions can ultimately derive from the same motive.

This leads on to Nietzsche the "revolutionary hero of existentialist thought." Whatever existentialism means—and there are not a few versions to contend with—the common denominator is surely a demand that the philosopher, by committing himself personally to the big questions of human existence, shall avoid answering them with the traditional abstractions. This was quite certainly the view of Nietzsche (p. 133), though whether his thought can be categorized as fully existentialist is debatable. In the field of religion, he perceived a no less vital question which his contemporaries were cheerfully ignoring. Was it possible to reject revealed religion and yet disregard the consequences of such an action? As Nietzsche saw it, with the "death of God" (p. 128) humanity was confronted with a terrible void. And now that Darwin had shown existence to be a ceaseless struggle to survive, for man no less than the fauna and flora around him, what was the meaning of life? Did this not reduce everything to a purposeless materialism, leaving man of no more significance than a grain of sand? And if this were true, what of the future of mankind when faced with only the bleak prospect of nihilism?

In Nietzsche's favor, it must be said that he saw through hypocrisy and self-deception and demanded honest answers to his own relentless questioning. If man were to survive this crisis—and Nietzsche was convinced that he could—it would have to be without the comforts of religion and metaphysics. And there was a way out. He pointed to the instinctive will to exist which he thought he discerned in the highest specimens of humanity, the "will to power," a phrase he had borrowed from Schopenhauer but now used in a somewhat different sense. It was meant not as a political concept at all, but rather as a convenient generalization for an indefinable "life-force." Strife was the origin of all things, civilization had itself arisen out of strife, and the life process must now evolve the superman, heroic, strong, and creative, life-affirming, unfettered by moral inhibitions (p. 110, §25). By merely existing, this magnificent being would enrich the drab lives of the masses and so compensate them for their toil and servitude. In this way "the image of man" would be restored, the "will to power" would henceforth become the source and meaning of life, stimulating new art and learning. In sum, Nietzsche's superman would enable mankind to achieve its innate potential to the full. And here is where it becomes difficult for the historian of ideas not to feel that we are somehow looking backward, not forward, that this is, in fact, the neo-paganism of earlier German writers, from Winckelmann, Heinse, and Goethe onward, writ several degrees larger.

For Nietzsche, then, human reason had finally reached the end of its tether. The dream of the "theoretical" men, from Socrates down to the philosophers of Enlightenment, that there exists a "rational" universe which can be discovered through reason, that by this same gift of reason human existence can be made a little less brutish, that men everywhere are ultimately united by the common element of humanity, and that they can learn to live together in harmony, recognizing that in the welfare of one lies the welfare of all—all this is an illusion, indeed, a pernicious illusion, for it can imperil man's chances of survival as a species. Yet can Western civilization, which has now lasted well over two thousand years, above all, its most splendid achievement, the scientific spirit (which Nietzsche himself did not disdain, though he regards it as an elaborate form of self-deception [p. 116, §31]) be entirely an aberration? His vehement and uncompromising criticism of society no less than the radical alternative he proposes for the human race at this critical juncture in its history cannot be entirely divorced from his own bleak and lonely vantage point. Nor can we overlook the historical situation in which he found himself or the national culture that was his heritage. "In the end one experiences only oneself," he observes in *Thus Spake Zarathustra,* and perhaps this is the most telling criticism of his own philosophy. It is the individual grappling with the problems of existence, not a blueprint for a viable society of the future. For all that, Nietzsche remains a thinker of incomparable insights and rare speculative audacity, though it is wiser to view him as a gadfly, like the Socrates whom he treated with so much abuse and yet at heart profoundly admired. As Walter Kaufmann aptly remarks: "He challenges the reader not so much to agree or disagree as to grow."

SUGGESTIONS FOR FURTHER READING

Barrett, William, *Irrational Man.* Doubleday Anchor, 1962. A highly partial account of existentialism, but well written and valuable to the student who wants a general introduction to the subject. Of special interest is the way in which Nietzsche is claimed as one of the foremost existentialists.

Blackham, H. J., *Six Existentialist Thinkers,* Harper Torch Books, 1959. A lucid and scholarly exposition of existentialist thought, setting Nietzsche in the context of this movement.

Clive, Geoffrey, *The Philosophy of Nietzsche.* Mentor Books, 1965. A valuable paperback anthology which presents Nietzsche's thought in translation by grouping it around a series of topics. Relies on the older and not always entirely satisfactory translations, but the material is well arranged and the introduction highly stimulating.

Golffing, Francis, trans., *The Birth of Tragedy and The Genealogy of Morals*. Doubleday Anchor, 1956. Offers a completely new translation of both works. Reads well and is a great improvement on earlier versions, though inclined to condense here and there.

Heller, Erich, "The Importance of Nietzsche," *Encounter*, April 1964. A thought-provoking essay by a convinced Nietzschean. Inclined, however, to overestimate the influence of Nietzsche, especially in the English-speaking world.

Hollingdale, R. J., *Nietzsche, The Man and his Philosophy*. Louisiana State University Press, 1965. A well-balanced and informative survey of Nietzsche as a personality and writer, especially recommended for students approaching him for the first time.

Kaufmann, Walter, ed., *The Portable Nietzsche*. The Viking Press, 1964. New translations of a generous selection from Nietzsche's works, including the whole of *Zarathustra*, with valuable introduction and commentaries.

———, *Nietzsche—Philosopher, Psychologist, Antichrist*. Meridian Books, 1964. A most rigorous and detailed examination of Nietzsche's thought, difficult but rewarding and quite indispensable for the serious student. Occasionally rather too concerned to refurbish the Nietzsche image.

Lukács, Georg, *Von Nietzsche zu Hitler*. Fischer Bücherei, 1966. A scathing reassessment of Nietzsche by a distinguished Marxist critic. Obdurately doctrinaire in parts, but full of penetrating insights. Points out connections all too often passed over, and invaluable when read in conjunction with Heller's and Kaufmann's interpretations.

Wolff, Hans M., *Friedrich Nietzsche. Der Weg zum Nichts*. Francke Verlag, 1956. One of the clearest and most systematic accounts of Nietzsche in German, with a chapter devoted to each of the important works.

ZUM LEBEN GEHÖRT AUCH DAS UNHISTORISCHE

With this passage begins the second part of the Untimely Meditations. *Completed in 1873, it is ostensibly an essay on the usefulness of historical studies, and yet—and this is typical of much of Nietzsche's writing—it does not keep strictly to the theme suggested by the title, nor does it offer a particularly systematic discussion of the problem. Instead, within a few pages from the beginning, Nietzsche mounts a devastating attack on one of the most cherished ideals of the nineteenth century, the belief in the "inevitability" of progress, the unquestioning assumption that there must be a goal and a hidden meaning in all historical happening, an assumption Marx—and before him, Hegel—had certainly made. Nietzsche is equally hard on arid historical scholarship, on the academic drudges who, with ant-like industry, burrow their way into the past. True, they bring new facts to light, but their labors serve ultimately only to burden mankind with more material than it can ever assimilate. Then there is the question of "supra-historical" values—i.e., whether it is possible, or even desirable, for man to stand aside from life and take a clinically dispassionate view of his own historical development, let alone postulate universally valid laws. At best, such laws will be the utterances of intelligent, but insignificant beings who are rooted, once and for all, in time and space. Of course, Nietzsche concedes, the study of history has a positive side; but his main concern is that man may become so engrossed in chewing over the past, so weighed down by what has already happened, that he is no longer capable of living. Nor is that all—lurking in the background, there is a question of even wider implication: Is intellect itself inimical to life? The irrationalism of a later generation of writers* (F. *Wedekind,* D. H. *Lawrence,* G. *d'Annunzio) is already on the horizon.*

Betrachte die Herde, die an dir vorüberweidet[1]: sie weiß nicht, was Gestern, was Heute ist, springt umher, frißt, ruht, verdaut, springt wieder, und so vom Morgen bis zur Nacht und von Tage zu Tage, kurz angebunden mit ihrer Lust und Unlust, nämlich[2] an den
5 Pflock des Augenblicks, und deshalb weder schwermütig noch überdrüssig. Dies zu sehen geht dem Menschen hart ein, weil er seines Menschentums sich vor dem Tiere brüstet[3] und doch nach seinem Glücke eifersüchtig hinblickt—denn das will er allein, gleich dem Tiere weder überdrüssig noch unter Schmerzen
10 leben, und will es doch vergebens, weil er es nicht will wie das Tier. Der Mensch fragt wohl einmal das Tier: warum redest du mir nicht von deinem Glücke und siehst mich nur an? Das Tier will auch antworten und sagen: das kommt daher, daß ich immer gleich vergesse, was ich sagen wollte—da vergaß es aber auch schon
15 diese Antwort und schwieg: so daß der Mensch sich darob[4] verwunderte.

Er wunderte sich aber auch über sich selbst, das Vergessen nicht lernen zu können und immerfort am Vergangenen zu hängen: mag er noch so weit, noch so schnell laufen, die Kette läuft mit. Es ist ein
20 Wunder: der Augenblick, im Husch da, im Husch vorüber,[5] vorher ein Nichts, nachher ein Nichts, kommt doch noch als Gespenst wieder und stört die Ruhe eines späteren Augenblicks. Fortwährend löst sich ein Blatt aus der Rolle der Zeit, fällt heraus, flattert fort— und flattert plötzlich wieder zurück, dem Menschen in den Schoß.
25 Dann sagt der Mensch „ich erinnere mich“ und beneidet das Tier, welches sofort vergißt und jeden Augenblick wirklich sterben, in Nebel und Nacht zurücksinken und auf immer verlöschen sieht.

---

1 **die . . . vorüberweidet:** 'which goes grazing past you.' A good example of how German can join a prepositional prefix (**vorüber**) to a verb denoting a more or less static activity (**weiden**) to imply motion.

2 The **nämlich** brings with it a slight hiatus but serves to specify how the herd is "tethered on a short leash."

3 **Dies zu sehen . . . brüstet:** 'To realize this is most difficult for man because in the presence of the animal he prides himself on his humanity.'

4 **darob:** *literary, and somewhat archaic, for* **darüber.**

5 **im Husch da, im Husch vorüber:** 'here, and then gone.' (Cf. **huschen:** to flit by, dart past.)

So lebt das Tier *unhistorisch*: denn es geht auf in[6] der Gegenwart, wie eine Zahl, ohne daß ein wunderlicher Bruch übrigbleibt, es weiß sich nicht zu verstellen,[7] verbirgt nichts und erscheint in jedem Momente ganz und gar als das, was es ist, kann also gar nicht anders sein als ehrlich. Der Mensch hingegen stemmt sich gegen[8] die große und immer größere Last des Vergangenen: diese drückt ihn nieder oder beugt ihn seitwärts, diese beschwert seinen Gang als eine unsichtbare und dunkle Bürde, welche er zum Scheine einmal verleugnen kann, und welche er im Umgange mit seinesgleichen gar zu gern verleugnet: um ihren Neid zu wecken. Deshalb ergreift es ihn, als ob er eines verlorenen Paradieses gedächte, die weidende Herde oder, in vertrauterer Nähe, das Kind zu sehen,[9] das noch nichts Vergangenes zu verleugnen hat und zwischen den Zäunen der Vergangenheit und der Zukunft in überseliger Blindheit spielt. Und doch muß ihm sein Spiel gestört werden: nur zu zeitig wird es aus der Vergessenheit heraufgerufen. Dann lernt es das Wort „es war" zu verstehen, jenes Losungswort, mit dem Kampf, Leiden und Überdruß an den Menschen herankommen, ihn zu erinnern, was sein Dasein im Grunde ist—ein nie zu vollendendes Imperfektum.[10] Bringt endlich der Tod das ersehnte Vergessen, so unterschlägt[11] er doch zugleich dabei die Gegenwart und das Dasein und drückt damit das Siegel auf jene Erkenntnis—daß Dasein nur ein ununterbrochenes Gewesensein ist, ein Ding, das davon lebt, sich selbst zu verneinen und zu verzehren, sich selbst zu widersprechen.

Wenn ein Glück, wenn ein Haschen nach neuem Glück in

---

6 **in etwas aufgehen:** to disappear into, become merged with. Not the least of the difficulties in rendering this sentence adequately into English is that with the mention of **Zahl** and **Bruch** we encounter another quite usual meaning of **aufgehen:** "to go into" (of numbers; e.g. **drei geht in fünfzehn auf**)'... for it "goes completely into" the present, like a number, without leaving any unusual reminder.'

7 **es weiß ... zu verstellen:** it does not know how to dissimulate.

8 **sich gegen etwas stemmen:** to oppose, stand resolutely against.

9 The basic construction here is **es ergreift ihn, ... zu sehen.**

10 **ein nie zu vollendendes Imperfektum:** 'a past tense that can never become perfect.' Note the double-entente of **Imperfektum,** so that it could also be rendered as 'a never-to-be-completed imperfect.'

11 **unterschlagen:** to suppress, abolish.

irgendeinem Sinne das ist, was den Lebenden[12] im Leben festhält und zum Leben fortdrängt, so hat vielleicht kein Philosoph mehr Recht als der Zyniker: denn das Glück des Tieres, als des vollendeten Zynikers,[13] ist der lebendige Beweis für das Recht des Zynismus.
5 Das kleinste Glück, wenn es nur ununterbrochen da ist und glücklich macht, ist ohne Vergleich mehr Glück als das größte, das nur als Episode, gleichsam als Laune, als toller Einfall, zwischen lauter Unlust,[14] Begierde und Entbehrung kommt. Bei dem kleinsten aber und bei dem größten Glücke ist es immer eins, wodurch
10 Glück zum Glücke wird: das Vergessenkönnen oder, gelehrter ausgedrückt, das Vermögen, während seiner Dauer *unhistorisch* zu empfinden. Wer sich nicht auf der Schwelle des Augenblicks, alle Vergangenheiten vergessend, niederlassen kann, wer nicht auf einem Punkte wie eine Siegesgöttin ohne Schwindel und Furcht
15 zu stehen vermag, der wird nie wissen, was Glück ist, und noch schlimmer: er wird nie etwas tun, was andre glücklich macht. Denkt euch das äußerste Beispiel, einen Menschen, der die Kraft zu vergessen gar nicht besäße, der verurteilt wäre, überall ein Werden zu sehen: ein solcher glaubt nicht mehr an sein eigenes
20 Sein, glaubt nicht mehr an sich, sieht alles in bewegte Punkte auseinanderfließen und verliert sich in diesem Strome des Werdens: er wird wie der rechte Schüler Heraklits[15] zuletzt kaum mehr wagen,

---

12 **den Lebenden** is accusative singular, though idiomatic English would probably prefer the plural: 'the living.'

13 **denn . . . vollendeten Zynikers:** 'for the happiness of the animal, like that of the complete cynic . . . ' The Cynics were a school of Greek philosophers (4th cent. B.C.) who originally held that true virtue and happiness consist in being independent of physical needs. Later, in a more extreme version, they came to despise all the achievements and comforts of civilization.

14 **Unlust:** listlessness, indifference, ennui.

15 **Heraklit:** Heraclitus, an early Greek philosopher (ca. 540–480 B.C.). Nietzsche was greatly attracted to this somewhat mystical and decidedly pessimistic writer, whose works have come down to us only as fragments. Among other things, he taught that the world around us is in constant process of change. "You cannot step twice into the same river" is one of the expressions of this view attributed to him. "The true disciple of Heraclitus" is a reference to the Greek philosopher Cratylus, a younger contemporary of Socrates, who carried the teaching of Heraclitus to its logical extreme, maintaining that it was impossible to step into the same river even once. According to Aristotle, he "finally did not think it right to say anything but only moved his finger."

den Finger zu heben. Zu allem Handeln gehört Vergessen: wie zum Leben alles Organischen nicht nur Licht, sondern auch Dunkel gehört. Ein Mensch, der durch und durch nur historisch empfinden wollte, wäre dem ähnlich, der sich des Schlafens zu enthalten gezwungen würde, oder dem Tiere, das nur vom Wieder- 5 käuen und immer wiederholtem Wiederkäuen leben sollte. Also: es ist möglich, fast ohne Erinnerung zu leben, ja glücklich zu leben, wie das Tier zeigt; es ist aber ganz und gar unmöglich, ohne Vergessen überhaupt zu *leben*. Oder, um mich noch einfacher über mein Thema zu erklären: *es gibt einen Grad von Schlaflosigkeit,* 10 *von Wiederkäuen, von historischem Sinne, bei dem das Lebendige zu Schaden kommt und zuletzt zugrunde geht, sei es nun ein Mensch oder ein Volk oder eine Kultur.*

Vom Nutzen und Nachteil der Historie für das Leben (1874), § 1.

MEINUNGEN UND SPRÜCHE

The following selection is intended not to sum up, but to introduce some of the many facets of Nietzsche the thinker and critic, including his role as literary critic. It includes passages which, by any reckoning, are penetrating and highly original (§29), some which run quite contrary to generally accepted notions but are none the less stimulating (§2), yet again others with the imaginative sweep and power of the true poet (§33), and then, at the other extreme, others which are most charitably explained as the vaporings of a lonely misanthrope (§26). In short, it contains some of the best and some of the worst of Nietzsche. That his thinking ranges widely is evident, even within the narrow limits imposed by such a cross section, at once arbitrary and personal;

and the most ardent opponent of his views would surely admit that they are couched in a prose which, for its incisiveness, polish, and agility, as well as the mercurial flashes of wit, is quite unsurpassed. At the same time, selection helps to show up the contradictory nature of his writing, the difficulty of "systematizing" his thought. Is he a philosopher, as some maintain, to be mentioned in the same breath as Descartes, Spinoza, Hume, and Kant—or are we doing him greater justice by linking his name with the great writers of aphorisms, with La Rochefoucauld and Pascal, with Lichtenberg and Novalis?

1

Das Buch fast zum Menschen geworden.—Jeden Schriftsteller überrascht es von neuem, wie das Buch, sobald es sich von ihm gelöst hat,[1] ein eigenes Leben für sich weiterlebt; es ist ihm zumute, als wäre der eine Teil eines Insektes losgetrennt und ginge nun seinen
5 eigenen Weg weiter. Vielleicht vergißt er es fast ganz, vielleicht erhebt er sich über die darin niedergelegten Ansichten, vielleicht selbst versteht er es nicht mehr und hat jene Schwingen[2] verloren, auf denen er damals flog, als er jenes Buch aussann: währenddem sucht es sich seine Leser, entzündet Leben, beglückt, erschreckt,
10 erzeugt neue Werke, wird die Seele von Vorsätzen und Handlungen—kurz: es lebt wie ein mit Geist und Seele ausgestattetes Wesen und ist doch kein Mensch.—Das glücklichste Los hat der Autor gezogen, welcher, als alter Mann, sagen kann, daß alles, was von lebenzeugenden, kräftigenden, erhebenden, aufklärenden
15 Gedanken und Gefühlen in ihm war, in seinen Schriften noch fortlebe, und daß er selber nur noch die graue Asche bedeute, während das Feuer überallhin gerettet und weitergetragen sei.—Erwägt man nun gar, daß jede Handlung eines Menschen, nicht nur ein Buch, auf irgendeine Art Anlaß zu anderen Handlungen,
20 Entschlüssen, Gedanken wird, daß alles, was geschieht, unlösbar fest sich mit allem, was geschehen wird, verknotet, so erkennt man

---

1 **sobald es . . . hat:** 'as soon as it has parted from him.'
2 **die Schwinge:** wing, pinion (invariably used in the plural).

die wirkliche *Unsterblichkeit,* die es gibt, die der Bewegung: was einmal bewegt hat, ist in dem Gesamtverbande alles Seienden,[3] wie in einem Bernsteine ein Insekt eingeschlossen und verewigt.

Menschliches, Allzumenschliches I, § 208.

2

Viele Sprachen lernen.—Viele Sprachen lernen füllt das Gedächtnis mit Worten statt mit Tatsachen und Gedanken aus, während dies ein Behältnis[4] ist, welches bei jedem Menschen nur eine bestimmte begrenzte Masse von Inhalt aufnehmen kann. Sodann schadet das Lernen vieler Sprachen, insofern es den Glauben, Fertigkeiten zu haben, erweckt und tatsächlich auch ein gewisses verführerisches Ansehen im Verkehr verleiht;[5] es schadet sodann auch indirekt dadurch, daß es dem Erwerben gründlicher Kenntnisse und der Absicht,[6] auf redliche Weise die Achtung der Menschen zu verdienen, entgegenwirkt. Endlich ist es die Axt, welche dem feineren Sprachgefühl innerhalb der Muttersprache an die Wurzel gelegt wird: dies wird dadurch unheilbar beschädigt und zugrunde gerichtet. Die beiden Völker, welche die größten Stilisten erzeugten, Griechen und Franzosen, lernten keine fremden Sprachen.—Weil aber der Verkehr der Menschen immer kosmopolitischer werden muß und zum Beispiel ein rechter Kaufmann in London jetzt schon sich in acht Sprachen schriftlich und mündlich verständlich zu machen hat, so ist freilich das Viele-Sprachen-lernen ein notwendiges *Übel*; welches aber, zuletzt zum äußersten kommend, die Menschheit zwingen wird, ein Heilmittel zu finden: und

---

[3] **ist in dem Gesamtverbande alles Seienden:** 'is in the universal bond of all being.'

[4] **Behältnis:** container, receptacle.

[5] **und tatsächlich . . . verleiht:** 'and insofar as it actually confers allure and prestige when dealing with one's fellow men.'

[6] **der Absicht** is likewise dative, dependent on **entgegenwirken:** to run contrary to.

in irgendeiner fernen Zukunft wird es eine neue Sprache, zuerst als Handelssprache, dann als Sprache des geistigen Verkehrs überhaupt, für alle geben, so gewiß als es einmal Luft-Schiffahrt gibt. Wozu hätte auch die Sprachwissenschaft ein Jahrhundert lang die Gesetze
5 der Sprache studiert und das Notwendige, Wertvolle, Gelungene an jeder einzelnen Sprache abgeschätzt![7]

Menschliches, Allzumenschliches I, § 267.

3

Zum Ruhme Shakespeares.—Das Schönste, was ich zum Ruhme Shakespeares, *des Menschen,* zu sagen wüßte,[8] ist dies: er hat an Brutus geglaubt und kein Stäubchen Mißtrauens auf diese Art
10 Tugend geworfen! Ihm hat er seine beste Tragödie geweiht—sie wird jetzt immer noch mit einem falschen Namen genannt—, ihm und dem furchtbarsten Inbegriff hoher Moral. Unabhängigkeit der Seele—das gilt es hier! Kein Opfer kann da zu groß sein: seinen liebsten Freund selbst muß man ihr opfern können, und sei er noch
15 dazu der herrlichste Mensch, die Zierde der Welt, das Genie ohnegleichen—wenn man nämlich die Freiheit als die Freiheit großer Seelen liebt und durch ihn *dieser* Freiheit Gefahr droht[9]—derart muß Shakespeare gefühlt haben! Die Höhe, in welche er Cäsar stellt, ist die feinste Ehre, die er Brutus erweisen konnte:
20 so erst erhebt er dessen inneres Problem ins Ungeheure, und ebenso die seelische Kraft, welche *diesen Knoten* zu zerhauen vermochte!—Und war es wirklich die politische Freiheit, welche diesen Dichter zum Mitgefühl mit Brutus trieb—zum Mitschuldigen des Brutus machte? Oder war die politische Freiheit nur eine
25 Symbolik für irgendetwas Unaussprechbares? Stehen wir vielleicht vor irgend einem unbekannt gebliebenen dunklen Ereignisse und

---

7 **abschätzen:** to evaluate, assess.

8 **Das Schönste, was ich . . . zu sagen wüßte:** 'The finest thing I could find to say.' **Wüßte** is the so-called "subjunctive of modest assertion."

9 **und durch . . . droht:** and if *this* freedom be endangered by him (Caesar).

Abenteuer aus des Dichters eigener Seele, von dem er nur durch Zeichen reden mochte? Was ist alle Hamlet-Melancholie gegen die Melancholie des Brutus!—und vielleicht kennt Shakespeare auch diese, wie er jene kannte, aus Erfahrung! Vielleicht hatte auch er seine finstere Stunde und seinen bösen Engel, gleich Brutus!— 5
Was es aber auch derart von Ähnlichkeiten und geheimen Bezügen[10] gegeben haben mag: vor der ganzen Gestalt und Tugend des Brutus warf Shakespeare sich auf den Boden und fühlte sich unwürdig und ferne—das Zeugnis dafür hat er in seine Tragödie hineingeschrieben. Zweimal hat er in ihr einen Poeten vorgeführt[11] 10
und zweimal eine solche ungeduldige und allerletzte Verachtung über ihn geschüttet,[12] daß es wie ein Schrei klingt—wie der Schrei der Selbstverachtung. Brutus, selbst Brutus verliert die Geduld, als der Poet auftritt, eingebildet, pathetisch, zudringlich, wie Poeten zu sein pflegen, als ein Wesen, welches von Möglichkeiten der Größe, 15
auch der sittlichen Größe, zu strotzen[13] scheint und es doch in der Philosophie der Tat und des Lebens selten selbst bis zur gemeinen Rechtschaffenheit bringt. „Kennt er die Zeit, *so kenn ich seine Launen*—fort mit dem Schellen-Hanswurst!“[14]—ruft Brutus. Man übersetze sich dies zurück in die Seele des Poeten, der es dichtete. 20

Die fröhliche Wissenschaft, § 98.

4

Goethe—kein deutsches Ereignis, sondern ein europäisches: ein großartiger Versuch, das achtzehnte Jahrhundert zu überwinden

---

[10] **geheime Bezüge:** secret relationships, affinities.

[11] **vorführen:** to show, parade.

[12] **und zweimal . . . geschüttet:** ‘and twice he heaped upon him such impatient and utter disdain that. . .’

[13] **strotzen:** to be exuberant, teem with; ‘. . . as a being who is seemingly bursting with the possibilities of greatness, even moral greatness . . .’

[14] **Schellen-Hanswurst:** Hans Wurst was one of the stock comic figures on the German stage during the seventeenth and eighteenth centuries. **Schelle** is the type of bell worn by such clowns on their costume. A free rendering of this phrase might run: ‘Away with this jester and his cap and bells!’

durch eine Rückkehr zur Natur, durch ein *Hinauf*kommen zur Natürlichkeit der Renaissance, eine Art Selbstüberwindung von seiten dieses Jahrhunderts.—Er trug dessen stärkste Instinkte in sich: die Gefühlsamkeit,[15] die Natur-Idolatrie, das Antihistorische,
5 das Idealistische, das Unreale und Revolutionäre (—letzteres ist nur eine Form des Unrealen). Er nahm die Historie, die Naturwissenschaft, die Antike, insgleichen[16] Spinoza zu Hilfe, vor allem die praktische Tätigkeit; er umstellte sich mit lauter geschlossenen Horizonten; er löste sich nicht vom Leben ab,[17] er stellte sich
10 hinein; er war nicht verzagt und nahm so viel als möglich auf sich, über sich, in sich. Was er wollte, das war *Totalität*; er bekämpfte das Auseinander von Vernunft, Sinnlichkeit, Gefühl, Wille (—in abschreckendster Scholastik durch *Kant* gepredigt, den Antipoden Goethes); er disziplinierte sich zur Ganzheit, er *schuf* sich. . . .
15 Goethe war, inmitten eines unreal gesinnten Zeitalters, ein überzeugter Realist: er sagte Ja zu allem, was ihm hierin verwandt war— er hatte kein größeres Erlebnis als jenes *ens realissimum,*[18] genannt Napoleon. Goethe konzipierte einen starken, hochgebildeten, in allen Leiblichkeiten geschickten, sich selbst im Zaume habenden,
20 vor sich selber ehrfürchtigen Menschen, der sich den ganzen Umfang und Reichtum der Natürlichkeit zu gönnen wagen darf,[19] der stark genug zu dieser Freiheit ist; den Menschen der Toleranz, nicht aus Schwäche, sondern aus Stärke, weil er das, woran die durchschnittliche Natur zugrunde gehn würde, noch zu seinem
25 Vorteil zu brauchen weiß; den Menschen, für den es nichts Verbotenes mehr gibt, es sei denn die *Schwäche,* heiße sie nun Laster oder Tugend. . . . Ein solcher *freigewordner* Geist steht mit einem

---

15 **Gefühlsamkeit:** sensibility.

16 **insgleichen** (= **desgleichen**): as well as. Rather typical of Nietzsche's predilection for rare and archaic forms.

17 **er löste sich nicht vom Leben ab:** 'he did not withdraw from life.'

18 **ens realissimum:** the most real and complete being (a term originally used by the medieval scholastics to describe God.)

19 **Goethe konzipierte . . . wagen darf:** 'Goethe imagined a strong, highly cultured human being, skilled in physical activities, keeping a tight rein on himself and venerating his own person, one who may dare to permit himself the whole range and wealth of living naturally.'

freudigen und vertrauenden Fatalismus mitten im All, im *Glauben,* daß nur das Einzelne verwerflich ist,[20] daß im Ganzen sich alles erlöst und bejaht—*er verneint nicht mehr.* . . . Aber ein solcher Glaube ist der höchste aller möglichen Glauben: ich habe ihn auf den Namen des *Dionysos*[21] getauft.— 5

Götzendämmerung
Streifzüge eines Unzeitgemäßen, § 49.

5

Wie man zuerst bei Kunstwerken zu unterscheiden hat.—Alles, was gedacht, gedichtet, gemalt, komponiert, selbst gebaut und gebildet wird, gehört entweder zur monologischen Kunst oder zur Kunst vor Zeugen. Unter letztere ist auch noch jene scheinbare Monolog-Kunst einzurechnen, welche den Glauben an Gott in sich schließt, 10 die ganze Lyrik des Gebets: denn für einen Frommen gibt es noch keine Einsamkeit—diese Erfindung haben erst wir gemacht, wir Gottlosen. Ich kenne keinen tieferen Unterschied der gesamten Optik eines Künstlers als diesen: ob er vom Auge des Zeugen aus nach seinem werdenden Kunstwerke (nach „sich"—) hinblickt oder 15 aber „die Welt vergessen hat": wie es das Wesentliche jeder monologischen Kunst ist—sie ruht *auf dem Vergessen,* sie ist die Musik des Vergessens.

Die fröhliche Wissenschaft, § 367.

6

Die nötige Austrocknung alles Guten.—Wie! Man müsse ein Werk gerade so auffassen wie die Zeit, die es hervorbrachte? Aber man hat 20

---

[20] **daß nur das Einzelne verwerflich ist:** 'that only what stands in isolation is reprehensible.'

[21] **Dionysos:** see p. 96, note 24.

mehr Freude, mehr Erstaunen und auch mehr zu lernen daran, wenn man es gerade nicht so auffaßt! Habt ihr nicht gemerkt, daß jedes neue gute Werk, so lange es in der feuchten Luft seiner Zeit liegt, seinen mindesten Wert besitzt, —gerade weil es so sehr noch den 5 Geruch des Marktes und der Gegnerschaft und der neuesten Meinungen und alles Vergänglichen zwischen heut und morgen an sich trägt? Später trocknet es aus, seine „Zeitlichkeit“[22] stirbt ab—und dann erst bekommt es seinen tiefen Glanz und Wohlgeruch, ja, wenn es darnach ist,[23] sein stilles Auge der Ewigkeit.

Morgenröte, § 506.

7

10 Mit dem Wort *„dionysisch“*[24] ist ausgedrückt: ein Drang zur Einheit, ein Hinausgreifen über Person, Alltag, Gesellschaft, Realität, über den Abgrund des Vergehens: das leidenschaftlich-schmerzliche Überschwellen in dunklere, vollere, schwebendere Zustände;[25] ein verzücktes[26] Jasagen zum Gesamt-Charakter des 15 Lebens, als dem in allem Wechsel Gleichen,[27] Gleich-Mächtigen, Gleich-Seligen; die große pantheistische Mitfreudigkeit und Mitleidigkeit, welche auch die furchtbarsten und fragwürdigsten Eigenschaften des Lebens gutheißt und heiligt; der ewige Wille zur Zeugung, zur Fruchtbarkeit, zur Wiederkehr; das Einheits-20 gefühl der Notwendigkeit des Schaffens und Vernichtens.

22 **„Zeitlichkeit“:** quality of belonging to a particular age, “contemporariness.”

23 **wenn es darnach ist:** if it is so destined; if it has that quality within itself.

24 To the Greeks Dionysus was variously the god of nature, vegetation, fertility, and wine (*Lat.* Bacchus), worshiped with orgiastic rites and wild dances. Because of this association with ecstatic and unbridled emotion, the adjective “Dionysian” is chosen by Nietzsche to characterize all creative art in which the irrational element dominates.

25 **das leidenschaftlich-schmerzliche . . . Zustände:** ‘the passionate-painful process of swelling up and passing into a darker, fuller, more suspended state.’

26 **verzückt:** ecstatic, rapturous.

27 **als dem in allem Wechsel Gleichen:** dative form used in apposition to **Gesamt-Charakter.**

Mit dem Wort „*apollinisch*“[28] ist ausgedrückt: der Drang zum vollkommenen Für-sich-sein, zum typischen „Individuum“, zu allem was vereinfacht, heraushebt, stark, deutlich, unzweideutig, typisch macht: die Freiheit unter dem Gesetz.

An den Antagonismus dieser beiden Natur-Kunstgewalten ist die Fortentwicklung der Kunst ebenso notwendig geknüpft, als die Fortentwicklung der Menschheit an den Antagonismus der Geschlechter. Die Fülle der Macht und die Mäßigung, die höchste Form der Selbstbejahung in einer kühlen, vornehmen, spröden Schönheit: der Apollinismus des hellenischen Willens.

Diese Gegensätzlichkeit des Dionysischen und Apollinischen innerhalb der griechischen Seele ist eines der großen Rätsel, von dem ich mich angesichts des griechischen Wesens angezogen fühlte. Ich bemühte mich im Grunde um nichts als um zu erraten, warum gerade der griechische Apollinismus aus einem dionysischen Untergrund herauswachsen mußte, der dionysische Grieche nötig hatte, apollinisch zu werden: das heißt, seinen Willen zum Ungeheuren, Vielfachen, Ungewissen, Entsetzlichen zu brechen an einem Willen zum Maß, zur Einfachheit, zur Einordnung in Regel und Begriff. Das Maßlose, Wüste, Asiatische liegt auf seinem Grunde:[29] die Tapferkeit des Griechen besteht im Kampfe mit seinem Asiatismus: die Schönheit ist ihm nicht geschenkt, so wenig als die Logik, als die Natürlichkeit der Sitte—sie ist erobert, gewollt, erkämpft—sie ist sein *Sieg*.

Der Wille zur Macht, § 1050.

---

[28] Apollo, the god of light, typified the Greek ideal of physical and intellectual perfection; hence, the adjective "Apollonian" stands for creative art that is harmonious, well proportioned, and permeated by a spirit of moderation. In contrast to Dionysian art, the intellect is ultimately in control of the emotions.

[29] **Das Maßlose . . . Grunde:** 'Elements that are undisciplined, uncouth, Asiatic lie deep within him.' It would be difficult for the art historian of the twentieth century to endorse this view of Nietzsche's, which implicitly equates "Asianism" with the undisciplined and uncouth or even to regard Asian art and culture as Dionysian in his sense. As a generalization it belongs to the nineteenth century and is, in its way, comparable with Marx's rather low opinion of Asian achievement in the economic sphere. (Cf. p. 41, note 15.)

8

Erbfehler der Philosophen.—Alle Philosophen haben den gemeinsamen Fehler an sich, daß sie vom gegenwärtigen Menschen ausgehen und durch eine Analyse desselben ans Ziel zu kommen meinen. Unwillkürlich schwebt ihnen „der Mensch" als eine
5 *aeterna veritas,* als ein Gleichbleibendes in allem Strudel, als ein sicheres Maß der Dinge vor Alles, was der Philosoph über den Menschen aussagt, ist aber im Grunde nicht mehr als ein Zeugnis über den Menschen eines *sehr beschränkten* Zeitraumes. Mangel an historischem Sinn ist der Erbfehler aller Philosophen; manche
10 sogar nehmen unversehens die allerjüngste Gestaltung des Menschen, wie eine solche unter dem Eindruck bestimmter Religionen, ja bestimmter politischer Ereignisse entstanden ist, als die feste Form, von der man ausgehen müsse.[30] Sie wollen nicht lernen, daß der Mensch geworden ist, daß auch das Erkenntnisvermögen[31]
15 geworden ist; während einige von ihnen sogar die ganze Welt aus diesem Erkenntnisvermögen sich herausspinnen lassen.—Nun ist alles *Wesentliche* der menschlichen Entwicklung in Urzeiten vor sich gegangen, lange vor jenen 4000 Jahren, die wir ungefähr kennen; in diesen mag sich der Mensch nicht viel mehr verändert haben. Da
20 sieht aber der Philosoph „Instinkte" am gegenwärtigen Menschen und nimmt an, daß diese zu den unveränderlichen Tatsachen des Menschen gehören und insofern einen Schlüssel zum Verständnis der Welt überhaupt abgeben können: die ganze Teleologie ist darauf gebaut, daß man vom Menschen der letzten vier Jahrtausende
25 als von einem *ewigen* redet,[32] zu welchem hin alle Dinge in der Welt von ihrem Anbeginne eine natürliche Richtung haben. Alles aber

---

30 At this point there seems to be a measure of agreement between Nietzsche and Marx that man is—to some extent, at any rate—a product of his social and political environment.

31 **Erkenntnisvermögen:** ability to comprehend, cognition.

32 **die ganze Teleologie . . . redet:** 'all teleological philosophy is based on the fact that the human being of the last four thousand years is discussed as if he were *eternal.*'

ist geworden; es gibt *keine ewigen Tatsachen*: so wie es keine absoluten Wahrheiten gibt.—Demnach ist das *historische Philosophieren* von jetzt ab nötig und mit ihm die Tugend der Bescheidung.[33]

Menschliches, Allzumenschliches I, § 2.

9

Christentum als Altertum.—Wenn wir eines Sonntagmorgens die alten Glocken brummen hören, da fragen wir uns: ist es nur möglich! dies gilt einem vor zwei Jahrtausenden gekreuzigten Juden, welcher sagte, er sei Gottes Sohn. Der Beweis für eine solche Behauptung fehlt.—Sicherlich ist innerhalb unserer Zeiten die christliche Religion ein aus ferner Vorzeit hereinragendes Altertum, und daß man jene Behauptung glaubt—während man sonst so streng in der Prüfung von Ansprüchen ist—, ist vielleicht das älteste Stück dieses Erbes. Ein Gott, der mit einem sterblichen Weibe Kinder erzeugt; ein Weiser, der auffordert, nicht mehr zu arbeiten, nicht mehr Gericht zu halten, aber auf die Zeichen des bevorstehenden Weltuntergangs zu achten; eine Gerechtigkeit, die den Unschuldigen als stellvertretendes Opfer annimmt; jemand, der seine Jünger sein Blut trinken heißt; Gebete um Wundereingriffe[34]; Sünden an einem Gott verübt, durch einen Gott gebüßt; Furcht vor einem Jenseits, zu welchem der Tod die Pforte ist; die Gestalt des Kreuzes als Symbol inmitten einer Zeit, welche die Bestimmung und die Schmach des Kreuzes nicht mehr kennt—wie schauerlich weht uns dies alles, wie aus dem Grabe uralter Vergangenheit an! Sollte man glauben, daß so etwas noch geglaubt wird?

Menschliches, Allzumenschliches I, § 113.

33 **Tugend der Bescheidung**: virtue of moderation, of knowing one's limitations.
34 **Wundereingriff**: miraculous intervention.

10

Man soll das Christentum nicht schmücken und herausputzen: es hat einen *Todkrieg* gegen diesen *höheren* Typus Mensch gemacht, es hat alle Grundinstinkte dieses Typus in Bann getan,[35] es hat aus diesen Instinkten das Böse, *den* Bösen herausdestilliert—der starke
5 Mensch als der typisch Verwerfliche, der „verworfene Mensch". Das Christentum hat die Partei alles Schwachen, Niedrigen, Mißratnen[36] genommen, es hat ein Ideal aus dem *Widerspruch* gegen die Erhaltungs-Instinkte des starken Lebens gemacht; es hat die Vernunft selbst der geistig stärksten Naturen verdorben, indem es
10 die obersten Werte der Geistigkeit als sündhaft, als irreführend, als *Versuchungen* empfinden lehrte.[37] Das jammervollste Beispiel: die Verderbnis Pascals,[38] der an die Verderbnis seiner Vernunft durch die Erbsünde glaubte, während sie nur durch sein Christentum verdorben war!—

Der Antichrist, § 5.

11

15 *Religionskriege*.—Der größte Fortschritt der Massen war bis jetzt der Religionskrieg: denn er beweist, daß die Masse angefangen hat, Begriffe mit Ehrfurcht zu behandeln. Religionskriege entstehen erst, wenn durch die feineren Streitigkeiten der Sekten die allge-

---

35 **in (den) Bann tun:** to outlaw, banish.

36 **das Mißratne:** what has gone wrong, proved a failure (*from* **mißraten:** to turn out badly, miscarry); **die Mißratnen** (*pl.*) is the scornful word used by Nietzsche elsewhere to describe the average run of humanity, sometimes rendered as: 'the bungled and the botched.'

37 **indem es . . . lehrte:** 'by teaching men to view the highest intellectual values as sinful, as leading to error, as *temptations*.'

38 The French philosopher Blaise Pascal (1623–62), who gave up his brilliant research in mathematics and physics to abase himself before religious authority, is a favorite example of Nietzsche's—by no means a bad one—in support of his view that self-assertion, nominally condemned by Christianity, is commendable, indeed, highly desirable in man if he is to survive.

meine Vernunft verfeinert ist:[39] so daß selbst der Pöbel spitzfindig wird und Kleinigkeiten wichtig nimmt, ja es für möglich hält, daß das „ewige Heil der Seele“ an den kleinen Unterschieden der Begriffe hänge.

Die fröhliche Wissenschaft, § 144.

12

Die Bedingungen Gottes.—„Gott selber kann nicht ohne weise Menschen bestehen“—hat Luther gesagt und mit gutem Rechte; aber „Gott kann noch weniger ohne unweise Menschen bestehen“—das hat der gute Luther nicht gesagt! 5

Die fröhliche Wissenschaft, § 129.

13

Zu orientalisch.—Wie? Ein Gott, der die Menschen liebt, vorausgesetzt daß sie an ihn glauben, und der fürchterliche Blicke und Drohungen gegen den schleudert, der nicht an diese Liebe glaubt! Wie? Eine verklausulierte[40] Liebe als die Empfindung eines allmächtigen Gottes! Eine Liebe, die nicht einmal über das Gefühl der Ehre und der gereizten Rachsucht Herr geworden ist! Wie orientalisch ist das alles! „Wenn ich dich liebe, was geht's dich an?“—ist schon eine ausreichende Kritik des ganzen Christentums.[41] 10 15

Die fröhliche Wissenschaft, § 141.

---

[39] **wenn durch . . . verfeinert ist:** 'when the general level of human reason has been refined by subtler arguments between the sects.'

[40] **verklausuliert** (*from* **Klausel:** clause in a legal contract): limited by contractual stipulations; i.e., a conditional love.

[41] An important part of Nietzsche's case against Christianity in a nutshell. Reciprocal

14

Räucherwerk.—Buddha sagt: „Schmeichle deinem Wohltäter nicht!“ Man spreche diesen Spruch nach[42] in einer christlichen Kirche—er reinigt sofort die Luft von allem Christlichen.

Die fröhliche Wissenschaft, § 142.

15

Mystische Erklärungen.—Die mystischen Erklärungen gelten für
5 tief; die Wahrheit ist, daß sie noch nicht einmal oberflächlich sind.

Die fröhliche Wissenschaft, § 126.

16

Mißbrauch der Gewissenhaften.—Die Gewissenhaften und *nicht* die Gewissenlosen waren es, die so furchtbar unter dem Druck von Bußpredigten und Höllenängsten zu leiden hatten, zumal wenn sie zugleich Menschen der Phantasie waren. Also ist gerade denen[43]
10 das Leben am meisten verdüstert worden, welche Heiterkeit und anmutige Bilder nötig hatten—nicht nur zu ihrer Erholung und Genesung von sich selber, sondern damit die Menschheit sich ihrer erfreuen könne und von ihrer Schönheit einen Strahl in sich hinübernehme. Oh, wie viel überflüssige Grausamkeit und Tier-

---

love reduces morality to the level of a business deal. Moreover, when applied to one's fellow men, the injunction to love implies a democratic and egalitarian view of humanity, for the "bungled and botched" (see p. 100, note 36) are then placed on an equal footing with the supremely gifted, the "supermen," and this Nietzsche cannot accept. (Cf. his objections to the doctrines of J. S. Mill on p. 104, §18.)

42 **nachsprechen:** to repeat, recite.

43 **denen** = **denjenigen.**

quälerei ist von jenen Religionen ausgegangen, welche die Sünde erfunden haben! Und von den Menschen, welche durch sie den höchsten Genuß ihrer Macht haben wollten!

Morgenröte, § 53.

17

Sie sind den christlichen Gott los und glauben nun um so mehr die christliche Moral festhalten zu müssen: das ist eine *englische* Folgerichtigkeit,[44] wir wollen sie den Moral-Weiblein *à la* Eliot[45] nicht verübeln. In England muß man sich fur jede kleine Emanzipation von der Theologie in furchteinflößender Weise als Moral-Fanatiker[46] wieder zu Ehren bringen. Das ist dort die *Buße*, die man zahlt.—Für uns andre steht es anders. Wenn man den christlichen Glauben aufgibt, zieht man sich damit das *Recht* zur christlichen Moral unter den Füßen weg. Diese versteht sich schlechterdings *nicht* von selbst: man muß diesen Punkt, den englischen Flachköpfen zum Trotz, immer wieder ans Licht stellen. Das Christentum ist ein System, eine zusammengedachte und *ganze* Ansicht der Dinge. Bricht man aus ihm einen Hauptbegriff, den Glauben an Gott, heraus, so zerbricht man damit auch das Ganze: man hat nichts Notwendiges mehr zwischen den Fingern. Das Christentum setzt voraus, daß der Mensch nicht wisse, nicht wissen *könne,* was für ihn gut, was böse ist: er glaubt an Gott, der

---

[44] The reference is to the socially minded empirical philosophers of nineteenth-century Britain, especially the so-called Utilitarians, men like Jeremy Bentham (1748–1832) and John Stuart Mill (1806–73), who held that the supreme test of human activities was their usefulness in promoting the greatest happiness of the greatest number of people. Naturally, this view is anathema to Nietzsche. (Cf. p. 104, §18.)

[45] George Eliot (pen name of Mary Ann Evans [1819–80]) had translated a work which did much to undermine the belief in revealed religion during the nineteenth century, *The Life of Jesus* (1835) by the German theologian and thinker David Strauss, and, with her lively interest in religion and social problems, was in the van of female emancipation. This latter aspect of her activities also drew Nietzsche's ire. (Cf. p. 107, §22.) **den Moral-Weiblein:** dative plural.

[46] **Moral-Fanatiker:** Those who redouble their faith in ethics and morality since

allein es weiß. Die christliche Moral ist ein Befehl; ihr Ursprung ist transzendent;[47] sie ist jenseits aller Kritik, alles Rechts auf Kritik; sie hat nur Wahrheit, falls Gott die Wahrheit ist—sie steht und fällt mit dem Glauben an Gott.—Wenn tatsächlich die Engländer
5 glauben, sie wüßten von sich aus, „intuitiv", was gut und böse ist, wenn sie folglich vermeinen, das Christentum als Garantie der Moral nicht mehr nötig zu haben, so ist dies selbst bloß die *Folge* der Herrschaft des christlichen Werturteils und ein Ausdruck von der *Stärke* und *Tiefe* dieser Herrschaft: so daß der Ursprung der
10 englischen Moral vergessen worden ist, so daß das Sehr-Bedingte ihres Rechts auf Dasein nicht mehr empfunden wird.[48] Für den Engländer ist die Moral noch kein Problem. . . .

Götzendämmerung,
Streifzüge eines Unzeitgemäßen, § 5.

18

Gegen John Stuart Mill.—Ich perhorresziere[49] seine Gemeinheit, welche sagt „was dem einen recht ist, ist dem andern billig";
15 „was du nicht willst usw., das füg auch keinem andern zu"; welche den ganzen menschlichen Verkehr auf *Gegenseitigkeit der Leistung* begründen will,[50] so daß jede Handlung als eine Art Abzahlung erscheint für etwas, das uns erwiesen ist. Hier ist die Voraussetzung

---

they have lost faith in God. While repudiating orthodox Christianity, especially its insistence on miracles as being genuine historical events, the nineteenth-century radicals, with whom George Eliot may certainly be classed, postulated an ethical code not fundamentally different from traditional Christian teaching. For Nietzsche the one is just as reprehensible as the other, and his argument is that such people are only pretending to give up God; they have not yet grasped the import of the "death of God" and Darwin's theories. (Cf. p. 128, §343.)

47 **transzendent:** transcendental; i.e., capable of being intuitively perceived but not investigated or proved by intellectual inquiry.

48 **so daß . . . empfunden wird:** 'so that the very conditional nature of their right to existence is no longer felt.'

49 **perhorreszieren** (*from Lat.* **perhorrescere**)**:** to detest, be disgusted at.

50 **welche . . . begründen will:** 'which would place all human relationships on a basis of mutual services.'

unvornehm im untersten Sinne: hier wird die *Äquivalenz der Werte von Handlungen* vorausgesetzt bei mir und dir; hier ist der persönlichste Wert einer Handlung einfach annulliert (das, was durch nichts ausgeglichen und bezahlt werden kann—). Die „Gegenseitigkeit" ist eine große Gemeinheit; gerade daß etwas, das *ich* tue, *nicht* von einem andern getan werden *dürfte* und *könnte,* daß es *keinen Ausgleich* geben darf (—außer in der *ausgewähltesten Sphäre* der „meines-gleichen", *inter pares*—),[51] daß man in einem tieferen Sinne nie zurückgibt, weil man etwas *Einmaliges ist* und nur *Einmaliges tut*—diese Grundüberzeugung enthält die Ursache der *aristokratischen Absonderung von der Menge,* weil die Menge an „Gleichheit" und *folglich* Ausgleichbarkeit[52] und „Gegenseitigkeit" glaubt.

Der Wille zur Macht, § 926.

19

Gut deutsch sein heißt sich entdeutschen.—Das, worin man die nationalen Unterschiede findet, ist viel mehr, als man bis jetzt eingesehen hat, nur der Unterschied verschiedener *Kulturstufen*[53] und zum geringsten Teile etwas Bleibendes (und auch dies nicht in einem strengen Sinne). Deshalb ist alles Argumentieren aus dem National-Charakter so wenig verpflichtend für den, welcher an der *Umschaffung*[54] der Überzeugungen, das heißt an der Kultur arbeitet. Erwägt man zum Beispiel, was alles schon deutsch *gewesen ist,* so wird man die theoretische Frage: was *ist* deutsch? sofort durch die Gegenfrage verbessern: „was ist *jetzt* deutsch?"—und jeder *gute* Deutsche wird sie praktisch, gerade durch Überwindung seiner deutschen Eigenschaften, lösen. Wenn nämlich ein Volk vorwärts geht und wächst, so sprengt es jedesmal den Gürtel, der ihm bis dahin sein *nationales*

[51] **außer . . . *inter pares*:** other than in the most select sphere of "my equals"; i.e., *among peers.*

[52] **Ausgleichbarkeit:** 'replaceability,' 'compensatability.'

[53] **nur der Unterschied verschiedener Kulturstufen:** only the difference due to various levels of culture.

[54] **Umschaffung:** transformation, adaptation.

Ansehen gab; bleibt es stehen, verkümmert es, so schließt sich ein neuer Gürtel um seine Seele; die immer härter werdende Kruste baut gleichsam ein Gefängnis herum, dessen Mauern immer wachsen. Hat ein Volk also sehr viel Festes, so ist dies ein Beweis, daß es versteinern will und ganz und gar *Monument* werden möchte: wie es von einem bestimmten Zeitpunkte an das Ägyptertum war. Der also, welcher den Deutschen wohlwill, mag für seinen Teil zusehen, wie er immer mehr aus dem, was deutsch ist hinauswachse. *Die Wendung zum Undeutschen*[55] ist deshalb immer das Kennzeichen der Tüchtigen unseres Volkes gewesen.

Menschliches, Allzumenschliches II,
Vermischte Meinungen und Sprüche, § 323.

20

Die Tugend ist nicht von den Deutschen erfunden.—Goethes Vornehmheit und Neidlosigkeit, Beethovens edle einsiedlerische Resignation Mozarts Anmut und Grazie des Herzens, Händels unbeugsame Männlichkeit und Freiheit unter dem Gesetz, Bachs getrostes und verklärtes Innenleben, welches nicht einmal nötig hat, auf Glanz und Erfolg zu verzichten,—sind denn dies *deutsche* Eigenschaften?—Wenn aber nicht, so zeigt es wenigstens, wonach Deutsche streben sollen und was sie erreichen können.

Menschliches, Allzumenschliches II,
Vermischte Meinungen und Sprüche, § 298.

21

Was Europa den Juden verdankt?—Vielerlei, Gutes und Schlimmes, und vor allem eins, das vom Besten und Schlimmsten

55 **die Wendung zum Undeutschen:** the tendency to become un-German.

zugleich ist: den großen Stil in der Moral, die Furchtbarkeit und Majestät unendlicher Forderungen, unendlicher Bedeutungen, die ganze Romantik und Erhabenheit der moralischen Fragwürdigkeiten[56]—und folglich gerade den anziehendsten, verfänglichsten und ausgesuchtesten Teil jener Farbenspiele und Verführungen zum Leben, in deren Nachschimmer heute der Himmel unsrer europäischen Kultur, ihr Abend Himmel, glüht—vielleicht verglüht. Wir Artisten unter den Zuschauern und Philosophen sind dafür den Juden—dankbar.

Jenseits von Gut und Böse, § 250.

22

Unser Glaube an eine Vermännlichung Europas.—Napoleon verdankt man's (und ganz und gar nicht der französischen Revolution, welche auf „Brüderlichkeit" von Volk zu Volk und allgemeinen blumichten[57] Herzens-Austausch ausgewesen ist[58]), daß sich jetzt ein paar kriegerische Jahrhunderte aufeinander folgen dürfen, die in der Geschichte nicht ihresgleichen haben, kurz daß wir ins *klassische Zeitalter des Kriegs* getreten sind, des gelehrten und zugleich volkstümlichen Kriegs im größten Maßstabe (der Mittel, der Begabungen, der Disziplin), auf den alle kommenden Jahrtausende als auf ein Stück Vollkommenheit mit Neid und Ehrfurcht zurückblikken werden—denn die nationale Bewegung, aus der diese Kriegs-Glorie herauswächst, ist nur der Gegenschock gegen Napoleon und wäre ohne Napoleon nicht vorhanden. Ihm also wird man einmal es zurechnen dürfen, daß der *Mann* in Europa wieder Herr über den Kaufmann und Philister geworden ist; vielleicht sogar über „das Weib", das durch das Christentum und den schwärmerischen

---

[56] **die ganze . . . Fragwurdigkeiten:** 'the whole romantic conception and exaltation of all that is questionable about morality.'

[57] **blumicht:** flowery, "airy-fairy."

[58] **auf etwas aus sein:** to aim at, be set on doing something.

Geist des achtzehnten Jahrhunderts, noch mehr durch die „modernen Ideen“ verhätschelt[59] worden ist. Napoleon, der in den modernen Ideen und geradewegs in der Zivilisation etwas wie eine persönliche Feindin sah, hat mit dieser Feindschaft sich als
5 einer der größten Fortsetzer der Renaissance bewährt: er hat ein ganzes Stück antiken Wesens, das entscheidende vielleicht, das Stück Granit wieder heraufgebracht. Und wer weiß, ob nicht dies Stück antiken Wesens auch endlich wieder über die nationale Bewegung Herr werden wird und sich im *bejahenden* Sinne zum Erben
10 und Fortsetzer Napoleons machen muß—der das *eine* Europa wollte, wie man weiß, und dies als *Herrin der Erde*.

Die fröhliche Wissenschaft, § 362.

23

Facta! Ja Facta ficta![60]—Ein Geschichtsschreiber hat es nicht mit dem, was wirklich geschehen ist, sondern nur mit den vermeintlichen Ereignissen zu tun: denn nur diese haben *gewirkt*. Ebenso
15 nur mit den vermeintlichen Helden. Sein Thema, die sogenannte Weltgeschichte, sind Meinungen über vermeintliche Handlungen und deren vermeintliche Motive, welche wieder Anlaß zu Meinungen und Handlungen geben, deren Realität aber sofort wieder verdampft und nur als Dampf *wirkt*,—ein fortwährendes Zeugen
20 und Schwangerwerden von Phantomen[61] über den tiefen Nebeln der unergründlichen Wirklichkeit. Alle Historiker erzählen von Dingen, die nie existiert haben, außer in der Vorstellung.

Morgenröte, § 307.

59 **verhätscheln:** to spoil, pamper.

60 **facta ficta:** invented facts.

61 **ein fortwährendes . . . Phantomen:** ‘a continuous begetting and gestation of phantoms.’ This whole passage, reminiscent of Napoleon’s famous saying about history being nothing more than “a fable agreed upon,” again raises the question: which has the primary effect, the idea upon the action (Hegel), or the action upon the idea (Marx)?

24

Vorbereitende Menschen.[62]—Ich begrüße alle Anzeichen dafür, daß ein männlicheres, ein kriegerisches Zeitalter anhebt,[63] das vor allem die Tapferkeit wieder zu Ehren bringen wird! Denn es soll einem noch höheren Zeitalter den Weg bahnen und die Kraft einsammeln, welche jenes einmal nötig haben wird—jenes Zeitalter, das den Heroismus in die Erkenntnis trägt[64] und *Kriege führt* um der Gedanken und ihrer Folgen willen. Dazu bedarf es für jetzt vieler vorbereitender tapferer Menschen, welche doch nicht aus dem Nichts entspringen können—und ebensowenig aus dem Sand und Schleim der jetzigen Zivilisation und Großstadt-Bildung: Menschen, welche es verstehen, schweigend, einsam, entschlossen, in unsichtbarer Tätigkeit zufrieden und beständig zu sein: Menschen, die mit innerlichem Hange an allen Dingen nach dem suchen, was an ihnen *zu überwinden* ist:[65] Menschen, denen Heiterkeit, Geduld, Schlichtheit und Verachtung der großen Eitelkeiten ebenso zu eigen ist, als Großmut im Siege und Nachsicht gegen die kleinen Eitelkeiten aller Besiegten: Menschen mit einem scharfen und freien Urteil über alle Sieger und über den Anteil des Zufalls an jedem Siege und Ruhme: Menschen mit eigenen Festen, eigenen Werktagen, eigenen Trauerzeiten, gewohnt und sicher im Befehlen und gleich bereit, wo es gilt, zu gehorchen, im einen wie im andern gleich stolz, gleich ihrer eigenen Sache dienend: gefährdetere Menschen, fruchtbarere Menschen, glücklichere Menschen! Denn,

[62] It would be idle to pretend that the following passage, a magnificent piece of rhetoric, does not contain some of the seeds of twentieth-century fascism; indeed, its general tone undoubtedly did appeal to the kind of reader who, impervious to or ignorant of what Nietzsche had to say elsewhere, was simply dissatisfied with the existing order. In fact, some of the things in this passage—for example, the call to these "preparatory men" to devise "their own festivals, their own workdays, their own periods of mourning," and to be "accustomed to command with assurance and equally ready to obey when occasion demands"—were carried out by National Socialism with remarkable literalness.

[63] **anheben:** to begin, set in.

[64] **jenes Zeitalter . . . trägt:** 'that age which will introduce heroism into the pursuit of knowledge.'

[65] **Menschen, . . . zu überwinden ist:** 'men who have an innate disposition to seek in all things that which must be *overcome* in them.'

glaubt es mir!—das Geheimnis, um die größte Fruchtbarkeit und den größten Genuß vom Dasein einzuernten, heißt: *gefährlich leben*! Baut eure Städte an den Vesuv! Schickt eure Schiffe in unerforschte Meere! Lebt im Kriege mit euresgleichen und mit euch selber!
5 Seid Räuber und Eroberer, solange ihr nicht Herrscher und Besitzer sein könnt, ihr Erkennenden! Die Zeit geht bald vorbei, wo es euch genug sein durfte, gleich scheuen Hirschen in Wäldern versteckt zu leben! Endlich wird die Erkenntnis die Hand nach dem ausstrecken, was ihr gebührt—sie wird *herrschen* und *besitzen* wollen,
10 und ihr mit ihr!

Die fröhliche Wissenschaft, § 283.

25

Jede Erhöhung des Typus „Mensch“ war bisher das Werk einer aristokratischen Gesellschaft—und so wird es immer wieder sein: als einer Gesellschaft, welche an eine lange Leiter der Rangordnung und Wertverschiedenheit von Mensch und Mensch glaubt und Sklaverei
15 in irgendeinem Sinne nötig hat. Ohne das *Pathos der Distanz*,[66] wie es aus dem eingefleischten Unterschied der Stände, aus dem beständigen Ausblick und Herabblick der herrschenden Kaste auf Untertänige und Werkzeuge und aus ihrer ebenso beständigen Übung im Gehorchen und Befehlen, Nieder- und Fernhalten erwächst, könnte
20 auch jenes andre geheimnisvollere Pathos gar nicht erwachsen, jenes Verlangen nach immer neuer Distanz-Erweiterung innerhalb der Seele selbst, die Herausbildung[67] immer höherer, seltenerer, fernerer, weitgespannterer, umfänglicher Zustände, kurz eben die Erhöhung des Typus „Mensch“, die fortgesetzte „Selbst-Überwindung
25 des Menschen“, um eine moralische Formel in einem übermoralischen Sinne zu nehmen. Freilich: man darf sich über die Entstehungs-

---

66 **Pathos der Distanz:** 'feeling of aloofness.'
67 **Herausbildung:** formation, growth.

geschichte einer aristokratischen Gesellschaft (also der Voraussetzung jener Erhöhung des Typus „Mensch"—) keinen humanitären Täuschungen hingeben: die Wahrheit ist hart. Sagen wir es uns ohne Schonung, wie bisher jede höhere Kultur auf Erden *angefangen* hat! Menschen mit einer noch natürlichen Natur, Barbaren in jedem furchtbaren Verstande des Wortes, Raubmenschen, noch im Besitz ungebrochner Willenskräfte und Macht-Begierden, warfen sich auf schwächere, gesittetere, friedlichere, vielleicht handeltreibende oder viehzüchtende Rassen, oder auf alte mürbe[68] Kulturen, in denen eben die letzte Lebenskraft in glänzenden Feuerwerken von Geist und Verderbnis verflackerte. Die vornehme Kaste war im Anfang immer die Barbaren-Kaste: ihr Übergewicht lag nicht vorerst[69] in der physischen Kraft, sondern in der seelischen —es waren die ganzeren[70] Menschen (was auf jeder Stufe auch so viel mit bedeutet als „die ganzeren Bestien"—).

Jenseits von Gut und Böse, § 257.

26

Der Sozialismus—als die zu Ende gedachte *Tyrannei* der Geringsten und Dümmsten, d. h. der Oberflächlichen, Neidischen und der Dreiviertels-Schauspieler[71]—ist in der Tat die Schlußfolgerung der „modernen Ideen" und ihres latenten Anarchismus: aber in der lauen Luft eines demokratischen Wohlbefindens erschlafft das Vermögen, zu Schlüssen oder gar *zum Schluß* zu kommen.[72] Man

[68] **mürbe:** overripe, decadent.

[69] **vorerst:** first and foremost, predominantly.

[70] A comparative of **ganz** is unusual but entirely permissible. *Here,* 'more complete,' better integrated.'

[71] **Dreiviertels-Schauspieler:** impostors, 'limelight seekers.' That Nietzsche has nothing but derision for socialism, especially its concern for the less fortunate and weaker members of society, follows naturally enough after a passage like §25 or §28.

[72] **das Vermögen, . . . zu kommen:** 'the ability to draw conclusions or even to get things over.' The precise play on the two meanings of **Schluß** tends to get lost in translation, and, of course, the punning continues in the next sentence with **folgen** and **folgern** (to conclude, deduce, infer).

folgt—aber man folgert nicht mehr. Deshalb ist der Sozialismus im ganzen eine hoffnungslose säuerliche Sache: und nichts ist lustiger anzusehn als der Widerspruch zwischen den giftigen und verzweifelten Gesichtern, welche heute die Sozialisten machen—und
5 von was für erbärmlichen gequetschten Gefühlen legt gar ihr Stil Zeugnis ab![73]—und dem harmlosen Lämmer-Glück ihrer Hoffnungen und Wünschbarkeiten.[74] Dabei kann es doch an vielen Orten Europas ihrerseits zu gewaltigen Handstreichen und Überfällen kommen: dem nächsten Jahrhundert wird es hie und da
10 gründlich im Leibe „rumoren",[75] und die Pariser Kommune, welche auch in Deutschland ihre Schutzredner und Fürsprecher hat,[76] war vielleicht nur eine leichtere Unverdaulichkeit[77] gewesen im Vergleich zu dem, was kommt. Trotzdem wird es immer zu viel Besitzende geben, als daß der Sozialismus mehr bedeuten
15 könnte als einen Krankheits-Anfall: und diese Besitzenden sind wie *ein* Mann *eines* Glaubens „man muß etwas besitzen, um etwas zu *sein*".[78] Dies aber ist der älteste und gesündeste aller Instinkte: ich würde hinzufügen: „man muß mehr haben wollen, als man hat, um mehr zu *werden*". So nämlich klingt die Lehre, welche
20 allem, was lebt, durch das Leben selber gepredigt wird: die Moral der Entwicklung. Haben und mehr haben wollen, *Wachstum* mit einem Wort—das ist das Leben selber. In der Lehre des Sozialismus versteckt sich schlecht ein „Wille zur Verneinung des Lebens":

---

73 As a purely literary consideration it must be conceded that Nietzsche does have a point here—one need look no further than some of the pages of Marx in our selection. On the other hand, it is typical of Nietzsche that he should try to confute socialism by an appeal to aesthetics.

74 **Wünschbarkeiten:** wishful thinking.

75 **rumoren:** to rumble (used particularly of noises in the stomach).

76 Among the German writers who sprang to the defense of the Communist rising in Paris (1871) that followed on the Franco-German War, was Marx with his *Civil War in France*.

77 **Unverdaulichkeit:** digestive disorder. Continues the rather jocular metaphor which began with **Leib** and **rumoren**.

78 **und diese . . . zu sein:** '. . . and these property owners are as *one* in holding to the *one* belief that "you have to possess something in order to *be* something".' For the moment Nietzsche seems to anticipate some of Freud's objections as to the practibility of socialism. (Cf. p. 205.)

es müssen mißratene Menschen[79] oder Rassen sein, welche eine solche Lehre ausdenken. In der Tat, ich wünschte,[80] es würde durch einige große Versuche bewiesen, daß in einer sozialistischen Gesellschaft das Leben sich selber verneint, sich selber die Wurzeln abschneidet. Die Erde ist groß genug und der Mensch immer 5 noch unausgeschöpft genug, als daß mir eine derart praktische Belehrung und *demonstratio ad absurdum,* selbst wenn sie mit einem ungeheuren Aufwand von Menschenleben gewonnen würde, nicht wünschenswert erscheinen müßte. Immerhin, schon als unruhiger Maulwurf unter dem Boden einer in Dummheit rollenden 10 Gesellschaft wird der Sozialismus etwas Nützliches und Heilsames sein können: er verzögert den „Frieden auf Erden" und die gänzliche Vergutmütigung des demokratischen Herdentieres,[81] er zwingt die Europäer, Geist, nämlich List und Vorsicht übrigzubehalten, den männlichen und kriegerischen Tugenden nicht 15 gänzlich abzuschwören—er schützt Europa einstweilen vor dem ihm drohenden *marasmus femininus.*[82]

Der Wille zur Macht, § 125

27

Die Menschheit stellt *nicht* eine Entwicklung zum Besseren oder Stärkeren oder Höheren dar, in der Weise, wie dies heute geglaubt wird. Der „Fortschritt" ist bloß eine moderne Idee, das heißt eine 20 falsche Idee. Der Europäer von heute bleibt in seinem Werte tief unter dem Europäer der Renaissance; Fortentwicklung ist schlechterdings *nicht* mit irgendwelcher Notwendigkeit Erhöhung, Steigerung, Verstärkung.

---

79 **mißratene Menschen:** cf. p. 100, note 36.
80 **wünschte:** subjunctive; cf. p. 92, note 8.
81 **und die . . . Herdentieres:** 'and the complete subjugation of that gregarious animal, the democratic citizen.' **Vergutmütigung** is an invention of Nietzsche's from **gutmütig:** good-natured, docile.
82 **marasmus femininus:** effeminate degeneration.

In einem andern Sinne gibt es ein fortwährendes Gelingen einzelner Fälle an den verschiedensten Stellen der Erde und aus den verschiedensten Kulturen heraus, mit denen in der Tat sich ein *höherer Typus* darstellt: etwas, das im Verhältnis zur Gesamt-
5 Menschheit eine Art Übermensch ist. Solche Glücksfälle des großen Gelingens waren immer möglich und werden vielleicht immer möglich sein. Und selbst ganze Geschlechter, Stämme, Völker können unter Umständen einen solchen *Treffer*[83] darstellen.

Der Antichrist, § 4.

28

Herden-Instinkt.—Wo wir eine Moral[84] antreffen, da finden wir
10 eine Abschätzung und Rangordnung der menschlichen Triebe und Handlungen. Diese Schätzungen und Rangordnungen sind immer der Ausdruck der Bedürfnisse einer Gemeinde und Herde: das, was *ihr* am ersten frommt[85]—und am zweiten und dritten—, das ist auch der oberste Maßstab für den Wert aller einzelnen.
15 Mit der Moral wird der einzelne angeleitet, Funktion der Herde zu sein und nur als Funktion sich Wert zuzuschreiben. Da die Bedingungen der Erhaltung einer Gemeinde sehr verschieden von denen einer andern Gemeinde gewesen sind, so gab es sehr verschiedene Moralen; und in Hinsicht auf noch bevorstehende
20 wesentliche Umgestaltungen der Herden und Gemeinden, Staaten und Gesellschaften kann man prophezeien, daß es noch sehr abweichende Moralen geben wird.[86] Moralität ist Herden-Instinkt im Einzelnen.

Die fröhliche Wissenschaft, § 116.

83 **Treffer:** hit, successful result.

84 **Moral:** ethical code.

85 **am ersten:** in the first place, i.e., best of all; (**frommen** with dative: to benefit, be of use to.)

86 Nietzsche's explanation of the development of differing ethical codes would of course, be accepted by Marxists—and, indeed, by most modern sociologists.

29

Vom Ziele der Wissenschaft.—Wie? Das letzte Ziel der Wissenschaft[87] sei, dem Menschen möglichst viel Lust und möglichst wenig Unlust[88] zu schaffen? Wie, wenn nun Lust und Unlust so mit einem Stricke zusammengeknüpft wären, daß, wer möglichst viel von der einen haben *will*, auch möglichst viel von der andern haben *muß*—daß, wer das „Himmelhoch-Jauchzen" lernen will, sich auch für das „Zum-Tode-betrübt" bereit halten muß?[89] Und so steht es vielleicht! Die Stoiker[90] glaubten wenigstens, daß es so stehe, und waren konsequent, als sie nach möglichst wenig Lust begehrten, um möglichst wenig Unlust vom Leben zu haben. (Wenn man den Spruch im Munde führte: „Der Tugendhafte ist der Glücklichste", so hatte man in ihm sowohl ein Aushängeschild der Schule für die große Masse, als auch eine kasuistische Feinheit für die Feinen.) Auch heute noch habt ihr die Wahl: entweder *möglichst wenig Unlust*, kurz Schmerzlosigkeit—und im Grunde dürften Sozialisten und Politiker aller Parteien ihren Leuten ehrlicherweise nicht mehr verheißen—oder *möglichst viel Unlust* als Preis für das Wachstum einer Fülle von feinen und bisher selten gekosteten Lüsten und Freuden! Entschließt ihr euch für das erstere, wollt ihr also die Schmerzhaftigkeit der Menschen herabdrücken und vermindern, nun, so müßt ihr auch ihre *Fähigkeit zur Freude* herabdrücken und vermindern. In der Tat kann man *mit der Wissenschaft* das eine wie das andre Ziel fördern! Vielleicht ist sie jetzt noch bekannter wegen ihrer Kraft, den Menschen um seine Freuden zu bringen[91] und ihn kälter, statuenhafter, stoischer zu

---

[87] **Wissenschaft:** Though often translated—chiefly for the sake of convenience—as "science," the German word has a rather wider range of meaning and, in fact, designates the systematic and scholarly study of any field of knowledge.

[88] **Unlust:** see p. 88, note 14.

[89] Cf. Goethe, *Egmont* III, ii. The mercurial change of mood of which Klärchen sings in this scene has long been proverbial in German.

[90] For the Stoics of the ancient world the virtuous man was the one who had overcome his passions and emotions. By becoming independent of his physical environment, he attained happiness, which consisted not in pleasure but in knowledge. Inevitably, in later versions Stoicism tended to become a philosophy of resignation.

[91] **jemandem um etwas bringen:** to cheat, do someone out of something.

machen. Aber sie könnte auch noch als die *große Schmerzbringerin* entdeckt werden—und dann würde vielleicht zugleich ihre Gegenkraft entdeckt sein, ihr ungeheures Vermögen, neue Sternenwelten der Freude aufleuchten zu lassen!

Die fröhliche Wissenschaft, § 12.

30

5 *Von der Erleichterung des Lebens.*—Ein Hauptmittel, um sich das Leben zu erleichtern, ist das Idealisieren aller Vorgänge desselben; man soll sich aber aus der Malerei recht deutlich machen, was idealisieren heißt. Der Maler verlangt, daß der Zuschauer nicht zu genau, zu scharf zusehe, er zwingt ihn in eine gewisse Ferne 10 zurück, damit er von dort aus betrachte; er ist genötigt, eine ganz bestimmte Entfernung des Betrachters vom Bilde vorauszusetzen; ja er muß sogar ein ebenso bestimmtes Maß von Schärfe des Auges bei seinem Betrachter annehmen! in solchen Dingen darf er durchaus nicht schwanken. Jeder also, der sein Leben idealisieren will, 15 muß es nicht zu genau sehen wollen und seinen Blick immer in eine gewisse Entfernung zurückbannen. Dieses Kunststück verstand zum Beispiel Goethe.

Menschliches, Allzumenschliches I, § 279.

31

„*Ursache und Wirkung!*"—Auf diesem Spiegel—und unser Intellekt ist ein Spiegel—geht etwas vor, das Regelmäßigkeit zeigt, 20 ein bestimmtes Ding folgt jedesmal wieder auf ein anderes bestimmtes Ding—das *nennen* wir, wenn wir es wahrnehmen und nennen wollen, Ursache und Wirkung, wir Toren! Als ob wir da irgend etwas begriffen hätten und begreifen könnten! Wir haben ja nichts gesehen als die *Bilder* von „Ursachen und Wirkungen"! Und eben diese *Bildlichkeit*[92] macht ja die Einsicht in eine wesentlichere Verbindung, als die der Aufeinanderfolge ist, unmöglich!

Morgenröte, § 121.

32

Der Traum und die Verantwortlichkeit.—In allem wollt ihr verantwortlich sein! Nur nicht für eure Träume! Welche elende Schwächlichkeit, welcher Mangel an folgerichtigem Mute! Nichts ist *mehr* euer Eigen als eure Träume! Nichts mehr *euer* Werk! Stoff, Form, Dauer, Schauspieler, Zuschauer—in diesen Komödien seid ihr alles ihr selber! Und hier gerade scheut und schämt ihr euch vor euch, und schon Ödipus, der weise Ödipus, wußte sich Trost aus dem Gedanken zu schöpfen, daß wir nichts für das können, was wir träumen! Ich schließe daraus: daß die große Mehrzahl der Menschen sich abscheulicher Träume bewußt sein muß. Wäre es anders: wie sehr würde man seine nächtliche Dichterei für den Hochmut des Menschen ausgebeutet haben!—Muß ich hinzufügen, daß der weise Ödipus recht hatte, daß wir wirklich nicht für unsere Träume—aber ebensowenig für unser Wachen verantwortlich sind, und daß die Lehre von der Freiheit des Willens im Stolz und Machtgefühl des Menschen ihren Vater und ihre Mutter hat? Ich sage dies vielleicht zu oft: aber wenigstens wird es dadurch noch nicht zum Irtum.[93]

Morgenröte, § 128.

[92] **Bildlichkeit** is difficult to render by one word in English, the more so since there is a the hint of a pun on **Bild** (picture, image) and **bildlich** (metaphorical). Perhaps "pictorial tangibility" goes part of the way toward conveying the sense.

[93] What with pointing to the real significance of dreams and the hint, toward the end, at the role played by the individual's feelings for his parents during his formative years, this whole passage is a truly remarkable anticipation of Freud's most important discoveries—and not a lone occurrence in Nietzsche's writings. Freud certainly read Nietzsche, but it is not clear how far he regarded himself as being indebted.

33

Die zukünftige „Menschlichkeit".—Wenn ich mit den Augen eines fernen Zeitalters nach diesem hinsehe, so weiß ich an dem gegenwärtigen Menschen nichts Merkwürdigeres zu finden als seine eigentümliche Tugend und Krankheit, genannt „der historische Sinn."[94] Es ist ein Ansatz zu etwas ganz Neuem und Fremdem in der Geschichte: gebe man diesem Keime einige Jahrhunderte und mehr, so könnte daraus am Ende ein wundervolles Gewächs mit einem eben so wundervollen Geruche werden, um dessentwillen unsere alte Erde angenehmer zu bewohnen wäre als bisher. Wir Gegenwärtigen fangen eben an, die Kette eines zukünftigen sehr mächtigen Gefühls zu bilden, Glied um Glied—wir wissen kaum, was wir tun. Fast scheint es uns, als ob es sich nicht um ein neues Gefühl, sondern um die Abnahme aller alten Gefühle handele—der historische Sinn ist noch etwas so Armes und Kaltes, und viele werden von ihm wie von einem Froste befallen und durch ihn noch ärmer und kälter gemacht. Anderen erscheint er als das Anzeichen des heranschleichenden Alters, und unser Planet gilt ihnen als ein schwermütiger Kranker, der, um seine Gegenwart zu vergessen, sich seine Jugendgeschichte aufschreibt. In der Tat, dies ist *eine* Farbe dieses neuen Gefühls: wer die Geschichte der Menschen insgesamt als *eigne Geschichte* zu fühlen weiß,[95] der empfindet in einer ungeheuren Verallgemeinerung allen jenen Gram des Kranken, der an die Gesundheit, des Greises, der an den Jugendtraum denkt, des Liebenden, der der Geliebten beraubt wird, des Märtyrers, dem sein Ideal zugrundegeht, des Helden am

---

94 Characteristically enough, what Nietzsche has to say here about the "historical sense" is rather different from the point of view expressed in *On the Use and Disadvantage of History for Life*. (Cf. p. 88.)

95 This idea, that the history of mankind can be viewed as the growth and development of a single individual, already occurs in several earlier writers, among them Pascal (see p. 100, note 38) who expresses it most strikingly in his fragmentary *Treatise on the Void* (1647): "The whole succession of men through the ages should be considered as one man, ever living and always learning." Yet this ability of the individual to identify himself with an abstraction like the whole of humanity, so rapturously praised in this passage, is hardly compatible with the primacy of "personal reality" which existentialist admirers of Nietzsche are careful to stress in his writings.

Abend der Schlacht, welche nichts entschieden hat und doch ihm Wunden und den Verlust des Freundes brachte—; aber diese ungeheure Summe von Gram aller Art tragen, tragen können und nun doch noch der Held sein, der beim Anbruch eines zweiten Schlachttages die Morgenröte und sein Glück begrüßt, als der 5 Mensch eines Horizontes von Jahrtausenden vor sich und hinter sich, als der Erbe aller Vornehmheit alles vergangnen Geistes und der verpflichtete Erbe, als der Adeligste aller alten Edlen und zugleich der Erstling eines neuen Adels, dessengleichen noch keine Zeit sah und träumte: dies alles auf seine Seele nehmen, Ältestes, 10 Neuestes, Verluste, Hoffnungen, Eroberungen, Siege der Menschheit; dies alles endlich in *einer* Seele haben und in *ein* Gefühl zusammendrängen—dies müßte doch ein Glück ergeben, das bisher der Mensch noch nicht kannte—eines Gottes Glück voller Macht und Liebe, voller Tränen und voll Lachens, ein Glück, welches, wie 15 die Sonne am Abend, fortwährend aus seinem unerschöpflichen Reichtume wegschenkt und ins Meer schüttet und, wie sie, sich erst dann am reichsten fühlt, wenn auch der ärmste Fischer noch mit goldnem Ruder rudert! Dieses göttliche Gefühl hieße dann—Menschlichkeit! 20

Die fröhliche Wissenschaft, § 337.

DER THEORETISCHE MENSCH

The full title of Nietzsche's first full-length book The Birth of Tragedy out of the Spirit of Music (*1872*) *might well suggest nothing more than a scholarly investigation of the origins of Greek tragedy. In the manner of Nietzsche's writings, however, it launches into a general discussion of ethics, history, mythology, and metaphysics as the author warms to his subject. In fact, only the earlier sections deal specifically with Greek civilization; in the latter part Nietzsche appears as the dedicated champion of Wagnerian music, particularly the music drama, which, in the enthusiasm of his youth, he regarded as the ultimate art form and a genuine rebirth of antique tragedy. That the book was ill received in the academic world of classical philology was, perhaps, only to be expected.*

One of its "subsidiary" themes, a celebrated one which here receives its first formulation, is the antithesis between Dionysian and Apollonian art (see p. 96, §7). Another is the one developed in our extract, also presented with manifold variations in the later works: that of the "theoretical man" who has so exalted intellectual-rationalistic values that he is, among other things, no longer capable of heeding the promptings of his instincts. And, for Nietzsche, the supreme "theorist" was Socrates, who first withered the irrational Dionysian power to create in his fellow Greeks and then subsequently, through the eminent position accorded him in Western thought, brought about the degeneration of modern society.

Im Sinne dieser letzten ahnungsvollen Fragen[1] muß nun ausgesprochen werden, wie der Einfluß des Sokrates, bis auf diesen Moment hin, ja in alle Zukunft hinaus, sich, gleich einem in der Abendsonne immer größer werdenden Schatten, über die Nach-
5 welt hin ausgebreitet hat, wie derselbe zur Neuschaffung der *Kunst*—und zwar der Kunst im bereits metaphysischen, weitesten und tiefsten Sinne—immer wieder nötigt und, bei seiner eignen Unendlichkeit, auch deren Unendlichkeit verbürgt.[2]

Bevor dies erkannt werden konnte, bevor die innerste Abhän-
10 gigkeit jeder Kunst von den Griechen, den Griechen von Homer bis auf Sokrates, überzeugend dargetan[3] war, mußte es uns mit

1 The "foreboding questions" in this opening sentence refer to the immediately preceding section, where Nietzsche has imagined Socrates asking himself questions such as, "Perhaps there is a realm of wisdom from which the logician is banned?" and "Perhaps art is even a necessary correlative and supplement to science?"

2 **und, bei . . . verbürgt:** 'and through its own infinity guarantees the infinity of art.'

3 **dartun:** to set out, demonstrate.

diesen Griechen ergehen wie den Athenern mit Sokrates. Fast jede Zeit und Bildungsstufe hat einmal sich mit tiefem Mißmute von den Griechen zu befreien gesucht, weil angesichts derselben alles Selbstgeleistete, scheinbar völlig Originelle und recht aufrichtig Bewunderte plötzlich Farbe und Leben zu verlieren schien und zur mißlungenen Kopie, ja zur Karikatur zusammenschrumpfte. Und so bricht immer von neuem einmal der herzliche Ingrimm gegen jenes anmaßliche Völkchen hervor, das sich erkühnte, alles Nichteinheimische für alle Zeiten als „barbarisch" zu bezeichnen: wer sind jene, fragt man sich, die, obschon sie nur einen ephemeren historischen Glanz, nur lächerlich engbegrenzte Institutionen, nur eine zweifelhafte Tüchtigkeit der Sitte aufzuweisen haben und sogar mit häßlichen Lastern gekennzeichnet sind, doch die Würde und Sonderstellung unter den Völkern in Anspruch nehmen, die dem Genius unter der Masse zukommt? Leider war man nicht so glücklich, den Schierlingsbecher[4] zu finden, mit dem ein solches Wesen einfach abgetan werden konnte: denn alles Gift, das Neid, Verleumdung und Ingrimm in sich erzeugten, reichte nicht hin, jene selbstgenugsame Herrlichkeit zu vernichten. Und so schämt und fürchtet man sich vor den Griechen; es sei denn, daß einer die Wahrheit über alles achte und so sich auch diese Wahrheit einzugestehen wage, daß die Griechen unsere und jegliche Kultur als Wagenlenker[5] in den Händen haben, daß aber fast immer Wagen und Pferde von zu geringem Stoffe und der Glorie ihrer Führer unangemessen sind,[6] die dann es für einen Scherz erachten, ein solches Gespann in den Abgrund zu jagen: über den sie selbst, mit dem Sprunge des Achilles,[7] hinwegsetzen.

---

[4] When Socrates was condemned to death by his fellow Athenians in 399 B.C., he chose to end his life by drinking a cup of hemlock.

[5] **Wagenlenker:** charioteer. The idea of the Greeks being the charioteers guiding the course of our own civilization and, indeed, of every other is a slight exaggeration, to say the least, and shows how Nietzsche, like some other "*Kulturphilosophen*" of the West, was prone to generalize from an almost exclusively occidental standpoint.

[6] **und der Glorie . . . sind:** 'and are unequal to the fame of their drivers.'

[7] **mit dem Sprung des Achilles:** Achilles' leap from his ship onto Trojan soil to commence hostilities (an incident not directly mentioned in the *Iliad*) seems to have become proverbial in the Greek world for a decisive action, much as Caesar's decision to cross the Rubicon later gave rise to another such expression.

Um die Würde einer solchen Führerstellung auch für Sokrates zu erweisen, genügt es, in ihm den Typus einer vor ihm unerhörten Daseinsform zu erkennen, den Typus des *theoretischen Menschen,* über dessen Bedeutung und Ziel zur Einsicht zu kommen, unsere
5 nächste Aufgabe ist. Auch der theoretische Mensch hat ein unendliches Vergnügen am Vorhandenen, wie der Künstler, und ist wie jener vor der praktischen Ethik des Pessimismus und vor seinen nur im Finsteren leuchtenden Lynkeusaugen[8] durch jenes Genügen geschützt.[9] Wenn nämlich der Künstler bei jeder Enthüllung der
10 Wahrheit immer nur mit verzückten Blicken an dem hängen bleibt, was auch jetzt, nach der Enthüllung, noch Hülle bleibt, genießt und befriedigt sich der theoretische Mensch an der abgeworfenen Hülle und hat sein höchstes Lustziel in dem Prozeß einer immer glücklichen, durch eigene Kraft gelingenden Enthüllung. Es gäbe
15 keine Wissenschaft, wenn ihr nur um jene *eine* nackte Göttin und um nichts anderes zu tun wäre.[10] Denn dann müßte es ihren Jüngern zumute sein, wie solchen, die ein Loch gerade durch die Erde graben wollten: von denen ein jeder einsieht, daß er, bei größter und lebenslänglicher Anstrengung, nur ein ganz kleines Stück
20 der ungeheuren Tiefe zu durchgraben imstande sei, welches vor seinen Augen durch die Arbeit des nächsten wieder überschüttet wird, so daß ein dritter wohl daran zu tun scheint, wenn er auf eigne Faust eine neue Stelle für seine Bohrversuche wählt. Wenn jetzt nun einer zur Überzeugung beweist, daß auf diesem direkten
25 Wege das Antipodenziel nicht zu erreichen sei, wer wird noch in den alten Tiefen weiterarbeiten wollen, es sei denn, daß er sich nicht inzwischen genügen lasse, edles Gestein zu finden oder Naturgesetze zu entdecken. Darum hat Lessing, der ehrlichste theoretische Mensch, es auszusprechen gewagt, daß ihm mehr am Suchen

---

8 **Lynkeusaugen:** Lynceus was the eagle-eyed helmsman of the Argonauts.

9 **und ist wie jener . . . geschützt:** 'and, like the former, through this pleasure he is shielded from the practical ethics of pessimism, with its penetrating eyes which only shine in the dark.' **Genügen** seems to be used here as a poetical variant for **Vergnügen.**

10 **Es gäbe . . . wäre:** 'There would be no science (see p. 115, note 87) if it were concerned with that *one* naked goddess (i.e., truth, wisdom) and nothing else.'

der Wahrheit als an ihr selbst gelegen sei:[11] womit das Grundgeheimnis der Wissenschaft, zum Erstaunen, ja Ärger der Wissenschaftlichen, aufgedeckt worden ist. Nun steht freilich neben dieser vereinzelten Erkenntnis, als einem Exzeß der Ehrlichkeit, wenn nicht des Übermutes, eine tiefsinnige *Wahnvorstellung,* welche zuerst 5 in der Person des Sokrates zur Welt kam,—jener unerschütterliche Glaube, daß das Denken, an dem Leitfaden der Kausalität, bis in die tiefsten Abgründe des Seins reiche, und daß das Denken das Sein nicht nur zu erkennen, sondern sogar zu *korrigieren* imstande sei.[12] Dieser erhabene metaphysische Wahn ist als Instinkt der 10 Wissenschaft beigegeben[13] und führt sie immer und immer wieder zu ihren Grenzen, an denen sie in *Kunst* umschlagen muß: *auf welche es eigentlich, bei diesem Mechanismus, abgesehen ist.*[14]

Schauen wir jetzt, mit der Fackel dieses Gedankens, auf Sokrates hin: so erscheint er uns als der erste, der an der Hand jenes Instink- 15 tes der Wissenschaft nicht nur leben, sondern—was bei weitem mehr ist—auch sterben konnte; und deshalb ist das Bild des *sterbenden Sokrates* als des durch Wissen und Gründe der Todesfurcht enthobenen Menschen das Wappenschild, das über dem Eingangstor der Wissenschaft einen jeden an deren Bestimmung erinnert,[15] 20 nämlich das Dasein als begreiflich und damit als gerechtfertigt erscheinen zu machen: wozu freilich, wenn die Gründe nicht reichen, schließlich auch der *Mythus* dienen muß, den ich sogar als notwendige Konsequenz, ja als Absicht der Wissenschaft soeben bezeichnete.
25
Wer sich einmal anschaulich macht, wie nach Sokrates, dem

---

[11] The reference is to an oft-quoted passage from the beginning of *Eine Duplik* (1778), in which Lessing defends his views on religion against Lutheran orthodoxy.

[12] Compare the celebrated declaration by Marx in his *Theses on Feuerbach* (1845): „Die Philosophen haben die Welt nur verschieden *interpretiert*; es kommt darauf an, sie zu *verändern.*"

[13] **der Wissenschaft beigegeben:** joined to science.

[14] **auf welche . . . abgesehen ist:** 'and that, as lies in the nature of this mechanism, is really its purpose.'

[15] **und deshalb . . . erinnert:** 'and therefore the image of the *dying Socrates* as the man liberated from the fear of death through knowledge and rational arguments is the heraldic figure over the gateway to science which reminds each and every one of its mission.'

Mystagogen[16] der Wissenschaft, eine Philosophenschule nach der anderen wie Welle auf Welle sich ablöst, wie eine nie geahnte Universalität der Wissensgier in dem weitesten Bereich der gebildeten Welt und als eigentliche Aufgabe für jeden höher Befähigten die Wissenschaft auf die hohe See führte, von der sie niemals seitdem wieder völlig vertrieben werden konnte, wie durch diese Universalität erst ein gemeinsames Netz des Gedankens über den gesamten Erdball, ja mit Ausblicken über die Gesetzlichkeit eines ganzen Sonnensystems, gespannt wurde; wer dies alles, samt der erstaunlich hohen Wissenspyramide der Gegenwart, sich vergegenwärtigt, der kann sich nicht entbrechen,[17] in Sokrates den einen Wendepunkt und Wirbel der sogenannten Weltgeschichte zu sehen. Denn dächte man sich einmal diese ganze unbezifferbare Summe von Kraft, die für jene Welttendenz verbraucht worden ist, *nicht* im Dienste des Erkennens, sondern auf die praktischen, d. h. egoistischen Ziele der Individuen und Völker verwendet, so wäre wahrscheinlich in allgemeinen Vernichtungskämpfen und fortdauernden Völkerwanderungen die instinktive Lust zum Leben so abgeschwächt, daß, bei der Gewohnheit des Selbstmordes, der einzelne vielleicht den letzten Rest von Pflichtgefühl empfinden müßte, wenn er, wie der Bewohner der Fidschi-Inseln, als Sohn seine Eltern, als Freund seinen Freund erdrosselt:[18] ein praktischer Pessimismus, der selbst eine grausenhafte Ethik des Völkermordes aus Mitleid erzeugen könnte—der übrigens überall in der Welt vorhanden ist und vorhanden war, wo nicht die Kunst in irgendwelchen Formen, besonders als Religion und Wissenschaft,[19] zum Heilmittel und zur Abwehr jenes Pesthauchs erschienen ist.

---

16 **Mystagoge:** mystagogue, one who initiates others into a secret religion or teaching.

17 **sich entbrechen:** to refrain, forbear.

18 **daß, . . . seinen Freund erdrosselt:** 'that, given the practice of suicide, the individual would perhaps be bound to feel the last vestiges of a sense of duty, when, as is the custom among the inhabitants of the Fiji Islands, he throttles his parents because he is a dutiful son or his friend because he is a true friend.'

19 Cf. a well-known quatrain by Goethe:

Wer Wissenschaft und Kunst besitzt,
Hat auch Religion;
Wer jene beiden nicht besitzt,
Der habe Religion!

Angesichts dieses praktischen Pessimismus ist Sokrates das Urbild des theoretischen Optimisten, der in dem bezeichneten Glauben an die Ergründlichkeit der Natur der Dinge dem Wissen und der Erkenntnis die Kraft einer Universalmedizin beilegt und im Irrtum das Übel an sich begreift.[20] In jene Gründe einzudringen und die wahre Erkenntnis vom Schein und vom Irrtum zu sondern, dünkte dem sokratischen Menschen der edelste, selbst der einzige wahrhaft menschliche Beruf zu sein: so wie jener Mechanismus der Begriffe, Urteile und Schlüsse von Sokrates ab als höchste Betätigung und bewunderungswürdigste Gabe der Natur über alle anderen Fähigkeiten geschätzt wurde. Selbst die erhabensten sittlichen Taten, die Regungen des Mitleids, der Aufopferung, des Heroismus und jene schwer zu erringende Meeresstille der Seele, die der apollinische Grieche Sophrosyne[21] nannte, wurden won Sokrates und seinen gleichgesinnten Nachfolgern bis auf die Gegenwart hin aus der Dialektik des Wissens abgeleitet und demgemäß als lehrbar bezeichnet. Wer die Lust einer sokratischen Erkenntnis an sich[22] erfahren hat und spürt, wie diese, in immer weiteren Ringen,[23] die ganze Welt der Erscheinungen zu umfassen sucht, der wird von da an keinen Stachel, der zum Dasein drängen könnte, heftiger empfinden als die Begierde, jene Eroberung zu vollenden und das Netz undurchdringbar fest zu spinnen.[24] Einem so Gestimmten[25] erscheint dann der platonische Sokrates als der Lehrer einer ganz neuen Form der „griechischen Heiterkeit“ und Daseinsseligkeit, welche sich in Handlungen zu entladen sucht und diese Entladungen zumeist in mäeutischen[26] und erziehenden Einwirkungen

---

20 **der ... Übel an sich begreift:** 'who, in the aforementioned belief that it is possible to fathom the nature of things, attributes to learning and knowledge the potency of a universal cure and regards error as the essence of evil.'

21 **Sophrosyne:** soundness of mind, good sense.

22 **an sich:** in his own person, personally.

23 **in immer weiteren Ringen:** in ever-widening circles.

24 **der wird ... fest zu spinnen:** 'for such a person there will, from then on, be no stronger spur urging him on to real existence than the desire to complete that conquest and to close the meshes impenetrably tight.'

25 **Einem so Gestimmten:** To a person of this turn of mind; to one so disposed.

26 **mäeutisch:** *lit.* assisting at birth. Used to describe a method of instruction which trained youth by skillfully placed questions, akin to the Socratic method.

auf edle Jünglinge, zum Zweck der endlichen Erzeugung des Genius, finden wird.

Nun aber eilt die Wissenschaft, von ihrem kräftigen Wahne angespornt, unaufhaltsam bis zu ihren Grenzen, an denen ihr im Wesen der Logik verborgener Optimismus scheitert.[27] Denn die Peripherie des Kreises der Wissenschaft hat unendlich viele Punkte, und während noch gar nicht abzusehen ist, wie jemals der Kreis völlig ausgemessen werden könnte, so trifft doch der edle und begabte Mensch, noch vor der Mitte seines Daseins und unvermeidlich, auf solche Grenzpunke der Peripherie, wo er in das Unaufhellbare[28] starrt. Wenn er hier zu seinem Schrecken sieht, wie die Logik sich an diesen Grenzen um sich selbst ringelt und endlich sich in den Schwanz beißt— da bricht die neue Form der Erkenntnis durch, *die tragische Erkenntnis*, die, um nur ertagen zu werden, als Schutz und Heilmittel die Kunst braucht.

Schauen wir, mit gestärkten und an den Griechen erlabten Augen, auf die höchsten Sphären derjenigen Welt, die uns umflutet, so gewahren wir die in Sokrates vorbildlich erscheinende Gier der unersättlichen optimistischen Erkenntnis in tragische Resignation und Kunstbedürftigkeit umgeschlagen:[29] während allerdings dieselbe Gier, auf ihren niederen Stufen, sich kunstfeindlich äußern und vornehmlich die dionysisch-tragische Kunst innerlich verabscheuen muß, wie dies an der Bekämpfung der äschyleischen Tragödie durch den Sokratismus beispielsweise dargestellt wurde.[30]

Hier nun klopfen wir, bewegten Gemütes, an die Pforten der Gegenwart und Zukunft: wird jenes „Umschlagen" zu immer neuen Konfigurationen des Genius und gerade des *musiktreibenden Sokrates*

---

27 **unaufhaltsam bis . . . scheitert:** 'to its limits, at which its optimism, concealed in the very essence of logic, breaks down.'

28 **das Unaufhellbare:** the inexplicable, unfathomable.

29 **so gewahren wir . . . umgeschlagen:** 'then we perceive the voracity for insatiable optimistic knowledge, as exemplified in Socrates, change into tragic resignation and a need for art.'

30 The Socratic philosophers held that literature deals with the most unreal aspects of the world and is therefore inimical to the pursuit of truth and reality. The arguments against "tragedians and the rest of the imitative tribe" are set out at some length in Book X of Plato's *Republic*.

führen? Wird das über das Dasein gebreitete Netz der Kunst, sei es auch unter dem Namen der Religion oder der Wissenschaft, immer fester und zarter geflochten werden, oder ist ihm bestimmt, unter dem ruhelos barbarischen Treiben und Wirbeln, das sich jetzt „die Gegenwart" nennt, in Fetzen zu reißen?—Besorgt, doch nicht trostlos stehen wir eine kleine Weile beiseite, als die Beschaulichen,[31] denen es erlaubt ist, Zeugen jener ungeheuren Kämpfe und Übergänge zu sein. Ach! Es ist der Zauber dieser Kämpfe, daß, wer sie schaut, sie auch kämpfen muß!

Die Geburt der Tragödie aus dem Geiste der Musik (1872), § 15.

WIR FURCHTLOSEN

The Gay Science (*not* The Joyful Wisdom, *as it has sometimes been translated) was first published in 1882 but aroused little immediate interest either in the German-speaking world or outside of it. Essentially an aphoristic work displaying a wide range of expression both in style and in thematic content, it already includes in embryonic form some of the ideas that as convenient catch-phrases have become inseparably linked with Nietzche's name; e.g., the "will to power" and the "superman." Another important train of thought is the one developed in this extract from Book V, written slightly later and incorporated in the second edition, which appeared in 1887.*

In a sense, the arguments of the Enlightenment are now carried a stage further. The thinkers of the eighteenth century, by insisting that even the truths of religion should be subjected to rigorous scientific investigation, had done much to undermine traditional belief in a personal yet transcendent God. The effect of this criticism was tem-

31 **die Beschaulichen:** 'spectators in contemplation.'

pered, however, by their plea for human freedom, the right of every individual to believe or disbelieve according to his own conscience, as well as their affirmation of an essentially Christian ethical code. Thus radical opinion in the nineteenth century generally held that a workable compromise had been reached: belief in God might disappear, but traditional morality would endure.

Nietzsche was convinced this was a dangerous illusion. True, the existence of a supreme deity had meant a position of secondary importance for man—a position of subjection to God-given moral laws. In a universe without God he accordingly gained in stature; but the nonexistence of God might well rob human existence of all significance and sense of purpose. In Nietzsche's view, the old formulae and ideals of religion had served their purpose; they inevitably must be cast aside. "God is dead," he exclaims, and man must henceforth learn to live without religious or philosophical consolations. To survive the death of his gods meant for Nietzsche that mankind was taking its first step into maturity. Nietzsche, it should be emphasized, is not against morality as such; he believes rather that a new self-disciplined, heroic morality will have to evolve, devised by man himself. In fact, he set out to do this in his last work, The Will to Power.

It might, of course, be objected that the uncompromising, almost rigid logic with which Nietzsche advances this argument belies his own claim to being a great psychologist; at any rate, he seems to underestimate the ability of the human mind to contain mutually exclusive beliefs; that is, God is dead but a God-given morality remains in force. An historical example is the case of those German engineers and doctors who consistently applied the principles of science in their everyday professional duties, yet found no difficulty in accepting the totally unscientific racial theories of National Socialism. And the same kind of "illogicality" can be observed in extreme adherents of Marxism.

343

Was es mit unsrer Heiterkeit auf sich hat.[1]—Das größte neuere Ereignis —daß „Gott tot ist", daß der Glaube an den christlichen Gott un-

[1] A free rendering of this very idiomatic heading might be: 'How to explain our cheerfulness,' or 'What our cheerfulness is about.'

glaubwürdig geworden ist—beginnt bereits seine ersten Schatten über Europa zu werfen. Für die wenigen wenigstens, deren Augen, deren *Argwohn* in den Augen stark und fein genug für dies Schauspiel ist, scheint eben irgendeine Sonne untergegangen, irgendein altes tiefes Vertrauen in Zweifel umgedreht: ihnen muß unsre alte 5 Welt täglich abendlicher,[2] mißtrauischer, fremder, „älter" scheinen. In der Hauptsache aber darf man sagen, das Ereignis selbst ist viel zu groß, zu fern, zu abseits vom Fassungsvermögen vieler, als daß auch nur seine Kunde schon *angelangt* heißen dürfte;[3] geschweige denn, daß viele bereits wüßten, *was* eigentlich sich damit begeben 10 hat—und was alles, nachdem dieser Glaube untergraben ist, nunmehr einfallen muß, weil es auf ihm gebaut, an ihn gelehnt, in ihn hineingewachsen war: zum Beispiel unsre ganze europäische Moral. Diese lange Fülle und Folge von Abbruch, Zerstörung, Untergang, Umsturz, die nun bevorsteht: wer erriete heute schon genug davon, 15 um den Lehrer und Vorausverkünder dieser ungeheuren Logik von Schrecken abgeben[4] zu müssen, den Propheten einer Verdüsterung und Sonnenfinsternis, derengleichen es wahrscheinlich noch nicht auf Erden gegeben hat? . . . Selbst wir geborenen Rätselrater, die wir gleichsam auf den Bergen warten, zwischen Heute und Morgen 20 hingestellt und in den Widerspruch zwischen Heute und Morgen hineingespannt, wir Erstlinge und Frühgeburten des kommenden Jahrhunderts, denen eigentlich die Schatten, welche Europa alsbald einwickeln müssen, jetzt schon zu Gesicht gekommen sein *sollten*: woran liegt es doch, daß selbst wir[5] ohne rechte Teilnahme für 25 diese Verdüsterung, vor allem ohne Sorge und Furcht für *uns* ihrem Heraufkommen entgegensehn? Stehen wir vielleicht zu sehr noch unter den *nächsten Folgen* dieses Ereignisses—und diese nächsten Folgen, seine Folgen für *uns* sind, umgekehrt als man vielleicht erwarten könnte, durchaus nicht traurig und verdüsternd, viel- 30

---

[2] **abendlich:** dark, gloomy.

[3] **das Ereignis . . . heißen dürfte:** 'the event itself is far too momentous, too remote, too much beyond the comprehension of most people for it even to be said that news of it had already *reached* them.'

[4] **abgeben:** to supply, fill the role of.

[5] In this rather long rhetorical question the **wir** again takes up the subject which was already introduced with 'we born riddle-readers' and 'we firstlings and premature children.'

mehr wie eine neue schwer zu beschreibende Art von Licht, Glück, Erleichterung, Erheiterung, Ermutigung, Morgenröte. . . In der Tat, wir Philosophen und „freien Geister" fühlen uns bei der Nachricht, daß der „alte Gott tot" ist, wie von einer neuen Morgenröte angestrahlt; unser Herz strömt dabei über von Dankbarkeit, Erstaunen, Ahnung, Erwartung—endlich erscheint uns der Horizont wieder frei, gesetzt selbst,[6] daß er nicht hell ist, endlich dürfen unsre Schiffe wieder auslaufen, auf jede Gefahr hin auslaufen, jedes Wagnis des Erkennenden ist wieder erlaubt,[7] das Meer, *unser* Meer liegt wieder offen da, vielleicht gab es noch niemals ein so „offnes Meer".

344

Inwiefern auch wir noch fromm sind.—In der Wissenschaft haben die Überzeugungen kein Bürgerrecht, so sagt man mit gutem Grunde: erst wenn sie sich entschließen, zur Bescheidenheit einer Hypothese, eines vorläufigen Versuchs-Standpunktes, einer regulativen Fiktion herabzusteigen, darf ihnen der Zutritt und sogar ein gewisser Wert innerhalb des Reichs der Erkenntnis zugestanden werden[8] —immerhin mit der Beschränkung, unter polizeiliche Aufsicht gestellt zu bleiben, unter die Polizei des Mißtrauens.—Heißt das aber nicht, genauer besehen: erst wenn die Überzeugung *aufhört*, Überzeugung zu sein, darf sie Eintritt in die Wissenschaft erlangen? Finge nicht die Zucht des wissenschaftlichen Geistes damit an, sich keine Überzeugungen mehr zu gestatten? . . . So steht es wahrscheinlich: nur bleibt übrig zu fragen, ob nicht, *damit diese Zucht anfangen könne*, schon eine Überzeugung da sein müsse, und zwar

---

6 **gesetzt selbst:** even granted that.

7 **jedes Wagnis . . . erlaubt:** 'each venture of the man who truly perceives is once again permitted.'

8 **erst wenn sie sich . . . zugestanden werden:** 'only when convictions take it upon themselves to descend to the modest form of a hypothesis, of a provisional standpoint for experiment, of an assumption merely indicative of a certain line of action, can they be granted access to the realm of knowledge and even a certain value therein.'

eine so gebieterische und bedingungslose, daß sie alle andern Überzeugungen sich zum Opfer bringt. Man sieht, auch die Wissenschaft ruht auf einem Glauben, es gibt gar keine „voraussetzungslose“ Wissenschaft.[9] Die Frage, ob *Wahrheit* not tue, muß nicht nur schon vorher bejaht, sondern in dem Grade bejaht sein, daß der 5 Satz, der Glaube, die Überzeugung darin zum Ausdruck kommt, „es tut *nichts mehr* not als Wahrheit,[10] und im Verhältnis zu ihr hat alles Übrige nur einen Wert zweiten Rangs“.—Dieser unbedingte Wille zur Wahrheit: was ist er? Ist es der Wille, *sich nicht täuschen zu lassen*? Ist es der Wille, *nicht zu täuschen*? Nämlich auch auf diese 10 letzte Weise könnte der Wille zur Wahrheit interpretiert werden: vorausgesetzt, daß man unter der Verallgemeinerung „ich will nicht täuschen“ auch den einzelnen Fall „ich will *mich* nicht täuschen“ einbegreift. Aber warum nicht täuschen? Aber warum nicht sich täuschen lassen?—Man bemerke, daß die Gründe für das erstere 15 auf einem ganz andern Bereiche liegen als die für das zweite: man will sich nicht täuschen lassen, unter der Annahme, daß es schädlich, gefährlich, verhängnisvoll ist, getäuscht zu werden—in diesem Sinne wäre Wissenschaft eine lange Klugheit, eine Vorsicht, eine Nützlichkeit, gegen die man aber billigerweise[11] einwenden dürfte: wie? ist 20 wirklich das Sich-nicht-täuschen-lassen-wollen weniger schädlich, weniger gefährlich, weniger verhängnisvoll? Was wißt ihr von vornherein vom Charakter des Daseins, um entscheiden zu können, ob der größere Vorteil auf Seiten des Unbedingt-Mißtrauischen oder des Unbedingt-Zutraulichen ist?[12] Falls aber beides nötig sein 25 sollte,[13] viel Zutrauen *und* viel Mißtrauen: woher dürfte dann die Wissenschaft ihren unbedingten Glauben, ihre Überzeugung nehmen, auf dem sie ruht, daß Wahrheit wichtiger sei als irgendein an-

---

[9] **Man sieht, . . . Wissenschaft:** 'One sees that science also depends upon conviction; there is no such thing as science "without premises." '

[10] **es tut nichts mehr not als Wahrheit:** there is nothing more necessary than truth.

[11] **billigerweise:** rightly, in all fairness.

[12] **ob der größere Vorteil . . . ist:** 'whether the greater advantage lies with implicit mistrust or implicit confidence?'

[13] **Falls aber . . . sollte:** 'But supposing both were necessary.' Note the use of neuter singular **beides** when referring to two things, sometimes of different gender.

dres Ding, auch als jede andre Überzeugung? Eben diese Überzeugung könnte nicht entstanden sein, wenn Wahrheit *und* Unwahrheit sich beide fortwährend als nützlich bezeigten, wie es der Fall ist. Also—kann der Glaube an die Wissenschaft, der nun einmal unbestreitbar da ist, nicht aus einem solchen Nützlichkeits-Kalkül[14] seinen Ursprung genommen haben, sondern vielmehr *trotzdem*, daß ihm die Unnützlichkeit und Gefährlichkeit des „Willens zur Wahrheit", der „Wahrheit um jeden Preis" fortwährend bewiesen wird. „Um jeden Preis": oh wir verstehen das gut genug, wenn wir erst einen Glauben nach dem andern auf diesem Altare dargebracht und abgeschlachtet haben!—Folglich bedeutet „Wille zur Wahrheit" *nicht* „ich will mich nicht täuschen lassen", sondern—es bleibt keine Wahl—„ich will nicht täuschen, auch mich selbst nicht":—*und hiermit sind auf wir dem Boden der Moral.* Denn man frage sich nur gründlich: „warum willst du nicht täuschen?" namentlich[15] wenn es den Anschein haben sollte—und es hat den Anschein!—als wenn das Leben auf Anschein, ich meine auf Irrtum, Betrug, Verstellung, Blendung, Selbstverblendung angelegt wäre,[16] und wenn andrerseits tatsächlich die große Form des Lebens sich immer auf der Seite der unbedenklichsten πολὺτροποι[17] gezeigt hat. Es könnte ein solcher Vorsatz vielleicht, mild ausgelegt, eine Don-Quixoterie, ein kleiner schwärmerischer Aberwitz sein; er könnte aber auch noch etwas Schlimmeres sein, nämlich ein lebensfeindliches zerstörerisches Prinzip . . . „Wille zur Wahrheit"—das könnte ein versteckter Wille zum Tode sein.—Dergestalt führt die Frage: warum Wissenschaft? zurück auf das moralische Problem: *wozu überhaupt Moral,* wenn Leben, Natur, Geschichte „unmoralisch" sind? Es ist kein Zweifel, der Wahrhaftige,[18] in jenem verwegenen und letzten Sinne, wie ihn der Glaube an die Wissenschaft voraussetzt, *bejaht damit eine andre Welt* als die des Lebens, der Natur und der Geschichte; und insofern

---

14 **Nützlichkeits-Kalkül:** 'utilitarian consideration.'

15 **namentlich:** especially.

16 **auf etwas angelegt sein:** to be directed toward, aimed at.

17 **unbedenklichst:** most unscrupulous. **polytropoi:** those interested in all things, 'the versatile ones.'

18 **der Wahrhaftige:** the intellectually honest man, the seeker after truth.

er diese „andre Welt" bejaht, wie? muß er nicht ebendamit ihr Gegenstück, diese Welt, *unsre* Welt—verneinen? . . . Doch man wird es begriffen haben, worauf ich hinaus will,[19] nämlich daß es immer noch ein *metaphysischer Glaube*[20] ist, auf dem unser Glauben an die Wissenschaft ruht—daß auch wir Erkennenden von heute, wir Gottlosen und Antimetaphysiker, auch *unser* Feuer noch von dem Brande nehmen, den ein jahrtausendealter Glaube entzündet hat, jener Christen-Glaube, der auch der Glaube Platos war, daß Gott die Wahrheit, daß die Wahrheit göttlich ist . . . Aber wie, wenn dies gerade immer mehr unglaubwürdig wird, wenn nichts sich mehr als göttlich erweist, es sei denn der Irrtum, die Blindheit, die Lüge—wenn Gott selbst sich als unsre längste Lüge erweist?

345

Moral als Problem.—Der Mangel an Person[21] rächt sich überall; eine geschwächte, dünne, ausgelöschte, sich selbst leugnende und verleugnende Persönlichkeit taugt zu keinem guten Dinge mehr—sie taugt am wenigsten zur Philosophie. Die „Selbstlosigkeit" hat keinen Wert im Himmel und auf Erden; die großen Probleme verlangen alle die *große Liebe,* und dieser sind nur die starken, runden, sicheren Geister fähig, die fest auf sich selber sitzen. Es macht den erheblichsten Unterschied, ob ein Denker zu seinen Problemen persönlich steht, so daß er in ihnen sein Schicksal, seine Not und auch sein bestes Glück hat, oder aber „unpersönlich":[22] nämlich sie nur mit den Fühlhörnern des kalten, neugierigen Gedankens anzutasten und zu fassen versteht.[23] Im letzteren Falle kommt nichts

19 **worauf ich hinaus will:** 'what I am driving at.'

20 **ein metaphysischer Glaube:** a belief that rests implicitly on the existence of transcendental values. (Cf. p. 104, note 47.)

21 **Person = Persönlichkeit.**

22 **oder aber „unpersönlich":** 'or, on the other hand, whether his attitude is "impersonal." '

23 This whole sentence offers a lucid and elegant formulation of one of the basic tenets of existentialist philosophy.

dabei heraus, so viel läßt sich versprechen: denn die großen Probleme, gesetzt selbst, daß sie sich fassen lassen,[24] lassen sich von Fröschen[25] und Schwächlingen nicht *halten,* das ist ihr Geschmack seit Ewigkeit—ein Geschmack übrigens, den sie mit allen wackeren
5 Weiblein teilen.—Wie kommt es nun, daß ich noch niemandem begegnet bin, auch in Büchern nicht, der zur Moral in dieser Stellung als Person stünde, der die Moral als Problem und dies Problem als *seine* persönliche Not, Qual, Wollust, Leidenschaft kennte? Ersichtlich war bisher die Moral gar kein Problem; vielmehr das gerade,
10 worin man, nach allem Mißtrauen, Zwiespalt, Widerspruch, miteinander übereinkam, der geheiligte Ort des Friedens, wo die Denker auch von sich selbst ausruhten, aufatmeten, auflebten. Ich sehe niemanden, der eine *Kritik* der moralischen Werturteile gewagt hätte; ich vermisse hierfür selbst die Versuche der wissenschaftlichen
15 Neugierde, der verwöhnten versucherischen Psychologen- und Historiker-Einbildungskraft, welche leicht ein Problem vorwegnimmt und im Fluge erhascht, ohne recht zu wissen, was da erhascht ist. Kaum daß ich einige spärliche Ansätze ausfindig gemacht habe, es zu einer *Entstehungsgeschichte* dieser Gefühle und Wertschätzungen
20 zu bringen[26] (was etwas anderes ist als eine Kritik derselben und noch einmal etwas anderes als die Geschichte der ethischen Systeme): in einem einzelnen Falle habe ich alles getan, um eine Neigung und Begabung für diese Art Historie zu ermutigen[27]—umsonst, wie mir heute scheinen will. Mit diesen Moral-Historikern (namentlich
25 Engländern)[28] hat es wenig auf sich: sie stehen gewöhnlich selbst noch *arglos* unter dem Kommando einer bestimmten Moral und geben, ohne es zu wissen, deren Schildträger und Gefolge ab;[29] etwa mit jenem noch immer so treuherzig nachgeredeten Volks-

---

24 **gesetzt selbst, . . . lassen:** 'assuming always that they can be grasped.'

25 **Frosch:** 'cold-blooded intellectual.'

26 **Kaum daß ich . . . zu bringen:** 'I had difficulty enough discovering a few meager data with which to embark on a *history of the origin* of these emotions and value judgments.'

27 The reference is to Nietzsche's own work *Toward a Genealogy of Morals* (1887).

28 Cf. p. 103, note 44.

29 **abgeben:** to supply, fill the role of. '. . . and act unwittingly as its armor-bearers and retinue; as, for example, with that popular superstition they go on naïvely repeating about Europe being Christian.'

Aberglauben des christlichen Europa, daß das Charakteristikum der moralischen Handlung im Selbstlosen, Selbstverleugnenden, Sich-Selbst-Opfernden, oder im Mitgefühle, im Mitleiden gelegen sei. Ihr gewöhnlicher Fehler in der Voraussetzung ist, daß sie irgendeinen *consensus* der Völker, mindestens der zahmen Völker über gewisse Sätze der Moral behaupten und daraus deren unbedingte Verbindlichkeit, auch für dich und mich, schließen; oder daß sie umgekehrt, nachdem ihnen die Wahrheit aufgegangen ist, daß bei verschiedenen Völkern die moralischen Schätzungen *notwendig* verschieden sind,[30] einen Schluß auf Unverbindlichkeit *aller* Moral machen: was beides gleich große Kindereien sind. Der Fehler der Feineren unter ihnen ist, daß sie die vielleicht törichten Meinungen eines Volks über seine Moral oder der Menschen über alle menschliche Moral aufdecken und kritisieren, also über deren Herkunft, religiöse Sanktion, den Aberglauben des freien Willens und dergleichen, und ebendamit vermeinen, diese Moral selbst kritisiert zu haben. Aber der Wert einer Vorschrift „du sollst" ist noch gründlich verschieden und unabhängig von solcherlei Meinungen über dieselbe und von dem Unkraut des Irrtums, mit dem sie vielleicht überwachsen ist: so gewiß der Wert eines Medikaments für den Kranken noch vollkommen unabhängig davon ist, ob der Kranke wissenschaftlich oder wie ein altes Weib über Medizin denkt. Eine Moral könnte selbst *aus* einem Irrtume gewachsen sein: auch mit dieser Einsicht wäre das Problem ihres Wertes noch nicht einmal berührt.—Niemand also hat bisher den *Wert* jener berühmtesten aller Medizinen, genannt Moral, geprüft: wozu zuallererst gehört, daß man ihn einmal—*in Frage stellt.* Wohlan! Dies eben ist unser Werk.—

346

Unser Fragezeichen.—Aber ihr versteht das nicht? In der Tat, man wird Mühe haben, uns zu verstehn. Wir suchen nach Worten, wir

---

[30] Cf. p. 114, note 86.

suchen vielleicht auch nach Ohren. Wer sind wir doch? Wollten wir uns einfach mit einem älteren Ausdruck Gottlose oder Ungläubige oder auch Immoralisten nennen, wir würden uns damit noch lange nicht bezeichnet glauben: wir sind alles dreies[31] in einem zu späten
5 Stadium, als daß man begriffe, als daß *ihr* begreifen könntet, meine Herren Neugierigen, wie es einem dabei zumute ist. Nein! nicht mehr mit der Bitterkeit und Leidenschaft des Losgerissenen, der sich aus seinem Unglauben noch einen Glauben, einen Zweck, ein Martyrium selbst zurechtmachen muß! Wir sind abgesotten[32] in der Ein-
10 sicht und in ihr kalt und hart geworden, daß es in der Welt durchaus nicht göttlich zugeht, ja noch nicht einmal nach menschlichem Maße vernünftig, barmherzig oder gerecht: wir wissen es, die Welt, in der wir leben, ist ungöttlich, ummoralisch, „unmenschlich"—wir haben sie uns allzulange falsch und lügnerisch, aber nach Wunsch
15 und Willen unsrer Verehrung, das heißt nach einem *Bedürfnisse* ausgelegt. Denn der Mensch ist ein verehrendes Tier! Aber er ist auch ein mißtrauisches: und daß die Welt *nicht* das wert ist, was wir geglaubt haben, das ist ungefähr das Sicherste, dessen unser Mißtrauen endlich habhaft geworden ist.[33] So viel Mißtrauen, so viel Philoso-
20 phie.[34] Wir hüten uns wohl zu sagen, daß sie *weniger* wert ist: es erscheint uns heute selbst zum Lachen, wenn der Mensch in Anspruch nehnem wollte, Werte zu erfinden, welche den Wert der wirklichen Welt *überragen* sollten—gerade davon sind wir zurückgekommen als von einer ausschweifenden Verirrung der menschlichen Eitelkeit
25 und Unvernunft,[35] die lange nicht als solche erkannt worden ist. Sie hat ihren letzten Ausdruck im modernen Pessimismus gehabt, einen älteren, stärkeren in der Lehre des Buddha; aber auch das Christentum enthält sie, zweifelhafter freilich und zweideutiger, aber

---

31 **alles dreies:** a highly idiosyncratic inflection, presumably based on the analogous use of **beides.** (Cf. p. 131, note 13.)

32 **abgesotten:** steeped, inured in.

33 **das ist ungefähr . . . ist:** 'that is about the surest thing that our mistrust has at last seized upon.'

34 Apparently a Nietzschean echo of a frequently quoted line from Terence's *Phormio: Quot homines, tot sententiae* (Many men, many opinions).

35 **als von . . . Unvernunft:** 'as though from an extravagant aberration of human conceit and irrationality.'

darum nicht weniger verführerisch. Die ganze Attitüde „Mensch *gegen* Welt", der Mensch als „Welt-verneinendes" Prinzip, der Mensch als Wertmaß der Dinge, als Welten-Richter, der zuletzt das Dasein selbst auf seine Waagschalen legt und zu leicht befindet—die ungeheuerliche Abgeschmacktheit dieser Attitüde ist uns als solche 5 zum Bewußtsein gekommen und verleidet— wir lachen schon, wenn wir „Mensch *und* Welt" nebeneinandergestellt finden, getrennt durch die sublime Anmaßung des Wörtchens „und"! Wie aber? Haben wir nicht eben damit, als Lachende, nur einen Schritt weiter in der Verachtung des Menschen gemacht? Und also auch im 10 Pessimismus, in der Verachtung des *uns* erkennbaren Daseins? Sind wir nicht eben damit dem Argwohne eines Gegensatzes verfallen,[36] eines Gegensatzes der Welt, in der wir bisher mit unsren Verehrungen zu Hause waren—um deren willen wir vielleicht zu leben *aushielten*—, und einer andren Welt, *die wir selber sind:* einem unerbitt- 15 lichen, gründlichen, untersten Argwohn über uns selbst, der uns Europäer immer mehr, immer schlimmer in Gewalt bekommt und leicht die kommenden Geschlechter vor das furchtbare Entweder-Oder stellen könnte: „entweder schafft eure Verehrungen ab oder—*euch selbst*!" Das letztere wäre der Nihilismus; aber wäre nicht auch 20 das erstere—der Nihilismus?—Dies ist *unser* Fragezeichen.

Die fröhliche Wissenschaft (1882), § 343–46.

DER ÜBERMENSCH

Part I of Thus Spake Zarathustra, *the part from which this extract is taken, dates from early 1883. It was committed to paper*

36 **verfallen** (*dat.*): to fall prey to, become a victim of.

with feverish haste within ten days and published that same year, but the whole book (four parts in all) was not completed until 1885. To the public at large, especially the non-German world, it is Nietzsche's most famous work, the one inseparably linked with his name, much as the Communist Manifesto is with that of Marx. There are various reasons for the fame of Zarathustra. To begin with, it is probably the easiest of Nietzsche's works to read, if we mean by that no more than understanding individual words and phrases as we meet them. In point of fact, this rhythmical prose with its wealth of poetic imagery conceals far more than it reveals, making it in many ways the most difficult of all his books. In some 400 pages of print, Nietzsche attempted to set out the whole of his philosophy. But it was typical of him that he disdained the cold logic of the academic philosopher; instead he chose the mantle of the prophet and spoke in metaphors and parables that are intentionally reminiscent of Holy Scripture. His debt to the German of Luther's Bible is not hard to recognize, but the work also exudes a distinctly exotic oriental flavor. Nowhere does Nietzsche tell us why he preferred to express himself through the medium of Zarathustra (or Zoroaster), the prophet of ancient Iran who lived during the seventh century B.C. At any rate, it was not because his philosophy in any way derives from the Persian sage; rather we can assume that Nietzsche's considerations were literary-aesthetic. In part, it was a means of creating atmosphere, of investing the work with an aura of the traditional "wisdom of the East"; at the same time, he may well have felt that it allowed him greater freedom to put forward his own ideas.

But literary qualities alone do not explain how Zarathustra gained a far wider circle of readers than any other of Nietzsche's writings. A major factor was the interest deliberately stimulated and sustained during the early years of this century by his sister, Elisabeth, who now took upon herself the dual role of guardian of his writings and high priestess of a new cult. Her efforts met with considerable success, and Zarathustra rapidly became a kind of bible for all those who believed in the superiority of the German Geist. During the First World War there was even a mass edition prepared by the Nietzsche Archive at Weimar and issued to the German army with official blessing. Whether Zarathustra is Nietzsche's masterpiece is a question on which there are legitimate differences of opinion. But it is *certainly an important work, not least because the concept of the* Übermensch *makes its first sustained appearance in public here (although there are already some references to it in* The Gay Science). *The following two sections from the Prologue are a fair sample of the way in which Nietzsche expounds this part of his philosophy. No doubt, like so much else about him, it is capable of more than one interpretation, but, at least, it should be clear that his ideal was not, as once popularly supposed, some sort of Darwinistic superman, still less an invincible Germanic warrior-ruler.*

3

Als Zarathustra in die nächste Stadt kam, die an den Wäldern liegt, fand er daselbst viel Volk versammelt auf dem Markte: denn es war verheißen worden, daß man einen Seiltänzer sehen solle. Und Zarathustra sprach also zum Volke:

Ich lehre euch den Übermenschen.[1] Der Mensch ist etwas, das über- 5 wunden werden soll. Was habt ihr getan, ihn zu überwinden?

Alle Wesen bisher schufen etwas über sich hinaus:[2] und ihr wollt die Ebbe dieser großen Flut sein und lieber noch zum Tiere zurückgehn, als den Menschen überwinden?

Was ist der Affe für den Menschen? Ein Gelächter oder eine 10 schmerzliche Scham. Und ebendas soll der Mensch für den Übermenschen sein: ein Gelächter oder eine schmerzliche Scham.

---

[1] While "superman" is the generally accepted translation of **Übermensch,** it can be argued that it does not convey what Nietzsche really meant. In the present context, for example, **Übermensch** is followed by the verb **überwinden,** and the one is clearly intended to explain the other: Nietzsche's ideal is a human being who has "overcome" his brute nature, i.e., left his animal origins far behind. In his new translation of *Zarathustra,* Walter Kaufmann suggests "overman" as a better rendering, and this certainly does something to preserve the frequent play on the words "over" and "under," which otherwise becomes entirely lost in translation. Incidentally, the word **Übermensch** was not invented by Nietzsche. It can be traced back to the sixteenth century and was already being used by the writers of the eighteenth century, notably Herder and Goethe (cf. *Urfaust,* v. 138).

[2] **Alle Wesen . . . hinaus:** 'Until now all beings created something beyond themselves.'

Ihr habt den Weg vom Wurme zum Menschen gemacht, und vieles ist in euch noch Wurm. Einst wart ihr Affen, und auch jetzt noch ist der Mensch mehr Affe, als irgendein Affe.

Wer aber der Weiseste von euch ist, der ist auch nur ein Zwiespalt
5 und Zwitter von Pflanze und von Gespenst. Aber heiße ich euch zu Gespenstern oder Pflanzen werden?

Seht, ich lehre euch den Übermenschen!

Der Übermensch ist der Sinn der Erde. Euer Wille sage: der Übermensch *sei* der Sinn der Erde!

10 Ich beschwöre euch, meine Brüder, *bleibt der Erde treu* und glaubt denen nicht, welche euch von überirdischen Hoffnungen reden! Giftmischer sind es, ob sie es wissen oder nicht.

Verächter des Lebens sind es, Absterbende und selber Vergiftete, deren die Erde müde ist: so mögen sie dahinfahren!

15 Einst war der Frevel an Gott der größte Frevel, aber Gott starb,[3] und damit starben auch diese Frevelhaften. An der Erde zu freveln ist jetzt das Furchtbarste und die Eingeweide des Unerforschlichen[4] höher zu achten, als den Sinn der Erde!

Einst blickte die Seele verächtlich auf den Leib: und damals war
20 diese Verachtung das Höchste—sie wollte ihn mager, gräßlich, verhungert. So dachte sie ihm und der Erde zu entschlüpfen.

Oh diese Seele war selber noch mager, gräßlich und verhungert: und Grausamkeit war die Wollust dieser Seele!

Aber auch ihr noch, meine Brüder, sprecht mir: was kündet euer
25 Leib von eurer Seele? Ist eure Seele nicht Armut und Schmutz und ein erbärmliches Behagen?

Wahrlich, ein schmutziger Strom ist der Mensch. Man muß schon ein Meer sein, um einen schmutzigen Strom aufnehmen zu können, ohne unrein zu werden.

---

3 The pronouncement that "God is dead" figures prominently at the beginning of the Prologue, and is, of course, carried over from Nietzsche's previous work, *The Gay Science* (cf. p. 128).

4 **die Eingeweide des Unerforschlichen** (*lit.* entrails, vitals): 'the essence of what is unknowable.' In keeping with the general tone of *Zarathustra,* the metaphor carries with it a suggestion of soothsayers and prophets consulting the entrails of sacrifices for omens.

Seht, ich lehre euch den Übermenschen: der ist dies Meer, in ihm kann eure große Verachtung untergehn.

Was ist das Größte, das ihr erleben könnt? Das ist die Stunde der großen Verachtung. Die Stunde, in der euch auch euer Glück zum Ekel wird und ebenso eure Vernunft und eure Tugend. 5

Die Stunde, wo ihr sagt: „Was liegt an meinem Glücke! Es ist Armut und Schmutz und ein erbärmliches Behagen. Aber mein Glück sollte das Dasein selber rechtfertigen!"

Die Stunde, wo ihr sagt: „Was liegt an meiner Vernunft! Begehrt sie nach Wissen wie der Löwe nach seiner Nahrung? Sie ist Armut 10 und Schmutz und ein erbärmliches Behagen!"

Die Stunde, wo ihr sagt: „Was liegt an meiner Tugend! Noch hat sie mich nicht rasen gemacht. Wie müde bin ich meines Guten und meines Bösen! Alles das ist Armut und Schmutz und ein erbärmliches Behagen!" 15

Die Stunde, wo ihr sagt: „Was liegt an meiner Gerechtigkeit! Ich sehe nicht, daß ich Glut und Kohle wäre. Aber der Gerechte ist Glut und Kohle!"

Die Stunde, wo ihr sagt: „Was liegt an meinem Mitleiden! Ist nicht Mitleid das Kreuz, an das der genagelt wird, der die Menschen liebt? 20 Aber mein Mitleiden ist keine Kreuzigung."

Spracht ihr schon so? Schriet ihr schon so? Ach, daß ich euch schon so schreien gehört hätte!

Nicht eure Sünde—eure Genügsamkeit[5] schreit gen[6] Himmel, euer Geiz selbst in eurer Sünde schreit gen Himmel! 25

Wo ist doch der Blitz, der euch mit seiner Zunge lecke? Wo ist der Wahnsinn, mit dem ihr geimpft werden müßtet?

Seht, ich lehre euch den Übermenschen: der ist dieser Blitz, der ist dieser Wahnsinn!—

Als Zarathustra so gesprochen hatte, schrie einer aus dem Volke: 30 „Wir hörten nun genug von dem Seiltänzer; nun laßt uns ihn auch sehen!" Und alles Volk lachte über Zarathustra. Der Seiltänzer aber, welcher glaubte, daß das Wort ihm gälte, machte sich an sein Werk.

---

[5] **Genügsamkeit:** frugality, moderation.

[6] The archaic form of **gegen** is typical of Nietzsche's use of biblical German.

4

Zarathustra aber sahe[7] das Volk an und wunderte sich. Dann sprach er also:

Der Mensch ist ein Seil, geknüpft zwischen Tier und Übermensch —ein Seil über einem Abgrunde.

5 Ein gefährliches Hinüber, ein gefährliches Auf-dem-Wege, ein gefährliches Zurückblicken, ein gefährliches Schaudern und Stehenbleiben.

Was groß ist am Menschen, das ist, daß er eine Brücke und kein Zweck ist: was geliebt werden kann am Menschen, das ist, daß er 10 ein *Übergang* und ein *Untergang* ist.[8]

Ich liebe die, welche nicht zu leben wissen, es sei denn als Untergehende, denn es sind die Hinübergehenden.[9]

Ich liebe die großen Verachtenden, weil sie die großen Verehrenden sind und Pfeile der Sehnsucht nach dem andern Ufer.

15 Ich liebe die, welche nicht erst hinter den Sternen einen Grund suchen, unterzugehen und Opfer zu sein: sondern die sich der Erde opfern, daß die Erde einst des Übermenschen werde.

Ich liebe den, welcher lebt, damit er erkenne, und welcher erkennen will, damit einst der Übermensch lebe. Und so will seinen Unter- 20 gang.

Ich liebe den, welcher arbeitet und erfindet, daß er dem Übermenschen das Haus baue und zu ihm Erde, Tier und Pflanze vorbereite: denn so will er seinen Untergang.

Ich liebe den, welcher seine Tugend liebt: denn Tugend ist Wille 25 zum Untergang und ein Pfeil der Sehnsucht.

---

7 Again, **sahe** is an older form of the preterite indicative used by Luther and introduced by Nietzsche to evoke a biblical atmosphere.

8 While the meaning is clear enough in the original, this juxtaposition of **Übergang** and **Untergang** is a good example of Nietzsche's delight in punning contrasts and is inordinately difficult to render satisfactorily in English. In practice, one has to be content with some such translation as 'a transition (i.e., to the higher state of **Übermensch**) and an end (i.e., sacrifice of self to achieve this higher state),' though Walter Kaufmann suggests 'an overture and a going under.'

9 **Ich liebe die . . . Hinübergehenden:** 'I love those who only know how to live by going under, for they are the ones who shall cross over.' Note the intentional similarity here and in what follows with Christ's Sermon on the Mount (Matt. 5, 3–10).

Ich liebe den, welcher nicht einen Tropfen Geist für sich zurückbehält, sondern ganz der Geist seiner Tugend sein will: so schreitet er als Geist über die Brücke.

Ich liebe den, welcher aus seiner Tugend seinen Hang und sein Verhängnis macht:[10] so will er um seiner Tugend willen noch leben und nicht mehr leben. 5

Ich liebe den, welcher nicht zu viele Tugenden haben will. Eine Tugend ist mehr Tugend als zwei, weil sie mehr Knoten ist, an den sich das Verhängnis hängt.

Ich liebe den, dessen Seele sich verschwendet, der nicht Dank haben will und nicht zurückgibt: denn er schenkt immer und will sich nicht bewahren. 10

Ich liebe den, welcher sich schämt, wenn der Würfel zu seinem Glücke fällt und der dann fragt: bin ich denn ein falscher Spieler?—denn er will zugrunde gehen. 15

Ich liebe den, welcher goldne Worte seinen Taten vorauswirft und immer noch mehr hält, als er verspricht: denn er will seinen Untergang.

Ich liebe den, welcher die Zukünftigen rechtfertigt und die Vergangenen erlöst: denn er will an den Gegenwärtigen zugrunde gehen. 20

Ich liebe den, welcher seinen Gott züchtigt, weil er seinen Gott liebt: denn er muß am Zorne seines Gottes zugrunde gehen.

Ich liebe den, dessen Seele tief ist auch in der Verwundung, und der an einem kleinen Erlebnisse zugrunde gehen kann: so geht er gerne über die Brücke. 25

Ich liebe den, dessen Seele übervoll ist, so daß er sich selber vergißt, und alle Dinge in ihm sind: so werden alle Dinge sein Untergang.

Ich liebe den, der freien Geistes und freien Herzens ist: so ist sein Kopf nur das Eingeweide seines Herzens, sein Herz aber treibt ihn zum Untergang. 30

10 Yet another untranslatable play on words! **Hang** might be rendered as 'propensity, inclination,' i.e., what the individual would do if free to choose; **Verhängnis** (*lit.,* what is hung over one) implies 'fate, destiny,' usually in a tragic sense—i.e., what the higher powers have in store for the individual.

Ich liebe alle die, welche wie schwere Tropfen sind, einzeln fallend aus der dunklen Wolke, die über den Menschen hängt: sie verkündigen, daß der Blitz kommt, und gehn als Verkündiger zugrunde.

Seht, ich bin ein Verkündiger des Blitzes, und ein schwerer Tropfen aus der Wolke: dieser Blitz aber heißt Übermensch—

Aus der Vorrede zu Also sprach Zarathustra (1883), § 3–4.

DER URSPRUNG DES „SCHLECHTEN GEWISSENS"

This extract and the following two are all taken from Toward a Genealogy of Morals, *completed and first published in 1887. As the title suggests, it is Nietzsche's attempt to work out his position with regard to moral values. Basically, his argument is that these have hitherto simply been taken for granted; mankind has all too readily assumed that it knows what is good and what is evil. In the earlier part of this work Nietzsche contrasts "slave morality" with "master morality," contending that democratic and Christian ideals represent a concerted effort by the lesser-endowed to secure themselves a share of the good things of life. In other words, they are nowhere near so disinterested or altruistic as they pretend; indeed, such "morality" is doubly ignoble because, at bottom, it is motivated by envy and resentment against the gifted. Whatever one may think of this interpretation of the relationship between intentions and actions which, in some cases, may very well be a form of unconscious hypocrisy (and we must admit that selfless actions* may *be prompted by a genuine and uncalculating love of mankind), there is no denying Nietzsche's determination to penetrate to the real springs of human behavior. In so doing, he made a formidable contribution to modern psychology. Indeed, some of his conclusions, most notably his conviction that traditional morality takes insufficient account of the complexities of the human psyche, are remarkably in accord with the theories that Freud was to develop at much greater length (p. 212). The derivation of the "bad conscience," the sense of guilt in mankind, is a good example of Nietzsche the psychologist at work.*

But qualities like compassion, humility, self-sacrifice, not to mention the Christian ideal of asceticism, are no less suspect for another reason: if we subject them to a rigorous and impartial scrutiny, might they not turn out to be nothing more than an elaborate form of self-deception, an attempt by the individual to escape from himself? And seemingly more pernicious, are not some acts of charity or self-abasement really a form of self-assertion? All this is, of course, another side of Nietzsche's case against Christianity, which he regards as far too inhibiting of the positive instincts and primal energies of mankind, especially through its insistence that human nature is essentially sinful.

When Nietzsche rejects ascetic ideals, it is, however, not because he thinks that hedonistic pleasure should replace them. The overthrow of traditional values brings greater freedom—but also greater responsibility—to the individual, who must now shoulder the problem of morality alone. The failure to accept this responsibility leads to nihilism, a possibility of which Nietzsche was perfectly aware. But his point is that man cannot overcome nihilism unless he first understands it—and how is this better done than by striding boldly to the edge of the precipice and gazing down into its depths? If it save him from the fate of becoming a mere automaton, as Darwinian theory seemed to suggest, then better consciously to will this nihilism than have no will at all.

An dieser Stelle ist es nun nicht mehr zu umgehn,[1] meiner eignen Hypothese über den Ursprung des „schlechten Gewissens“ zu einem ersten vorläufigen Ausdrucke zu verhelfen:[2] sie ist nicht leicht zu Gehör zu bringen und will lange bedacht, bewacht und beschlafen

[1] **umgehn:** to get round, postpone. The omission of the "e" in the final syllable of an infinitive represents an older spelling, now something of a literary fad.

[2] **verhelfen:** to assist, help along. A free rendering of this opening sentence might run: 'At this point (in our inquiry) I can no longer put off trying out a first tentative formulation of my own hypothesis on the origin of the "bad conscience".'

sein.[3] Ich nehme das schlechte Gewissen als die tiefe Erkrankung, welcher der Mensch unter dem Druck jener gründlichsten aller Veränderungen verfallen mußte, die er überhaupt erlebt hat—jener Veränderung, als er sich endgültig in den Bann der Gesellschaft und
5 des Friedens eingeschlossen fand. Nicht anders als es den Wassertieren ergangen sein muß, als sie gezwungen wurden, entweder Landtiere zu werden oder zugrunde zu gehn, so ging es diesen der Wildnis, dem Kriege, dem Herumschweifen, dem Abenteuer glücklich angepaßten Halbtieren[4]—mit einem Male waren alle ihre in-
10 stinkte entwertet und „ausgehängt".[5] Sie sollten nunmehr auf den Füßen gehn und „sich selber tragen", wo sie bisher vom Wasser getragen wurden: eine entsetzliche Schwere lag auf ihnen. Zu den einfachsten Verrichtungen fühlten sie sich ungelenk, sie hatten für diese neue unbekannte Welt ihre alten Führer nicht mehr, die
15 regulierenden unbewußt-sicherführenden Triebe—sie waren auf Denken, Schließen, Berechnen, Kombinieren von Ursachen und Wirkungen reduziert, diese Unglücklichen, auf ihr „Bewußtsein", auf ihr ärmlichstes und fehlgreifendstes Organ! Ich glaube, daß niemals auf Erden ein solches Elends-Gefühl, ein solches bleiernes
20 Mißbehagen dagewesen ist—und dabei hatten jene alten Instinkte nicht mit einem Male aufgehört, ihre Forderungen zu stellen! Nur war es schwer und selten möglich, ihnen zu Willen zu sein:[6] in der Hauptsache mußten sie sich neue und gleichsam unterirdische Befriedigungen suchen. Alle Instinkte, welche sich nicht nach außen
25 entladen, *wenden sich nach innen*—dies ist das, was ich die *Verinnerlichung*[7] des Menschen nenne: damit wächst erst das an den Menschen

---

3 **bedacht, bewacht und beschlafen sein:** 'needs to be pondered on, watched over and slept on for a long while.' A good example of the transitive force of the prefix **be-**.

4 **so ging es . . . Halbtieren:** 'this, too, was what happened to these semi-beasts that were so well adapted to the wilderness, warring, wandering and adventure.'

5 **„ausgehängt":** 'disconnected, out of working order.' Apart from its obvious meaning, **aushängen** is also used in the specific sense of removing a thing from the place where it usually belongs or functions; e.g., a rudder from its pintles or a gate from its hinges.

6 **jemandem zu Willen sein:** to comply with, gratify someone's wishes, demands, etc.

7 **Verinnerlichung** (*from* **verinnerlichen:** to intensify, turn inward upon, make introspective): internalization, 'self-centrification.' Nietzsche's own coinage and accordingly difficult to render by a single word.

heran, was man später seine „Seele" nennt. Die ganze innere Welt, ursprünglich dünn wie zwischen zwei Häute eingespannt, ist in dem Maße auseinander- und aufgegangen, hat Tiefe, Breite, Höhe bekommen, als die Entladung des Menschen nach außen *gehemmt* worden ist. Jene furchtbaren Bollwerke, mit denen sich die staatliche Organisation gegen die alten Instinkte der Freiheit schützte— die Strafen gehören vor allem zu diesen Bollwerken—, brachten zuwege, daß alle jene Instinkte des wilden freien schweifenden Menschen sich rückwärts, sich *gegen den Menschen selbst* wandten. Die Feindschaft, die Grausamkeit, die Lust an der Verfolgung, am Überfall, am Wechsel, an der Zerstörung—alles das gegen die Inhaber solcher Instinkte sich wendend: *das* ist der Ursprung des „schlechten Gewissens". Der Mensch, der sich, aus Mangel an äußeren Feinden und Widerständen, eingezwängt in eine drückende Enge und Regelmäßigkeit der Sitte, ungeduldig selbst zerriß, verfolgte, annagte, aufstörte, mißhandelte,[8] dies an den Gitterstangen seines Käfigs sich wundstoßende[9] Tier, das man „zähmen" will, dieser Entbehrende und vom Heimweh der Wüste Verzehrte, der aus sich selbst ein Abenteuer, eine Folterstätte, eine unsichere und gefährliche Wildnis schaffen mußte—dieser Narr, dieser sehnsüchtige und verzweifelte Gefangne wurde der Erfinder des „schlechten Gewissens". Mit ihm aber war die größte und unheimlichste Erkrankung eingeleitet, von welcher die Menschheit bis heute nicht genesen ist, das Leiden des Menschen *am Menschen, an sich:* als die Folge einer gewaltsamen Abtrennung von der tierischen Vergangenheit, eines Sprunges und Sturzes gleichsam in neue Lagen und Daseins-Bedingungen, einer Kriegserklärung gegen die alten Instinkte, auf denen bis dahin seine Kraft, Lust und Furchtbarkeit beruhte. Fügen wir sofort hinzu, daß andrerseits mit der Tatsache einer gegen sich selbst gekehrten, gegen sich selbst Partei nehmenden Tierseele auf Erden etwas so Neues, Tiefes, Unerhörtes, Rätselhaftes, Widerspruchsvolles *und Zukunftsvolles* gegeben war, daß der Aspekt der Erde sich damit wesentlich veränderte.[10] In der Tat, es brauchte

---

[8] All these verbs are, of course, to be linked with the reflexive pronoun **sich** right at the beginning of this rather long and involved relative clause.

[9] **sich wundstoßen:** to bruise, knock oneself sore.

[10] **Fügen wir . . . wesentlich veränderte:** 'Let us add right away that, on the

göttlicher Zuschauer,[11] um das Schauspiel zu würdigen, das damit anfing und dessen Ende durchaus noch nicht abzusehn ist—ein Schauspiel zu fein, zu wundervoll, zu paradox, als daß es sich sinnlos-unvermerkt auf irgendeinem lächerlichen Gestirn[12] abspielen
5 dürfte! Der Mensch zählt seitdem *mit*[13] unter den unerwartetsten und aufregendsten Glückswürfen, die das „große Kind" des Heraklit, heiße es Zeus oder Zufall, spielt—er erweckt für sich ein Interesse, eine Spannung, eine Hoffnung, beinahe eine Gewißheit, als ob mit ihm sich etwas ankündige, etwas vorbereite, als ob der
10 Mensch kein Ziel, sondern nur ein Weg, ein Zwischenfall, eine Brücke, ein großes Versprechen sei . . .

Zur Genealogie der Moral II (1887), § 16.

WAS BEDEUTEN ASKETISCHE IDEALE ?[1]

Das asketische Ideal hat nicht nur die Gesundheit und den Geschmack verdorben, es hat noch etwas Drittes, Viertes, Fünftes,

---

other hand, with the fact of a brute soul, directed against itself, taking sides against itself, there came into existence something so new, profound, unprecedented, enigmatic, contradictory, *and pregnant with the future* that the very aspect of the earth was thereby fundamentally changed.'

11 Construing **brauchen** with the genitive is another literary, but archaic, turn favored by Nietzsche.

12 **Gestirn:** star.

13 **mit** is used here adverbially in the sense of 'together with,' 'including.' 'Since that moment man must be included among the most unexpected and exciting lucky throws made by the "big child" of Heraclitus, whether you call it Zeus or chance— . . .' The reference seems to be to another aphorism attributed to Heraclitus (cf. p. 88, note 15): "Time is a child playing draughts, the kingly power is a child's."

1 For information concerning this selection see introductory note on p. 144.

Sechstes verdorben—ich werde mich hüten, zu sagen *was* alles (wann käme ich zu Ende!). Nicht was dies Ideal *gewirkt* hat, soll hier von mir ans Licht gestellt werden: vielmehr ganz allein nur, was es *bedeutet,* worauf es raten läßt,[2] was hinter ihm, unter ihm, in ihm versteckt liegt, wofür es der vorläufige, undeutliche, mit Fragezeichen 5 und Mißverständnissen überladne Ausdruck ist. Und nur in Hinsicht auf *diesen* Zweck durfte ich meinen Lesern einen Blick auf das Ungeheure seiner Wirkungen, auch seiner verhängnisvollen Wirkungen nicht ersparen: um sie nämlich zum letzten und furchtbarsten Aspekt vorzubereiten, den die Frage nach der Bedeutung jenes Ideals für 10 mich hat. Was bedeutet eben die *Macht* jenes Ideals, das *Ungeheure* seiner Macht? Weshalb ist ihm in diesem Maße Raum gegeben worden? weshalb nicht besser Widerstand geleistet worden? Das asketische Ideal drückt einen Willen aus: *wo* ist der gegnerische Wille, in dem sich ein *gegnerisches Ideal* ausdrückte? Das asketische 15 Ideal hat ein *Ziel*—dasselbe ist allgemein genug, daß alle Interessen des menschlichen Daseins sonst, an ihm gemessen, kleinlich und eng erscheinen; es legt sich Zeiten, Völker, Menschen unerbittlich auf dieses eine Ziel hin aus,[3] es läßt keine andre Auslegung, kein andres Ziel gelten, es verwirft, verneint, bejaht, bestätigt allein 20 im Sinne *seiner* Interpretation (—und gab es je ein zu Ende gedachteres System von Interpretation?); es unterwirft sich keiner Macht, es glaubt vielmehr an sein Vorrecht vor jeder Macht, an seine unbedingte *Rang-Distanz* in Hinsicht auf jede Macht—es glaubt daran, daß nichts auf Erden von Macht da ist, das nicht von ihm aus erst 25 einen Sinn, ein Daseins-Recht, einen Wert zu empfangen habe,[4] als Werkzeug zu *seinem* Werke, als Weg und Mittel zu *seinem* Ziele, zu *einem* Ziele .... Wo ist das *Gegenstück* zu diesem geschlossenen

---

[2] **worauf es raten läßt:** what can deduced from it, what it points to.

[3] **dasselbe ist ... hin aus:** 'this same goal is sufficiently universal for all the other interests of man's existence to appear petty and narrow when measured against it; inexorably it (= the ascetic ideal) interprets historical periods, nations, human beings with this one aim in view.'

[4] **es glaubt daran, ... empfangen habe:** 'it (= the ascetic ideal) firmly believes that there is no power on earth that does not first have to receive from it a meaning, a right to exist, a value.'

System von Wille, Ziel und Interpretation? Warum *fehlt* das Gegenstück? . . . Wo ist das *andre* „*eine* Ziel"? . . . Aber man sagt mir, er fehle *nicht,* es habe nicht nur einen langen glücklichen Kampf mit jenem Ideale gekämpft, es sei vielmehr in allen Hauptsachen bereits
5 über jenes Ideal Herr geworden: unsre ganze moderne *Wissenschaft* sei das Zeugnis dafür—diese moderne Wissenschaft, welche, als eine eigentliche Wirklichkeits-Philosophie, ersichtlich allein an sich selber glaube, ersichtlich den Mut zu sich, den Willen zu sich besitze und gut genug bisher ohne Gott, Jenseits und verneinende Tugenden
10 ausgekommen sei. Indessen mit solchem Lärm und Agitatoren-Geschwätz richtet man nichts bei mir aus: diese Wirklichkeits-Trompeter sind schlechte Musikanten, ihre Stimmen kommen hörbar genug *nicht* aus der Tiefe, aus ihnen redet *nicht* der Abgrund des wissenschaftlichen Gewissens—denn heute ist das wissenschaft-
15 liche Gewissen ein Abgrund—, das Wort „Wissenschaft" ist in solchen Trompeter-Mäulern einfach eine Unzucht, ein Mißbrauch, eine Schamlosigkeit. Gerade das Gegenteil von dem, was hier behauptet wird, ist die Wahrheit: die Wissenschaft hat heute schlechterdings *keinen* Glauben an sich, geschweige ein Ideal *über* sich—und
20 wo sie überhaupt noch Leidenschaft, Liebe, Glut, *Leiden* ist, da ist sie nicht der Gegensatz jenes asketischen Ideals, vielmehr *dessen jüngste und vornehmste Form* selber. Klingt euch das fremd? . . . Es gibt ja genug braves und bescheidnes Arbeiter-Volk auch unter den Gelehrten von heute, dem sein kleiner Winkel gefällt,[5] und
25 das darum, weil es ihm darin gefällt, bisweilen ein wenig unbescheiden mit der Forderung laut wird, man *solle* überhaupt heute zufrieden sein, zumal in der Wissenschaft—es gäbe da gerade so viel Nützliches zu tun. Ich widerspreche nicht; am wenigsten möchte ich diesen ehrlichen Arbeitern ihre Lust am Handwerk verderben: denn ich freue
30 mich ihrer Arbeit. Aber damit, daß jetzt in der Wissenschaft streng gearbeitet wird und daß es zufriedne Arbeiter gibt, ist schlechterdings *nicht* bewiesen, daß die Wissenschaft als ganzes heute ein Ziel, einen Willen, ein Ideal, eine Leidenschaft des großen Glaubens habe. Das Gegenteil, wie gesagt, ist der Fall: wo sie nicht die

---

5 **dem sein kleiner Winkel gefällt:** 'who are content with their snug little corner.'

jüngste Erscheinungsform des asketischen Ideals ist—es handelt sich da um zu seltne, vornehme, ausgesuchte Fälle, als daß damit das Gesamturteil umgebogen[6] werden könnte—, ist die Wissenschaft heute ein *Versteck* für alle Art Mißmut, Unglauben, Nagewurm, *despectio sui,*[7] schlechtes Gewissen—sie ist die *Unruhe* der Ideallosigkeit selbst, das Leiden am *Mangel* der großen Liebe, das Ungenügen an einer *unfreiwilligen* Genügsamkeit.[8] O was verbirgt heute nicht alles Wissenschaft! wieviel *soll* sie mindestens verbergen! Die Tüchtigkeit unsrer besten Gelehrten, ihr besinnungsloser Fleiß, ihr Tag und Nacht rauchender Kopf, ihre Handwerks-Meisterschaft selbst—wie oft hat das alles seinen eigentlichen Sinn darin, sich selbst irgend etwas nicht mehr sichtbar werden zu lassen! Die Wissenschaft als Mittel der Selbst-Betäubung: *kennt ihr das?* . . . Man verwundet sie—jeder erfährt es, der mit Gelehrten umgeht—mitunter[9] durch ein harmloses Wort bis auf den Knochen,[10] man erbittert seine gelehrten Freunde gegen sich, im Augenblick, wo man sie zu ehren meint, man bringt sie außer Rand und Band,[11] bloß weil man zu grob war, um zu erraten, mit wem man es eigentlich zu tun hat, mit *Leidenden,* die es sich selbst nicht eingestehn wollen, was sie sind, mit Betäubten und Besinnungslosen,[12] die nur eins fürchten: *zum Bewußtsein zu kommen* ... .

Zur Genealogie der Moral III (1887), § 23.

---

[6] **das Gesamturteil umbiegen:** to revise, change the overall verdict.

[7] **despectio sui:** contempt of self, self-deprecation.

[8] **das Ungenügen an einer unfreiwilligen Genügsamkeit:** 'dissatisfaction with an involuntary frugality.' Nietzsche seems to be fond of this variant for the more usual **Mißfallen** (cf. p. 122, note 9), which in the above context also allows an antithetical play on the common root **genug**.

[9] **mitunter:** occasionally, now and again.

[10] **bis auf den Knochen:** right to the quick, to the core.

[11] **außer Rand und Band bringen:** to make a person lose control of himself, make wildly angry. The expression derives from a barrel that has neither rim (**Rand**) nor metal hoops (**Band**).

[12] **besinnungslos:** without ability to think or feel.

DER WEG ZUM NICHTS[1]

Sieht man vom asketischen Ideale ab: so hatte der Mensch, das *Tier* Mensch bisher keinen Sinn. Sein Dasein auf Erden enthielt kein Ziel; „wozu Mensch überhaupt?"—war eine Frage ohne Antwort; der *Wille* für Mensch und Erde fehlte; hinter jedem großen Menschen-Schicksale klang als Refrain ein noch größeres „Umsonst!" *Das* eben bedeutet das asketische Ideal: daß etwas *fehlte*, daß eine ungeheure *Lücke* den Menschen umstand[2]—er wußte sich selbst nicht zu rechtfertigen, zu erklären, zu bejahen, er *litt* am Probleme seines Sinns. Er litt auch sonst, er war in der Hauptsache ein *krankhaftes* Tier: aber *nicht* das Leiden selbst war sein Problem, sondern daß die Antwort fehlte für den Schrei der Frage „*wozu* leiden?" Der Mensch, das tapferste und leidgewohnteste Tier, verneint an sich *nicht* das Leiden; er *will* es, er sucht es selbst auf, vorausgesetzt, daß man ihm einen *Sinn* dafür aufzeigt, ein *Dazu* des Leidens. Die Sinnlosigkeit des Leidens, *nicht* das Leiden, war der Fluch, der bisher über der Menschheit ausgebreitet lag—*und das asketische Ideal bot ihr einen Sinn*! Es war bisher der einzige Sinn; irgendein Sinn ist besser als gar kein Sinn; das asketische Ideal war in jedem Betracht das „*faute de mieux*" par excellence,[3] das es bisher gab. In ihm war das Leiden *ausgelegt;* die ungeheure Leere schien ausgefüllt; die Tür schloß sich vor allem selbstmörderischen Nihilismus zu. Die Auslegung—es ist kein Zweifel—brachte neues Leiden mit sich, tieferes, innerlicheres, giftigeres, am Leben nagenderes: sie brachte alles Leiden unter die Perspektive der *Schuld* . . . . Aber trotz alledem —der Mensch war damit *gerettet,* er hatte einen *Sinn,* er war fürderhin nicht mehr wie ein Blatt im Winde, ein Spielball des Unsinns,

---

1 For information concerning this selection see the introductory note on p. 144.

2 **umstehen** (*transitive*): to surround, encircle.

3 **„faute de mieux" par excellence:** the best possible "second best." Even when quoting from another language, Nietzsche infuses fresh life into these two much used phrases by this original and witty juxtaposition.

des „Ohne-Sinns", er konnte nunmehr etwas *wollen*—gleichgültig zunächst, wohin, wozu, womit er wollte: *der Wille selbst war gerettet.* Man kann sich schlechterdings nicht[4] verbergen, *was* eigentlich jenes ganze Wollen ausdrückt, das vom asketischen Ideale her seine Richtung bekommen hat: dieser Haß gegen das Menschliche, mehr noch gegen das Tierische, mehr noch gegen das Stoffliche, dieser Abscheu vor den Sinnen, vor der Vernunft selbst, die Furcht vor dem Glück und der Schönheit, dieses Verlangen hinweg[5] aus allem Schein, Wechsel, Werden, Tod, Wunsch, Verlangen selbst—das alles bedeutet, wagen wir es, dies zu begreifen, einen *Willen zum Nichts,* einen Widerwillen gegen das Leben, eine Auflehnung gegen die grundsätzlichsten Voraussetzungen des Lebens, aber es ist und bleibt ein *Wille*! . . . Und, um es noch zum Schluß zu sagen, was ich anfangs sagte: lieber will noch der Mensch *das Nichts* wollen, als *nicht* wollen . . .

Zur Genealogie der Moral III (1887), § 28.

[4] **schlechterdings nicht:** it is quite impossible. (An emphatic negative.)

[5] **hinweg** stresses the direction and, at the same time, does away with the need for a verb: '. . . this desire to get right away from empty appearance, change, evolution, death, wishing, even from desiring itself—. . .'

MAKERS
OF THE TWENTIETH CENTURY

SIGMUND FREUD

(1856—1939)

1926

Photograph courtesy of Culver Pictures, Inc.

SIGMUND FREUD was born on May 6, 1856, in the small Moravian town of Freiberg in the Austro-Hungarian Empire (now Příbor in Czechoslovakia), on the very fringe of the German-speaking world. He was the eldest of eight children of middle-class Jewish parents, his father a not unsuccessful wool merchant, trading in a predominantly Czech community. When Freud was only three, his family moved, first to Leipzig and then to Vienna, where they finally settled in 1860. It was in this city that he spent the greater part of his long life. At the age of nine, he entered the Sperl Gymnasium, where he was an outstanding pupil, graduating with distinction in 1873. Despite his religious background of orthodox Jewry, Freud grew up something of a freethinker, devoid of any belief in God or immortality. This was to remain his lifelong conviction, but, unlike Marx, he made no attempt to renounce his Jewish heritage. Freud showed a remarkable flair for languages at school; he received a thorough training in Greek and Latin, learned to read English, French, and Hebrew with comparative ease, and later became proficient in Italian and Spanish. And he was well read in the literature of these nations. In 1875 he paid his first visit to England.

For a Viennese Jew, the choice of profession was at that time not unlimited—commerce, law, and medicine were the obvious callings. Freud finally chose the last, though—surprisingly enough, in view of his later eminence—he did not greatly relish the prospect of becoming a physician. In fact, he never did consider himself a doctor in the conventional sense of the word. He began his medical studies at Vienna University in 1873 and completed his qualification in 1881. He had undertaken some research in neurology as a student, but otherwise his training was essentially that of the general practitioner of the day. Drawn toward the academic profession, he became a demonstrator in the Physiological Institute in Vienna with the vague hope of one day rising to become its director and acquiring the title of professor. But the prospects were not bright; his father's financial situation had deteriorated, and Freud was contemplating marriage. Accordingly he gave up his theoretical research to join the staff of the General Hospital in Vienna in 1882; the undoubted ability and integrity he showed in his work there led to his appointment as lecturer in neuropathology at the university in 1885. In the same year he was awarded a fellowship which he used, among other things, to spend a period of study with the distinguished French neurologist Jean Marie Charcot (1825–93) at his clinic in Paris. It was an important step in Freud's career because it enabled him to gain firsthand experience of Charcot's pioneering work on hysteria, especially his use of hypnotic suggestion as a method of treatment. Slowly but surely Freud was moving toward the field in which he was to make such important discoveries. In 1886 he married Martha Bernays, who bore him three sons and three daughters and outlived him by more than a decade (d. 1951).

Back in Vienna, Freud had the greatest difficulty in persuading his medical colleagues that treating nervous disorders by hypnosis was a valid scientific method. To his contemporaries the idea that the mind alone—and not the brain or the nervous system—could produce mental and even physical disorders was totally unacceptable; indeed, it seemed to challenge the basic assumptions of medical science itself. Another theory of Freud's, also in the formative stage, the theory that latent sexual impulses are a much more significant factor in human behavior than had hitherto been realized, was likewise regarded as fantastic and (since it involved the investigation of a patient's sex life) rather indecent.

By the late 1880's Freud had become a somewhat solitary figure, deliberately ostracized by the more conservative of his professional colleagues. In his private practice he began to reorient his treatment of mental disorders, gradually abandoning hypnosis in favor of inducing patients to express all their thoughts openly to him without inhibition, however irrelevant they might seem; the technique of "free association" came into being. Around 1896 we note the first appearance of the term "psychoanalysis" in his scientific papers. During these years Freud collected most of the material for his radically new theories, though the development was slow and his period of full creativity did not really begin until he was well over forty. From his graduate days onward he had brought out a number of specialized publications, foremost among them *Studies in Hysteria* (1895) in collaboration with another Viennese neurologist, Joseph Breuer, but he had yet to make his mark.

This came with *The Interpretation of Dreams* (1900), a major work by any reckoning and of particular interest because it contains the germs of most of Freud's important observations and ideas. Even so, it did not create much of a stir at the time. But an increasing number of abstracts from his writings were now appearing in psychiatric journals, and recognition gradually came his way. In 1904 there followed the publication of *The Psychopathology of Everyday Life,* and close upon it, *Jokes and Their Relation to the Unconscious* (1905). No less important in the work of propagating Freud's ideas was the small group of scholars and disciples who had gathered around him. From their ranks came the first members of the Vienna Psycho-Analytical Society (officially founded 1908), which did much to make psychology an accepted and reputable discipline. By 1908 reports of Freud's work had reached America, and he was invited to deliver a series of lectures at Clark University in Worcester, Massachusetts, the following year. It proved to be his only visit to the New World.

Even as a student, Freud's interests had been wide, and he was one of the first to realize that his own psychoanalytical theories held far-reaching implications for a whole range of related studies—sociology, religion, literature, education, anthropology, to name only the most obvious ones. Though still nominally a member of the faculty of Vienna University, which in 1919 granted him a full professorship, he now devoted himself more and more to writing about these problems. In his native

German Freud was a singularly prolific and fluent writer—in fact, a distinguished prose stylist—and even in his most technical articles and studies, the argument is invariably expounded with astonishing clarity, directness, and elegance. Among the most important works of this later period are *Totem and Taboo* (1913), a study of the irrational ways of primitive peoples which, in Freud's view, offer illuminating parallels with the behavior of children and neurotics; *Beyond the Pleasure Principle* (1920), where, among other things, his concept of a "death instinct" in each individual was first developed ("the goal of all life is death"); *The Future of an Illusion* (1927), basically a critique of religion as a product of wishful thinking; and *Civilization and Its Discontents* (1930), a full account of his views on sociology, particularly the psychological price that man has to pay for living under the restraints of civilization.

In 1923 Freud learned that he had cancer of the jaw, but, despite a long series of painful facial operations, his writing and research went on unabated, and he continued to see patients right up to the last year of his life. In 1930 he was awarded the Goethe Prize, normally reserved for contributions to literature, while on the occasion of his eightieth birthday in 1936 no less a literary eminence than Thomas Mann came in person to present him with a formal address of recognition. Following the incorporation of Austria into Hitler's Reich in 1938, Freud and his family were forced to leave Vienna, and he went to England as a refugee in the same year. One of his last works, not entirely completed, was the *Outline of Psychoanalysis* (first published 1940). Freud died in London, just after the outbreak of the Second World War, on September 23, 1939.

For the psychologist, dealing with what is probably the most elusive of all natural phenomena, the human mind, irrefutable proof is not easy to come by. Indeed, it may well be impossible to demonstrate the validity of a psychological theory, since no scientific technique can be devised to verify or disprove it. This is not the least of the reasons why Freud's pioneering work in psychoanalysis touched off controversies in the early years of our century that are still going on. Yet, whether demonstrable or not, his theories have already had an incalculable influence on modern thought, so much so, that his terminology has passed into general usage. And it would certainly be difficult to think of a scientist who has made a greater impact on the arts and literature.

How has this come about? Probably the short answer is that Freud was not just a scientist, nor is psychoanalysis merely a science. In fact, some Freudian theories have been regarded most critically by science and scholarship, one such example being the so-called "Oedipus complex" (p. 177). According to this theory, the male child has a latent sexual desire for his mother and so comes to feel a sense of rivalry toward his father. Freud's emphasis, especially in his earlier writings, that all neurotic behavior ultimately derives from sexual disturbance was in no small measure responsible for the breach soon after 1910 with his distinguished collaborators, Carl Gustav Jung (1875–1961) and Alfred Adler (1870–1937). Not surprisingly, each later advanced a rival theory as to what constitutes the dominant impulse in mankind, and schools formed around these ideas. Similarly, the anthropological views Freud expresses in *Totem and Taboo* would not find general acceptance today (p. 211). Even the striking terminology he evolved in his later works, concepts like the "death instinct" (p. 210) as well as the more celebrated "id-ego-superego" (p. 192) are no less open to objection.

Of course, other of his theories do seem to fit the known facts—now that he has drawn our attention to them. His explanation of jokes, for example—"the best safety valve modern man has devised," he says in *Jokes and Their Relation to the Unconscious*—as a form of release, permitting man to rid himself temporarily of those repressions that society normally expects him to keep hidden. Or the theory he sets out in *The Psychopathology of Everyday Life*, that slips of the tongue, odd quirks of absentmindedness, even misspellings—such errors may all be due to the expression of unconscious wishes. For example, failure to appear at an interview because of some doubt about the time or place might indicate that there was no real desire to attend; or a woman who repeatedly mislays her wedding ring could be showing a latent resentment at being married.

It is typical of Freud that, to illustrate a point, he often turns to literature; from *The Merchant of Venice* (III, ii), for instance, he cites the words of Portia, already attracted to Bassanio though she dare not admit it: "One half of me is yours, the other half yours—mine own I would say . . ." Shakespeare, Freud is implying, knew all about verbal slips, even if he did not theorize about them. And there was a sound reason for this delving into literature and art to find support for his psychoanalytical theories (p. 176), for if what he was endeavoring to show had long been known, indeed utilized by poets and artists for their own purposes, then his own discoveries would no longer strike contemporaries as quite such daring innovations.

For his part, Freud was genuinely interested in the act of poetic creation (p. 185) and wrote several essays on the problems of literature. A notable example of his thought-provoking observations occurs in his discussion of *Hamlet,* which became the starting point for a full-length psychoanalytical study by one of his closest collaborators (p. 184). Of course, the natural relationship between literature and psychology existed long before psychology became a scientific discipline. Narrative fiction, from the earliest epics down to the medieval romances—and from there to the European novel—has always been concerned with the human soul, often analyzing it with great subtlety. The same is true of the drama, where we have only to consider, as Freud himself did, the works of the Greek tragedians. Nor is it mere coincidence that sexual love, with all its attendant emotions, figures in so many of these works. Viewed in this light, Freud might even appear to be expressing in scientific language insights that had long been intuitively divined by the poet (by Nietzsche and the Viennese writer, Arthur Schnitzler, for example, during the late nineteenth century). To say this, however, is in no way to detract from his very great achievement.

With the advent of Freud there is a significant difference in the hitherto unconscious relationship of literature and psychology. During the first decades of the twentieth century a psychoanalytical vogue, emanating from the German-speaking countries, swept through the whole of Western literature. Since then psychological theories have been adopted consciously and deliberately by writers and critics. Literary criticism, in particular, was powerfully affected and still bears the marks of this encounter. In retrospect, the impact seems to have been greatest—and most fruitful—in the field of prose fiction, especially the novel, which by its very nature can be adapted to present any subject of interest to the reader—including psychoanalysis. Thus a story might now turn on the hidden, i.e., subconscious motives of an action rather than on its apparent causes, leaving the results of the action to be dismissed quite summarily. The latter were no longer considered to be important. More and more, writers became concerned with inner states of mind, not external action as, for example, in Thomas Mann's long novel *The Magic Mountain* (1924). Then there is the "stream-of-consciousness" novel, which directly introduced the new psychoanalytical technique to depict mental activity ranging from consciousness to complete unconsciousness. Just as the patient reclines on the psychoanalyst's couch and is encouraged to tell "everything that comes into his head, even if it is *disagreeable* for him to say it, even if it seems to him *unimportant* or actually *nonsensical*" (p. 196), so the minds of fictitious characters are unlocked by the novelist. In his hands, "free association" leads to the "interior monologue" which allows him to communicate to the reader the undermost layers of consciousness, and on the printed page absence of punctuation, disregard of conventional syntax, and avoidance of logical transitions, all help to suggest the diffuse and *apparently* irrelevant and meaningless ramblings of the mind. This device has perhaps been used most effectively by James Joyce in the closing pages of his *Ulysses* (1922), while in German literature there is the rather Joycean novel by Alfred Döblin, *Berlin Alexanderplatz* (1929).

Then there is the world of dreams, a field of investigation in which Freud excelled and in which his influence is still powerfully felt; the modern analyst must interpret dreams and so uncover the suppressed wishes of his patients (p. 168). Yet even in ancient times, as we know from the Old Testament, dreams were held to be symbolic, and it is not hard to understand why Freud considered that his case histories read like "stories." From here the way leads directly back into literature; indeed, the dream itself might be regarded as a work of fiction. Like all significant artistic creations, it is a product of the imagination and is capable of more than one interpretation. The parallel with the reader—and, more especially, with the critic—as he approaches a work of art is obvious, and this emphasis on symbolic interpretation seems to be characteristic of our century. Indeed, much modern art attaches great importance to being ambiguous, "open-ended," inviting interpretation by deliberately appearing to be unfinished; in a sense, the act of interpretation is vital to such works, an integral part of them. Without it they remain incomplete. Thus part of the fascination that Kafka's tales hold for many readers resides precisely in this conundrum-like quality, and, as Kafka's own notebooks reveal, there is a conscious debt to Freud. Similarly, literary criticism, especially in academic circles, has devised methods strikingly like those of the psychoanalyst, as he searches for neurotic symptoms and then subjects them to minute clinical inspection. Yet this critical approach could hardly be fruitful without some cooperation on the part of the artist.

In lyric poetry, too, Freud's presence has been powerfully felt, first and foremost perhaps in the urge to give unbridled "expression" to creative impulses, as understood by expressionists and then later by dadaists and surrealists. One has only to think of some of the more extreme forms of artistic experimentation—for example, the surrealist "research laboratories" set up by André Breton in Paris in the 1920's and the resultant discovery of a method of "automatic writing." Of course, the connection between such exotic manifestations of art and Freudian theory tends to become somewhat tenuous, but clearly Freud remains nonetheless the motivating force. And an equally interesting field of exploration, which we only mention in passing, is Freud's influence upon the motifs and themes of modern in painting and sculpture.

But Freud is no less important as a thinker who presented mankind with a fresh view of itself, and here his great achievement was undoubtedly the discovery and exploration of the unconscious mind. Beneath the surface, he showed, there are motives, feelings, and intentions concealed by the individual not only from others, but even from himself, and the depths of the unconscious must be plumbed before man can begin to know the truth about himself. Nietzsche had already reached a similar conclusion (p. 144), but Freud was actually offering a technique by which this self-knowledge could be attained. At this juncture Marxists are usually quick to point out that, far from providing a master key to the problems of human existence, Freud's theories are based on substantially bourgeois premises. It must be admitted that his patients were invariably of middle-class background; indeed, cure by psychoanalysis rather presupposes the existence of articulate neurotics with sufficient leisure and money for the lengthy treatment that is often involved. A second obstacle in the way of apotheosizing Freud is certainly his attitude to women, which, if not actually misogynic, was basically that of the average Victorian paterfamilias.

Nor do objections end there. If, as he seems to be saying, most of our thinking is unconscious, and thus on a level with instinct, then individual freedom is perilously near to becoming an illusion. We are back in a position similar to the "deterministic materialism" that Nietzsche had deduced from Darwin's writings (p. 152). But Freud's theory—and, perhaps more important, his practice—does not on the whole lead in this direction. To begin with, his therapy aims specifically at assisting the individual to regain control over his own personality—in fact, to become his true self again. And the method of free association calls upon the patient to contribute to his own cure (p. 194). In addition, it is worth recalling that Freud gave up hypnosis in the 1890's for the very reason that it sometimes has harmful effects on the personality. In a lighter vein, it might even be said that by regarding everyone as a potential creative artist in the depths of his unconscious, Freud was striking a blow for democracy.

Other aspects of his work have an important bearing on ethics. It is Freud's view that the same basic psychological mechanisms are present in all human beings and that therefore those afflicted with mental troubles are not radically different from the rest of mankind. Where earlier centuries had treated with herbs, incantations, and holy water—or flogged, chained up, and even tortured for witchcraft—Freud now led men to understand and help, and for a generally more enlightened attitude to insanity our age owes him an incalculable debt. Nor is he necessarily on the side of un-reason, as has sometimes been claimed. The implication of his psychotherapy is rather that man must learn to face and understand the irrational elements in his makeup. Above all, he must be honest with himself and realize his limitations. Freud holds out no vision of a Utopian future, but if mankind will walk the path he proposes, it will discover a modest degree of freedom and a firmer basis for morality. Thus his message is quite unsentimental and not in the least Messianic. Freud the moral philosopher is best left to speak for himself in this passage from the *General Introduction to Psychoanalysis* (1916–17): "We say that whoever has passed successfully through an education for truthfulness toward himself, will thereby be protected permanently against the danger of immorality, even if his standard of morality should somehow differ from social conventions."

SUGGESTIONS FOR FURTHER READING

Brill, A. A., trans., *The Basic Works of Sigmund Freud.* Modern Library, 1950. Offers a very comprehensive one-volume selection of Freud's writings in translation.

Hall, Calvin S., *A Primer of Freudian Psychology.* Mentor Books, 1965. A concise and readable summary of Freud's discoveries and theories, though more concerned with their impact within psychology itself than with their wider influence on thought and literature.

Hoffman, Frederick J., *Freudianism and the Literary Mind.* Louisiana State University Press, 1957. A useful exposition of Freudian psychology and its impact on modern literature.

Jones, Ernest, *The Life and Works of Sigmund Freud*. Basic Books, 1961. As good an introduction as any to Freud and his scientific work, an authoritative account of his life—best read in this abridged version by L. Trilling and S. Marcus—by a close collaborator and friend.

Marcuse, Ludwig, *Sigmund Freud. Sein Bild vom Menschen*. Rowohlt Taschenbuch Verlag, 1956. A lively and stimulating assessment of Freud's thought and significance in the modern world.

Osborn, Reuben, *Marxism and Psycho-analysis*. Barrie & Rockliff, 1965. An informative and thought-provoking discussion of Freud's theories by a non-psychoanalytical Marxist, attempting to show how far they are compatible with Marxism.

Rieff, Philip, *Freud : The Mind of the Moralist*. Doubleday Anchor, 1961. Difficult going in parts, but undoubtedly the best and fullest account of Freud's cultural importance that has appeared.

Stafford-Clark, David, *What Freud Really Said*. McDonald & Co., 1965. An admirable (and highly successful) attempt to compress the whole of Freud's work and theories into some 250 pages. Has the additional merit of quoting frequently from Freud's writings.

TRÄUME HABEN EINEN GEHEIMEN SINN

The Interpretation of Dreams *(first published in 1900), from which the first three extracts in this section come, was Freud's first major publication, and according to general opinion today, his most important single work—certainly his most comprehensive and original work.* (*Incidentally, this was also Freud's considered opinion.*) *Begun in the mid-1890's, it consists of a detailed scientific investigation of dream life running to some 500 pages. As a glance at the original bibliography shows, its preparation included a formidable amount of preliminary reading—in fact, the entire body of known writings on the subject up to the turn of the century. However, success was not immediate. The first printing ran to only 600 copies and was not completely sold until eight years later. Strangely enough, what interest there was at this time came mainly from non-specialists; Freud's professional colleagues for the most part either ignored the work or wrote devastating reviews of it. But by 1913 the book had aroused sufficient notice to warrant translations into both English and Russian, and it subsequently appeared in various other languages, including Japanese (1930) and Hungarian (1934). The eight editions through which it eventually ran during his lifetime are a tribute to Freud the scientist, for, though some parts were revised and modified, no fundamental alterations were needed, even half a century later.*

One of the starting points for this study was, as Freud himself tells us, the fact that his own patients would often give an account of their dreams when following his instructions to "associate freely." Thus he concluded that dreams, no less than other associations, could lead into the unconscious mind. Actually, a good deal of the material used is taken from self-analyses, and, for this reason, The Interpretation of Dreams *is the nearest we come to a book of personal confessions from this reticent and dispassionate author. Briefly, the theory developed by Freud is that all dreams have a meaning other than their literal content and that they assume this form so as to conceal ideas, often primitive and distasteful, which emanate from the unconscious. In fact, the dreamer is the last person to know the meaning of his own dreams, for they are couched in symbolism. Except perhaps in the simple dreams of children, such symbols are by no means clear and consequently require expert interpretation—therefore, enter the psychoanalyst. Our first passage gives a good idea of how Freud went about the task, though it should be added that this is a relatively simple example of his technique.*

The other problem Freud undertook to explain in this book is the mechanics of dreaming. Here he visualizes the unconscious desires as rising up out of the unconscious mind, a process greatly facilitated when the critical faculties are in temporary suspension through sleep. In the raw state (i.e., not hidden by recourse to symbolism) these desires would normally be so repugnant to the sleeper as to wake him; to avoid this, a "censor" comes into play to ensure that a distasteful wish will only reach his slumbering awareness in a more acceptable (i.e., suitably disguised) form. The precise disguise is, of course, bound up with the personality of the dreamer. In this way, the sleeper is not disturbed. In Freud's own vivid phrase, "The dream is the guardian of sleep." The nightmare which does awaken him results, according to this theory, from the "censor's" failing to transform the unconscious wishes.

Daß der Traum wirklich einen geheimen Sinn hat, der eine Wunscherfüllung ergibt, muß wiederum für jeden Fall durch die Analyse erwiesen werden. Ich greife darum einige Träume peinlichen Inhalts heraus[1] und versuche deren Analyse. Es sind zum
5 Teil Träume von Hysterikern,[2] die einen langen Vorbericht und stellenweise ein Eindringen in die psychischen[3] Vorgänge bei der Hysterie erfordern. Ich kann dieser Erschwerung der Darstellung aber nicht aus dem Wege gehen.[4]

---

1 **herausgreifen:** to cite, select (as an example).

2 **Hysteriker:** hysteric; a person suffering from hysteria, which, strictly speaking, is a disturbance of the sensory and motor system, resulting in emotional instability. There are various ways in which this can express itself, some of them mental such as loss of memory or dual personality, others apparently physical such as paralysis or violent fits, even though physical disease of the brain or nervous system seems absent

3 **psychisch:** psychic(al), mental.

4 This sentence, like much of Freud's writing, reads simply enough in the original

Wenn ich einen Psychoneurotiker[5] in analytische Behandlung ehme, werden seine Träume regelmäßig, wie bereits erwähnt, zum 'hema unserer Besprechungen. Ich muß ihm dabei alle die psycho- gischen Aufklärungen geben, mit deren Hilfe ich selbst zum 'erständnis seiner Symptome gelangt bin, und erfahre dabei eine nerbittliche Kritik, wie ich sie von den Fachgenossen wohl nicht chärfer zu erwarten habe. Ganz regelmäßig erhebt sich der Wider- pruch meiner Patienten gegen den Satz,[6] daß die Träume sämtlich Vunscherfüllungen seien. Hier einige Beispiele von dem Material n Träumen, welche mir als Gegenbeweise vorgehalten werden.

„Sie sagen immer, der Traum ist ein erfüllter Wunsch", beginnt ine witzige Patientin. „Nun will ich Ihnen einen Traum erzählen, essen Inhalt ganz im Gegenteil dahin[7] geht, daß mir ein Wunsch *icht* erfüllt wird. Wie vereinen Sie das mit Ihrer Theorie? Der 'raum lautet wie folgt:

„Ich will ein Souper geben, habe aber nichts vorrätig als etwas ge- äucherten Lachs. Ich denke daran, einkaufen zu gehen, erinnere mich aber, ıß es Sonntag Nachmittag ist, wo alle Läden gesperrt sind. Ich will nun nigen Lieferanten telephonieren, aber das Telephon ist gestört. So muß h auf den Wunsch, ein Souper zu geben, verzichten."[8]

Ich antwortete natürlich, daß über den Sinn dieses Traumes ur die Analyse entscheiden kann, wenngleich ich zugebe, daß er

---

erman, but it is a simplicity that conceals a certain degree of compression. A free ıd idiomatic rendering might run: 'This will make the presentation of my argument ore difficult, but I cannot avoid it.'

5 **Psychoneurotiker:** In Freudian terminology, the psychoneurotic is the victim a severe mental conflict within himself, a conflict of which he himself remains ıaware; it is brought about by deep-seated urges, often of a sexual nature, being ›posed by the conventional restraints of society.

6 **Satz:** statement, assertion.

7 **dahin** is often used, as in this example, with **gehen** in the sense of "to the effect ıat"; e.g., in expressions such as **meine Meinung geht dahin, daß** (= it is my ›inion that). Hence it is often little more than a circumlocution for the verb "to be." f. p. 69, note 3.) '. . . a dream whose content, on the contrary, goes to show ıat a wish of mine was *not* fulfilled.'

8 Freud's patient was a fellow Viennese, and her account of the dream naturally llows the distinctive vocabulary and usage of Austrian German (**Souper, alle Läden nd gesperrt, das Telephon ist gestört**). Freud's own German occasionally exudes is same regional flavor; e.g., his use of **Fleischhauer** (= **Metzger**), or the ten- ncy to write **giltig** rather than **gültig.**

für den ersten Anblick vernünftig und zusammenhängend erschein und dem Gegenteil einer Wunscherfüllung ähnlich sieht. „Au welchem Material ist aber dieser Traum hervorgegangen? Si wissen, daß die Anregung zu einem Traum jedesmal in den Erleb
5 nissen des letzten Tages liegt."

Analyse: Der Mann der Patientin, ein biederer[9] und tüchtige Großfleischhauer, hat ihr tags vorher erklärt, er werde zu dick un wolle darum eine Entfettungskur beginnen. Er werde früh aufste hen, Bewegung machen, strenge Diät halten, und vor allem kein
10 Einladungen zu Soupers mehr annehmen.—Von dem Manne erzähl sie lachend weiter, er habe am Stammtisch die Bekanntschaft eine Malers gemacht, der ihn durchaus abkonterfeien[10] wolle, weil e einen so ausdrucksvollen Kopf noch nicht gefunden habe. Ihr Man habe aber in seiner derben Manier erwidert, er bedanke sich schö
15 und er sei ganz überzeugt, ein Stück vom Hintern eines schöne jungen Mädchens sei dem Maler lieber als sein ganzes Gesicht. Sie se jetzt sehr verliebt in ihren Mann und necke sich mit ihm herum. Si hat ihn auch gebeten, ihr keinen Kaviar zu schenken.—Was soll da heißen?

20 Sie wünscht es sich nämlich schon lange, jeden Vormittag ein Kaviarsemmel essen zu können, gönnt sich aber die Ausgabe[11] nicht Natürlich bekäme sie den Kaviar sofort von ihrem Mann, wenn si ihn darum bitten würde. Aber sie hat ihn im Gegenteil gebeten, ih keinen Kaviar zu schenken, damit sie ihn länger damit necken kann
25 (Diese Begründung erscheint mir fadenscheinig. Hinter solche unbefriedigenden Auskünften pflegen sich uneingestandene Motiv zu verbergen. Man denke an die Hypnotisierten Bernheims,[12] di einen posthypnotischen Auftrag ausführen, und, nach ihren Motive befragt, nicht etwa antworten: Ich weiß nicht, warum ich das geta

---

9 The word **bieder** (simple, plain) also carries with it the suggestion of "lackin in cultural interests." Hence "philistine" is a better translation.

10 **abkonterfeien** (*from French* contrefaire): to copy. '. . . who insisted on paintin a portrait of him, because . . .'

11 **Ausgabe:** expense, outlay.

12 Hippolyte Bernheim (1837–1919) was a distinguished French physician wh devoted himself to the study of hypnotism and suggestion. His clinic at the Uni versity of Nancy became famous for experiments in this field, so much so, that Freu visited him there in the summer of 1889 to perfect his own hypnotic technique.

habe, sondern eine offenbar unzureichende Begründung erfinden müssen. So ähnlich wird es wohl mit dem Kaviar meiner Patientin sein. Ich merke, sie ist genötigt, sich im Leben einen unerfüllten Wunsch zu schaffen. Ihr Traum zeigt ihr auch die Wunschverweigerung als eingetroffen. Wozu braucht sie aber einen unerfüllten 5 Wunsch?)

Die bisherigen Einfälle haben zur Deutung des Traumes nicht ausgereicht. Ich dringe nach Weiterem. Nach einer kurzen Pause, wie sie eben der Überwindung eines Widerstandes entspricht,[13] berichtet sie ferner, daß sie gestern einen Besuch bei einer Freundin 10 gemacht, auf die sie eigentlich eifersüchtig ist, weil ihr Mann diese Frau immer so sehr lobt. Zum Glück ist diese Freundin sehr dürr[14] und mager, und ihr Mann ist ein Liebhaber voller Körperformen. Wovon sprach nun diese magere Freundin? Natürlich von ihrem Wunsch, etwas stärker zu werden. Sie fragte sie auch: „Wann 15 laden Sie uns wieder einmal ein? Man ißt immer so gut bei Ihnen."

Nun ist der Sinn des Traumes klar. Ich kann der Patientin sagen: „Es ist gerade so, als ob Sie sich bei der Aufforderung gedacht hätten: Dich werde ich natürlich einladen, damit du dich bei mir anessen,[15] dick werden und meinem Mann noch besser gefallen 20 kannst. Lieber geb' ich kein Souper mehr. Der Traum sagt Ihnen dann, daß Sie kein Souper geben können, erfüllt also Ihren Wunsch, zur Abrundung der Körperformen Ihrer Freundin nichts beizutragen. Daß man von den Dingen, die man in Gesellschaften vorgesetzt bekommt, dick wird, lehrt Sie ja der Vorsatz Ihres Mannes, 25 im Interesse seiner Entfettung Soupereinladungen nicht mehr anzunehmen." Es fehlt jetzt nur noch irgendein Zusammentreffen,[16] welches die Lösung bestätigt. Es ist auch der geräucherte Lachs im Trauminhalt noch nicht abgeleitet. „Wie kommen Sie zu dem im Traum erwähnten Lachs?" „Geräucherter Lachs ist die Lieblings- 30 speise dieser Freundin", antwortet sie. Zufällig kenne ich die Dame

---

13 **wie sie . . . entspricht:** 'such as corresponds closely to resistance being overcome.'

14 **dürr:** gaunt, scrawny.

15 The addition of the prefix **an-** subtly transforms the basic meaning of **essen** into "eating with good appetite," hence "to tuck in, eat one's fill."

16 **Zusammentreffen:** point of contact, concurrence.

auch und kann bestätigen, daß sie sich den Lachs ebensowenig vergönnt[17] wie meine Patientin den Kaviar.

Derselbe Traum läßt auch noch eine andere und feinere Deutung zu, die durch einen Nebenumstand selbst notwendig gemacht wird. Die beiden Deutungen widersprechen einander nicht, sondern überdecken einander und ergeben ein schönes Beispiel für die gewöhnliche Doppelsinnigkeit der Träume wie aller anderen psychopathologischen Bildungen.[18] Wir haben gehört, daß die Patientin gleichzeitig mit ihrem Traum von der Wunschverweigerung bemüht war, sich einen versagten Wunsch im Realen zu verschaffen (die Kaviarsemmel).[19] Auch die Freundin hatte einen Wunsch geäußert, nämlich dicker zu werden, und es würde uns nicht wundern, wenn unsere Dame geträumt hätte, der Freundin gehe der Wunsch nicht in Erfüllung. Es ist nämlich ihr eigener Wunsch, daß der Freundin ein Wunsch—nämlich der nach Körperzunahme—nicht in Erfüllung gehe. Anstatt dessen träumt sie aber, daß ihr selbst ein Wunsch nicht erfüllt wird. Der Traum erhält eine neue Deutung, wenn sie im Traum nicht sich, sondern die Freundin meint, wenn sie sich an die Stelle der Freundin gesetzt oder, wie wir sagen können, sich mit ihr identifiziert hat.

[17] **sich etwas vergönnen:** to begrudge oneself something, go without something. In standard German **vergönnen** normally means "to grant, allow," but in this instance Freud is apparently following local usage (see p. 169, note 8), with the prefix **ver-** endowing **gönnen** with an almost opposite meaning. An analogy would be *sprechen*: *sich versprechen* (*lit.* "to speak badly") in context can assume meanings such as "to make a slip of the tongue" or "to fluff one's lines (in a play)."

[18] **psychopathologische Bildungen:** psychopathological structures; i.e., figments created by the disordered mind, psychopathology being the scientific study of diseases and abnormalities of the mind. A good rendering into English probably demands a rather different word-order: '. . . and provide an excellent example of how dreams, like all other psychopathological structures, usually have more than one meaning.'

[19] **Wir haben . . . (die Kaviarsemmel):** 'It will be remembered that at the same time as the patient was preoccupied with her dream about a wish not being fulfilled, she was also seeking to effect a wish in real life (for a caviar sandwich) that had been denied her.'

TRÄUMEN IST DOCH EINE WUNSCHERFÜLLUNG

Clearly, one can agree with the theory that dreams are capable of being interpreted in this way, yet disagree with a particular interpretation offered by Freud. For while the acumen and ingenuity he shows in suggesting associations often compel admiration, the pattern of meaning he extracts from some of the more difficult dreams is not always convincing. At this level, psychology—perhaps inevitably—begins to part company with the exact sciences. At any rate, the interpretation of something as personal and insubstantial as a dream can hardly exclude subjective value judgments on the part of the analyst. There is the further difficulty that he is dependent almost entirely on the patient's ability to recall the dream, and this may well be different from the dream in its original form. As we have seen from the preceding passage, Freud did not merely postulate that dreams are the expression of concealed ideas. Rather, that in his dreams the individual can live out his innermost desires with impunity; he may, for example, give free rein to an urge to break with the restrictions imposed on him by society or he may seek the realization of his own frustrated ambitions. And the dreamer may be totally unaware of haboring these desires in his waking life. In other words, dreams are suppressed wishes in disguise. *This, according to Freud, is the case even when, on the surface, the wish content appears to be nonsensical or, as in the following passage, completely at variance with the personality of the dreamer.*

Ein anderer Traum von mehr düsterem Charakter wurde mir gleichfalls von einer Patientin als Einspruch gengen die Theorie des Wunschtraumes vorgetragen. Die Patientin, ein junges Mädchen, begann: Sie erinnern sich, daß meine Schwester jetzt nur einen Buben hat, den Karl; den älteren, Otto, hat sie verloren, als ich noch in ihrem Hause war. Otto war mein Liebling, ich habe ihn eigentlich erzogen. Den Kleinen habe ich auch gern, aber natürlich lange nicht so sehr wie den Verstorbenen. Nun träume ich diese Nacht, *daß ich den Karl tot vor mir liegen sehe. Er liegt in seinem kleinen Sarg, die Hände gefaltet, Kerzen ringsherum, kurz ganz so wie damals der kleine Otto, dessen Tod mich so erschüttert hat.* Nun sagen Sie mir, was soll das heißen? Sie kennen mich ja; bin ich eine so schlechte Person, 5 daß ich meiner Schwester den Verlust des einzigen Kindes wünschen sollte, das sie noch besitzt? Oder heißt der Traum, daß ich lieber den Karl tot wünschte als den Otto, den ich um so viel lieber gehabt habe?

Ich versicherte ihr, daß diese letzte Deutung ausgeschlossen sei. 10 Nach kurzem Besinnen konnte ich ihr die richtige Deutung des Traumes sagen, die ich dann von ihr bestätigen ließ. Es gelang mir dies, weil mir die ganze Vorgeschichte der Träumerin bekannt war.

Frühzeitig verwaist, war das Mädchen im Hause ihrer um vieles 15 älteren Schwester aufgezogen worden und begegnete unter den Freunden und Besuchern des Hauses auch dem Manne, der einen bleibenden Eindruck auf ihr Herz machte. Es schien eine Weile, als ob diese kaum ausgesprochenen Beziehungen mit einer Heirat enden sollten, aber dieser glückliche Ausgang wurde durch die Schwester 20 vereitelt, deren Motive nie eine völlige Aufklärung gefunden haben. Nach dem Bruch mied der von unserer Patientin geliebte Mann das Haus; sie selbst machte sich einige Zeit nach dem Tod des kleinen Otto, an den sie ihre Zärtlichkeit unterdessen gewendet hatte, selbständig. Es gelang ihr aber nicht, sich von der Abhängig- 25 keit frei zu machen, in welche sie durch ihre Neigung zu dem Freund ihrer Schwester geraten war. Ihr Stolz gebot ihr, ihm auszuweichen; es war ihr aber unmöglich, ihre Liebe auf andere Bewerber zu übertragen, die sich in der Folge einstellten.[1] Wenn der geliebte Mann, der dem Literatenstand angehörte, irgendwo einen Vortrag ange- 30 kündigt hatte, war sie unfehlbar unter den Zuhörern zu finden, und auch sonst ergriff sie jede Gelegenheit, ihn am dritten Orte aus der Ferne zu sehen. Ich erinnerte mich, daß sie mir tags vorher erzählt

[1] **die sich . . . einstellten:** 'who subsequently appeared on the scene.'

hatte, der Professor ginge in ein bestimmtes Konzert, und sie wolle auch dorthin gehen, um sich wieder einmal seines Anblicks zu erfreuen. Das war am Tag vor dem Traum; an dem Tag, an dem sie mir den Traum erzählte, sollte das Konzert stattfinden. Ich konnte mir so die richtige Deutung leicht konstruieren und fragte sie, ob ihr irgendein Ereignis einfalle, das nach dem Tod des kleinen Otto eingetreten sie. Sie antwortete sofort: Gewiß, damals ist der Professor nach langem Ausbleiben wiedergekommen, und ich habe ihn an dem Sarg des kleinen Otto wieder einmal gesehen. Es war genau so, wie ich es erwartet hatte. Ich deutete also den Traum in folgender Art: „Wenn jetzt der andere Knabe stürbe, würde sich dasselbe wiederholen. Sie würden den Tag bei Ihrer Schwester zubringen, der Professor käme sicherlich hinauf, um zu kondolieren, und unter den nämlichen Verhältnissen[2] wie damals würden Sie ihn wiedersehen. Der Traum bedeutet nichts als diesen Ihren Wunsch nach Wiedersehen, gegen den Sie innerlich ankämpfen. Ich weiß, daß Sie das Billett für das heutige Konzert in der Tasche tragen. Ihr Traum ist ein Ungeduldstraum, er hat das Wiedersehen, das heute stattfinden soll, um einige Stunden verfrüht."

Zur Verdeckung ihres Wunsches hatte sie offenbar eine Situation gewählt, in welcher solche Wünsche unterdrückt zu werden pflegen, eine Situation, in der man von Trauer so sehr erfüllt ist, daß man an Liebe nicht denkt. Und doch ist es sehr gut möglich, daß auch in der realen Situation, welche der Traum getreulich kopierte, am Sarge des ersten, von ihr stärker geliebten Knaben sie die zärtliche Empfindung für den lange vermißten Besucher nicht hatte unterdrücken können.

[2] **unter den nämlichen Verhältnissen:** in the very same circumstances.

ÖDIPUS UND HAMLET ALS URALTE TRAUMSTOFFE

Like much of Freud's writing, The Interpretation of Dreams *is an exceedingly suggestive work, one which throws out the germs of many stimulating ideas, later to prove influential in such differing fields as mythology and education. The following passage is an especially good example of how Freud uses the insights of the psychologist to take a fresh look at important works of literature. Of course, his approach, like that of Marx (cf. p. 61, "Goethe und Shakespeare zur Frage: Was ist Geld?"), is not that of an entirely disinterested critic. At bottom, he is more concerned with illustrating his own theories than with literary criticism as such. Freud's literary technique is evident here in the way that the now celebrated "Oedipus complex" is introduced, almost incidentally, into a discussion of psychoneurosis. Needless to say, in 1900 this was an entirely novel concept and, as later developed by Freud, probably the most controversial of all his psychoanalytical theories. It is best explained, as in our extract, by Freud himself.*

While he is at great pains to show that patricide is a recurring motif in myth literature (as, indeed, it is), Freud's excursions into the subject are, nevertheless, somewhat selective. He is careful, for example, not to touch on those myths which tell of fraternal rivalry leading to fratricide (e.g., Cain and Abel). Even Hamlet *might be considered in this category if we remember that the plot hinges on Claudius having murdered his brother.*

Ein andermal hatte ich Gelegenheit, tiefe Einblicke in das unbewußte Seelenleben eines jungen Mannes zu tun, der durch Zwangsneurose[1] fast existenzunfähig, nicht auf die Straße gehen konnte weil ihn die Sorge quälte, er bringe alle Leute, die an ihm vorbeigingen, um. Er verbrachte seine Tage damit, die Beweisstücke für sein

[1] **Zwangsneurose:** obsessional neurosis. An irresistible urge to entertain certain thoughts or perform certain actions which in themselves are pointless; in addition there is a tendency for them to follow each other in a set, almost ritualistic, order.

Alibi in Ordnung zu halten, falls die Anklage wegen eines der in der Stadt vorgefallenen Morde gegen ihn erhoben werden sollte. Überflüssig zu bemerken, daß er ein ebenso moralischer wie fein gebildeter Mensch war. Die—übrigens zur Heilung führende—Analyse deckte als die Begründung dieser peinlichen Zwangsvorstellung[2] Mordimpulse gegen seinen etwas überstrengen Vater auf, die sich, als er sieben Jahre alt war, zu seinem Erstaunen bewußt geäußert hatten, aber natürlich aus weit früheren Kindesjahren stammten. Nach der qualvollen Krankheit und dem Tode des Vaters trat im 31. Lebensjahre der Zwangsvorwurf auf, der sich in Form jener Phobie[3] auf Fremde übertrug. Wer imstande war, seinen eigenen Vater von einem Berggipfel in den Abgrund stoßen zu wollen, dem ist allerdings zuzutrauen, daß er auch das Leben ferner Stehender nicht schone; der tut darum recht daran, sich in seine Zimmer einzuschließen.

Nach meinen bereits zahlreichen Erfahrungen spielen die Eltern im Kinderseelenleben aller späteren Psychoneurotiker die Hauptrolle, und Verliebtheit gegen den einen, Haß gegen den andern Teil des Elternpaares gehören zum eisernen Bestand des in jener Zeit gebildeten und für die Symptomatik der späteren Neurose so bedeutsamen Materials an psychischen Regungen.[4] Ich glaube aber nicht, daß die Psychoneurotiker sich hierin von anderen normal verbleibenden Menschenkindern scharf sondern, indem sie absolut Neues und ihnen Eigentümliches zu schaffen vermögen. Es ist bei weitem wahrscheinlicher und wird durch gelegentliche Beobachtungen an normalen Kindern unterstützt, daß sie auch mit diesen verliebten und feindseligen Wünschen gegen ihre Eltern uns nur durch die Vergrößerung kenntlich machen, was minder deutlich und

[2] **Zwangsvorstellung:** monomania, obsession.

[3] **Phobie:** phobia. An excessive and persistent fear of certain objects or of engaging in certain activities.

[4] **gehören zum eisernen . . . Regungen:** 'are always to be found in the stock of psychical impulses which was formed at that time and which is so important in determining the symptoms of the subsequent neurosis.' The latter part of this sentence becomes rather involved, partly because of the long adjectival phrase modifying **Material,** partly because there is no precise English equivalent of **eiserner Bestand** *lit.* "an iron stock or supply": i.e., the bare minimum, essentials. (Cf. English "iron rations.")

weniger intensiv in der Seele der meisten Kinder vorgeht. Das Altertum hat uns zur Unterstützung dieser Erkenntnis einen Sagenstoff überliefert, dessen durchgreifende und allgemeingültige Wirksamkeit nur durch eine ähnliche Allgemeingültigkeit der besprochenen Voraussetzung aus der Kinderpsychologie verständlich wird.[5]

Ich meine die Sage vom König Ödipus und das gleichnamige Drama des Sophokles.[6] Ödipus der Sohn des Laïos, Königs von Theben, und der Jokaste, wird als Säugling ausgesetzt, weil ein Orakel dem Vater verkündet hatte, der noch ungeborene Sohn werde sein Mörder sein. Er wird gerettet und wächst als Königssohn an einem fremden Hofe auf, bis er, seiner Herkunft unsicher, selbst das Orakel befragt und von ihm den Rat erhält, die Heimat zu meiden, weil er der Mörder seines Vaters und Ehegemahl seiner Mutter werden müßte. Auf dem Wege von seiner vermeintlichen Heimat weg trifft er mit König Laïos zusammen und erschlägt ihn in rasch entbranntem Streit. Dann kommt er vor Theben, wo er die Rätsel der den Weg sperrenden Sphinx löst und zum Dank dafür von den Thebanern zum König gewählt und mit Jokastes Hand beschenkt wird. Er regiert lange Zeit in Frieden und Würde und zeugt mit der ihm unbekannten Mutter zwei Söhne und zwei Töchter, bis eine Pest ausbricht, welche eine neuerliche Befragung des Orakels von seiten der Thebaner veranlaßt. Hier setzt die Tragödie des Sophokles ein. Die Boten bringen den Bescheid, daß die Pest aufhören werde, wenn der Mörder des Laïos aus dem Lande getrieben sei. Wo aber weilt der?

„Wo findet sich
die schwer erkennbar dunkle Spur der alten Schuld?“[7]

Die Handlung des Stückes besteht nun in nichts anderem als in

---

[5] **Das Altertum . . . verständlich wird:** 'From classical antiquity we have inherited a legend which lends support to this discovery, a legend whose sweeping and universal power to move only becomes comprehensible if the theory I have advanced about child psychology has a similar universal validity.'

[6] One of the seven dramas of Sophocles (*ca.* 496–406 B.C.) that have survived complete, generally assumed by scholars to have been composed toward the end of his career.

[7] Freud quotes from the Sophocles translation (vv. 109*ff.*) of Johann Jakob Donner (1799–1875).

der schrittweise gesteigerten und kunstvoll verzögerten Enthüllung—der Arbeit einer Psychoanalyse vergleichbar—, daß Ödipus selbst der Mörder des Laïos, aber auch der Sohn des Ermordeten und der Jokaste ist. Durch seine unwissentlich verübten Greuel erschüttert, blendet sich Ödipus und verläßt die Heimat. Der Orakelspruch ist erfüllt.

„König Ödipus" ist eine sogenannte Schicksalstragödie; ihre tragische Wirkung soll auf dem Gegensatz zwischen dem übermächtigen Willen der Götter und dem vergeblichen Sträuben der vom Unheil bedrohten Menschen beruhen; Ergebung in den Willen der Gottheit, Einsicht in die eigene Ohnmacht soll der tief ergriffene Zuschauer aus dem Trauerspiele lernen. Folgerichtig haben moderne Dichter es versucht, eine ähnliche tragische Wirkung zu erzielen, indem sie den nämlichen Gegensatz mit einer selbsterfundenen Fabel verwoben. Allein die Zuschauer haben ungerührt zugesehen, wie trotz alles Sträubens schuldloser Menschen ein Fluch oder Orakelspruch sich an ihnen vollzog; die späteren Schicksalstragödien sind ohne Wirkung geblieben.[8]

Wenn der König Ödipus den modernen Menschen nicht minder zu erschüttern weiß als den zeitgenössischen Griechen, so kann die Lösung wohl nur darin liegen, daß die Wirkung der griechischen Tragödie nicht auf dem Gegensatz zwischen Schicksal und Menschenwillen ruht, sondern in der Besonderheit des Stoffes zu suchen ist, an welchem dieser Gegensatz erwiesen wird. Es muß eine Stimme in unserem Innern geben, welche die zwingende Gewalt des Schicksals im Ödipus anzuerkennen bereit ist, während wir Verfügungen[9] wie in der „Ahnfrau" oder in anderen Schicksalstragödien als willkürliche zurückzuweisen vermögen. Und ein solches Moment[10] ist in der Tat in der Geschichte des Königs Ödipus enthalten.

8 As the reference to Grillparzer's play *Die Ahnfrau* (1817) in the next paragraph makes clear, Freud is thinking primarily of the so-called "fate-tragedies" of the Romantic era, where the idea of a fatal destiny is connected, often rather arbitrarily, with some long-forgotten crime to produce a horrific plot, not the more legitimate examples of this genre such as Goethe's *Iphigenie* or Schiller's *Wallenstein*.

9 **Verfügung:** contrivance, device.

10 **Moment:** impulse, motif, suggestion. (Cf. p. 69, note 2.)

Sein Schicksal ergreift uns nur darum, weil es auch das unsrige hätte werden können, weil das Orakel vor unserer Geburt denselben Fluch über uns verhängt hat wie über ihn. Uns allen vielleicht war es beschieden, die erste sexuelle Regung auf die Mutter, den ersten
5 Haß und gewalttätigen Wunsch[11] gegen den Vater zu richten; unsere Träume überzeugen uns davon. König Ödipus, der seinen Vater Laïos erschlagen und seine Mutter Jokaste geheiratet hat, ist nur die Wunscherfüllung unserer Kindheit. Aber glücklicher als er, ist es uns seitdem, insofern wir nicht Psychoneurotiker geworden sind,
10 gelungen, unsere sexuellen Regungen von unseren Müttern abzulösen, unsere Eifersucht gegen unsere Väter zu vergessen. Vor der Person, an welcher sich jener urzeitliche Kindheitswunsch erfüllt hat, schaudern wir zurück mit dem ganzen Betrag der Verdrängung,[12] welche diese Wünsche in unserem Innern seither erlitten
15 haben. Während der Dichter in jener Untersuchung die Schuld des Ödipus ans Licht bringt, nötigt er uns zur Erkenntnis unseres eigenen Innern, in dem jene Impulse, wenn auch unterdrückt, noch immer vorhanden sind. Die Gegenüberstellung, mit der uns der Chor verläßt,

> . . . „sehet, das ist Ödipus,
> der entwirrt die hohen Rätsel und der erste war an
> Macht,
> dessen Glück die Bürger alle priesen und beneideten;
> Seht, in welches Mißgeschickes grause Wogen er versank!“[13]

20 diese Mahnung trifft uns selbst und unseren Stolz, die wir seit den Kinderjahren so weise und so mächtig geworden sind in unserer

---

[11] **gewalttätiger Wunsch:** desire to resort to violence.

[12] **mit dem ganzen Betrag der Verdrängung:** 'with the sum total of the repression.' The verb **verdrängen** (*lit.*, to displace or drive back) is used by Freud to describe the process whereby the individual conceals his real desires from himself by pushing them deeper into the unconscious—and the same thing can happen with memories, especially unpleasant memories. In the generally accepted translation of "repression," this concept has probably gained wider currency in the English-speaking world than in the original German. Not to be confused with "suppression," which, in the language of psychoanalysis, can refer to the same process, but only when it is *conscious* and *voluntary*.

[13] vv. 1524*ff*.

Schätzung. Wie Ödipus leben wir in Unwissenheit der die Moral beleidigenden Wünsche, welche die Natur uns aufgenötigt hat, und nach deren Enthüllung möchten wir wohl alle den Blick abwenden von den Szenen unserer Kindheit.

Daß die Sage von Ödipus einem uralten Traumstoff entsprossen ist, welcher jene peinliche Störung des Verhältnisses zu den Eltern durch die ersten Regungen der Sexualität zum Inhalte hat, dafür findet sich im Texte der Sophokleischen Tragödie selbst ein nicht mißzuverstehender Hinweis. Jokaste tröstet den noch nicht aufgeklärten, aber durch die Erinnerung der Orakelsprüche besorgt gemachten Ödipus durch die Erwähnung eines Traums, den ja so viele Menschen träumen, ohne daß er, meint sie, etwas bedeute:

„*Denn viele Menschen sahen auch in Träumen schon*
Sich zugesellt der Mutter: Doch wer alles dies
Für nichtig achtet, trägt die Last des Lebens leicht.“[14]

Der Traum, mit der Mutter sexuell zu verkehren, wird ebenso wie damals auch heute vielen Menschen zuteil, die ihn empört und verwundert erzählen. Er ist, begreiflich, der Schlüssel der Tragödie und das Ergänzungsstück zum Traum vom Tod des Vaters. Die Ödipus-Fabel ist die Reaktion der Phantasie auf diese beiden typischen Träume, und wie die Träume von Erwachsenen mit Ablehnungsgefühlen erlebt werden, so muß die Sage Schreck und Selbstbestrafung in ihren Inhalt mit aufnehmen.[15] Ihre weitere Gestaltung rührt wiederum von einer mißverständlichen sekundären Bearbeitung des Stoffes her,[16] welche ihn einer theologisierenden Absicht dienstbar zu machen sucht. Der Versuch, die göttliche Allmacht mit der menschlichen Verantwortlichkeit zu vereinigen, muß natürlich an diesem Material wie an jedem andern mißlingen.

Auf demselben Boden wie „König Ödipus“ wurzelt eine andere der großen tragischen Dichterschöpfungen, der „Hamlet“ Shake-

[14] vv. 955*ff*.

[15] **mit** is used here adverbially and therefore not joined to the verb (cf. Nietzsche, p. 148, note 13).

[16] **Ihre weitere . . . her:** ‘The form it subsequently assumes arises in turn from a misconceived secondary revision of the material.’

speares. Aber in der veränderten Behandlung des nämlichen Stoffes offenbart sich der ganze Unterschied im Seelenleben der beiden weit auseinander liegenden Kulturperioden, das säkulare Fortschreiten der Verdrängung im Gemütsleben[17] der Menschheit. Im „Ödipus“ 5 wird die zugrunde liegende Wunschphantasie des Kindes[18] wie im Traum ans Licht gezogen und realisiert; im „Hamlet“ bleibt sie verdrängt, und wir erfahren von ihrer Existenz—dem Sachverhalt[19] bei einer Neurose ähnlich—nur durch die von ihr ausgehenden Hemmungswirkungen.[20] Mit der überwältigenden Wirkung des moder- 10 nen Dramas hat es sich eigentümlicherweise als vereinbar gezeigt, daß man über den Charakter des Helden in voller Unklarheit verbleiben[21] könne. Das Stück ist auf die Zögerung Hamlets gebaut, die ihm zugeteilte Aufgabe der Rache zu erfüllen; welches die Gründe oder Motive dieser Zögerung sind, gesteht der Text nicht ein, die viel- 15 fältigsten Deutungsversuche haben es nicht anzugeben vermocht. Nach der heute noch herrschenden, durch Goethe begründeten Auffassung stellt Hamlet den Typus des Menschen dar, dessen frische Tatkraft durch die überwuchernde Entwicklung der Gedankentätigkeit gelähmt wird („Von des Gedankens Blässe 20 angekränkelt“)[22]. Nach anderen hat der Dichter einen krankhaften, unentschlossenen, in das Bereich der Neurasthenie[23] fallenden Charakter zu schildern versucht. Allein die Fabel des Stückes lehrt, daß Hamlet uns keineswegs als eine Person erscheinen soll, die des Handelns überhaupt unfähig ist. Wir sehen ihn zweimal handelnd

---

17 **Gemütsleben:** emotional life.

18 **die zugrunde liegende Wunschphantasie des Kindes:** the basic wish-fantasy of childhood.

19 **Sachverhalt:** state of affairs. Idiomatic English would probably express this whole phrase more simply: 'much the same as in a case of neurosis.'

20 **Hemmungswirkungen:** inhibiting effects.

21 The prefix **ver-** helps to suggest "remaining in," or "persisting in" (a state of mind, etc.) rather than the simple, more physical "remaining behind," "being left over" indicated by **bleiben.**

22 **„Von des Gedankens Blässe angekränkelt“:** "sicklied o'er by the pale cast of thought," *Hamlet* III, i. Freud quotes from the Schlegel-Tieck translation.

23 The most characteristic feature of neurasthenia, yet another type of neurosis, is nervous exhaustion, usually brought about by emotional conflicts, and sometimes coupled with localized pains that have no apparent physical cause.

auftreten, das einemal in rasch auffahrender Leidenschaft, wie er den Lauscher hinter der Tapete niederstößt, ein anderesmal planmäßig, ja selbst arglistig, indem er mit der vollen Unbedenklichkeit[24] des Renaissanceprinzen die zwei Höflinge in den ihm selbst zugedachten Tod schickt. Was hemmt ihn also bei der Erfüllung der Aufgabe, die der Geist seines Vaters ihm gestellt hat? Hier bietet sich wieder die Auskunft, daß es die besondere Natur dieser Aufgabe ist. Hamlet kann alles, nur nicht die Rache an dem Mann vollziehen, der seinen Vater beseitigt und bei seiner Mutter dessen Stelle eingenommen hat, an dem Mann, der ihm die Realisierung seiner verdrängten Kinderwünsche zeigt. Der Abscheu, der ihn zur Rache drängen sollte, ersetzt sich so bei ihm durch Selbstvorwürfe, durch Gewissenskrupel, die ihm vorhalten,[25] daß er, wörtlich verstanden, selbst nicht besser sei als der von ihm zu strafende Sünder. Ich habe dabei ins Bewußte übersetzt, was in der Seele des Helden unbewußt bleiben muß; wenn jemand Hamlet einen Hysteriker nennen will, kann ich es nur als Folgerung aus meiner Deutung anerkennen. Die Sexualabneigung stimmt sehr wohl dazu, die Hamlet dann im Gespräch mit Ophelia äußert,[26] die nämliche Sexualabneigung, die von der Seele des Dichters in den nächsten Jahren immer mehr Besitz nehmen sollte, bis zu ihren Gipfeläußerungen im „Timon von Athen".[27] Es kann natürlich nur das eigene Seelenleben des Dichters gewesen sein, das uns im Hamlet entgegentritt; ich entnehme dem Werk von Georg Brandes[28] über Shakespeare (1896) die Notiz, daß das Drama unmittelbar nach dem Tode von Shakespeares Vater (1601), also in der frischen Trauer um ihn, in der Wiederbelebung, dürfen wir annehmen, der auf den Vater bezüglichen Kindheits-

---

24 **Unbedenklichkeit:** unscrupulousness, callousness.

25 **jemandem etwas vorhalten:** to remonstrate with someone, reproach someone with something.

26 The word order here is rather free, with the relative pronoun some distance from the noun (**Sexualabneigung**) it qualifies.

27 Compare this perceptive hint of a psychological interpretation of *Timon of Athens* with Marx's "economic" approach (pp. 61-67).

28 Georg Brandes (1842–1927) was a noted Danish scholar and critic, whose interests ranged widely over the field of European letters. He was one of the first to draw attention to Nietzsche, and the book on Shakespeare, referred to by Freud, as well as his detailed study of Goethe (1915), can still be read with profit.

empfindungen gedichtet worden ist.[29] Bekannt ist auch, daß Shakespeares früh verstorbener Sohn den Namen Hamnet (identisch mit Hamlet) trug. Wie Hamlet das Verhältnis des Sohnes zu den Eltern behandelt, so ruht der in der Zeit nahestehende „Macbeth" auf dem
5 Thema der Kinderlosigkeit. Wie übrigens jedes neurotische Symptom, wie selbst der Traum der Überdeutung[30] fähig ist, ja dieselbe zu seinem vollen Verständnis fordert, so wird auch jede echte dichterische Schöpfung aus mehr als aus einem Motiv und einer Anregung in der Seele des Dichters hervorgegangen sein und mehr als eine Deu-
10 tung zulassen. Ich habe hier nur die Deutung der tiefsten Schicht von Regungen in der Seele des schaffenden Dichters versucht.[31]

Ich kann die typischen Träume vom Tode teurer Verwandter nicht verlassen, ohne daß ich deren Bedeutung für die Theorie des Traumes überhaupt noch einigen Worten beleuchte.
15 Diese Träume zeigen uns den recht ungewöhnlichen Fall verwirklicht, daß der durch den verdrängten Wunsch gebildete Traumgedanke jeder Zensur entgeht und unverändert in den Traum übertritt. Es müssen besondere Verhältnisse sein, die solches Schicksal ermöglichen.[32] Ich finde die Begünstigung für diese Träume in folgenden
20 zwei Momenten:[33] Erstens gibt es keinen Wunsch, von dem wir uns ferner glauben; wir meinen, das zu wünschen könnte „uns auch im Traume nicht einfallen", und darum ist die Traumzensur gegen dieses Ungeheuerliche nicht gerüstet, ähnlich etwa wie die Gesetzgebung Solons[34] keine Strafe für den Vatermord aufzustellen wußte.

---

29 **unmittelbar nach dem Tode . . . gedichtet worden ist:** 'was written immediately after the death of Shakespeare's father (1601)—that is, while he was still stricken with grief at losing him, in that moment, we may assume, when his childhood feelings toward his father were being rekindled.'

30 **Überdeutung:** over-interpretation.

31 Later editions include a footnote at this point, referring the reader to a fascinating attempt by Freud's close colleague and friend, Ernest Jones, to psychoanalyze a Shakespearian character, first presented as a paper in 1910 under the title *The Oedipus Complex as an Explanation of Hamlet's Mystery* and reissued in more complete form in 1949 as *Hamlet and Oedipus*.

32 In this context **Schicksal** should not be understood too literally. The sense is clearly: '. . . which make such a thing possible.'

33 **Moment:** See p. 179, note 10. 'It is my opinion that these dreams are facilitated by the following two factors. . . .'

34 Solon (*ca.* 638–*ca.* 558 B.C.) was the Athenian statesman and jurist who drew up the democratic laws of his native city.

Zweitens aber kommt dem verdrängten und nicht geahnten Wunsch gerade hier besonders häufig ein Tagesrest[35] entgegen[36] in Gestalt einer *Sorge* um das Leben der teuren Person. Diese Sorge kann sich nicht anders in den Traum eintragen, als indem sie sich des gleichlautenden Wunsches bedient;[37] der Wunsch aber kann sich mit der am Tage rege gewordenen Sorge maskieren. Wenn man meint, daß dies alles einfacher zugeht, daß man eben bei Nacht und im Traum nur fortsetzt was man bei Tag angesponnen[38] hat, so läßt man die Träume vom Tode teurer Personen[39] eben außer allem Zusammenhang mit der Traumerklärung und hält ein sehr wohl reduzierbares Rätsel überflüssigerweise fest.[40]

Die Traumdeutung (1900), Kap. V,
from Collected Works,

IST DER DICHTER BLOß EIN TAGTRÄUMER?

This extract, the latter half of a short essay first published in 1908, subsequently appeared in English as The Relation of the Poet to Daydreaming, *a title later emended to* Creative Writers

[35] **Tagesrest:** 'residue from the previous day.'

[36] **entgegenkommen:** to meet halfway, come to the aid of, be beneficial to.

[37] **Diese Sorge . . . bedient:** 'This worry can only find its way into the dream by making use of the wish corresponding exactly to it.'

[38] **anspinnen:** to start thinking about, grapple with, turn over in one's mind.

[39] The example given on pp. 173-175 is only one of several dreams about the death of persons dear to the dreamer which Freud heard from his patients.

[40] **und hält . . . fest:** 'and one is left quite unnecessarily with a riddle which undoubtedly can be solved.' **Überflüssigerweise** seems to be used here more in the sense of **unnötigerweise.**

and Daydreaming. *The essay itself represents the enlarged version of a lecture Freud had given in Vienna the preceding year. He devoted much thought to the problem of explaining the mechanism of poetic creation. Now, in his own words, he had set out to discover "from what sources . . . the creative writer draws his material, and how he manages to make such an impression on us with it and to arouse in us emotions of which, perhaps, we had not even thought ourselves capable." If the artist does create by "daydreaming," the implication, hinted at in our opening paragraph, would seem to be that he shares some traits with the neurotic. Does this then mean that art is a form of neurosis to which we are all in varying degress susceptible? And would the corollary follow that, if the psychoanalyst could but devise a suitable therapy, we should have no need of art?*

Es wäre noch vielerlei über die Phantasien[1] zu sagen; ich will mich aber auf die knappsten Andeutungen beschränken. Das Überwuchern und Übermächtigwerden der Phantasien stellt die Bedingungen für den Verfall in Neurose oder Psychose her;[2] die Phantasien 5 sind auch die nächsten seelischen Vorstufen der Leidenssymptome, über welche unsere Kranken klagen. Hier zweigt ein breiter Seitenweg zur Pathologie[3] ab.

Nicht übergehen kann ich aber die Beziehung der Phantasien zum Traume. Auch unsere nächtlichen Träume sind nichts anderes 10 als solche Phantasien, wie wir durch die Deutung der Träume evident machen können. Die Sprache hat in ihrer unübertrefflichen Weisheit die Frage nach dem Wesen der Träume längst entschieden, indem sie die luftigen Schöpfungen Phantasierender auch „Tagträume" nennen ließ. Wenn trotz dieses Fingerzeiges der Sinn unserer 15 Träume uns zumeist undeutlich bleibt, so rührt dies von dem einen Umstande her, daß nächtlicherweise auch solche Wünsche in uns

1 **Phantasien:** daydreams, reveries.

2 **Das Überwuchern . . . stellt . . . her:** 'When daydreams run riot and gain the upper hand, conditions are ripe for a lapse into neurosis or psychosis.' In a neurosis only one aspect of the personality is affected, whereas a psychosis signifies a serious disturbance of the whole personality.

3 Pathology is that branch of medicine concerned with the causes and effects of disease.

rege werden, deren wir uns schämen und die wir vor uns selbst verbergen müssen, die eben darum verdrängt [4] ins Unbewußte geschoben wurden. Solchen verdrängten Wünschen und ihren Abkömmlingen kann nun kein anderer als ein arg entstellter Ausdruck gegönnt werden.[5] Nachdem die Aufklärung der *Traumentstellung*[6] der wissenschaftlichen Arbeit gelungen war, fiel es nicht mehr schwer zu erkennen, daß die nächtlichen Träume ebensolche Wunscherfüllungen sind wie die Tagträume, die uns allen so wohlbekannten Phantasien.

Soviel von den Phantasien, und nun zum Dichter! Dürfen wir wirklich den Versuch machen, den Dichter mit dem „Träumer am hellichten Tag" seine Schöpfungen mit Tagträumen zu vergleichen? Da drängt sich wohl eine erste Unterscheidung auf; wir müssen die Dichter, die fertige Stoffe übernehmen wie die alten Epiker und Tragiker, sondern von jenen, die ihre Stoffe frei zu schaffen scheinen. Halten wir uns an die letzteren und suchen wir für unsere Vergleichung nicht gerade jene Dichter aus, die von der Kritik am höchsten geschätzt werden, sondern die anspruchsloseren Erzähler von Romanen, Novellen und Geschichten, die dafür die zahlreichsten und eifrigsten Leser und Leserinnen finden. An den Schöpfungen dieser Erzähler muß uns vor allem ein Zug auffällig werden; sie alle haben einen Helden, der im Mittelpunkt des Interesses steht, für den der Dichter unsere Sympathie mit allen Mitteln zu gewinnen sucht, und den er wie mit einer besonderen Vorsehung zu beschützen scheint. Wenn ich am Ende eines Romankapitels den Helden bewußtlos, aus schweren Wunden blutend verlassen habe, so bin ich sicher, ihn zu Beginn des nächsten in sorgsamster Pflege und auf dem Wege der Herstellung zu finden, und wenn der erste Band mit dem Untergange des Schiffes im Seesturme geendigt hat, auf dem unser Held sich befand, so bin ich sicher, zu Anfang des zweiten Bandes von seiner wunderbaren Rettung zu lesen, ohne die der

[4] **verdrängen:** see p. 180, note 12.

[5] **Solchen verdrängten Wünschen . . . gegönnt werden:** 'Such repressed desires and their offshoots are only allowed to express themselves in a highly distorted form.'

[6] **Traumentstellung:** dream distortion.

Roman ja keinen Fortgang hätte. Das Gefühl der Sicherheit, mit dem ich den Helden durch seine gefährlichen Schicksale begleite, ist das nämliche, mit dem ein wirklicher Held sich ins Wasser stürzt, um einen Ertrinkenden zu retten, oder sich dem feindlichen Feuer
5 aussetzt, um eine Batterie zu stürmen, jenes eigentliche Heldengefühl, dem einer unserer besten Dichter den köstlichen Ausdruck geschenkt hat: „Es kann dir nix g'schehen."[7] Ich meine aber, an diesem verräterischen Merkmal der Unverletzlichkeit[8] erkennt man ohne Mühe—Seine Majestät das Ich, den Helden aller Tagträume
10 wie aller Romane.

Noch andere typische Züge dieser egozentrischen Erzählungen deuten auf die gleiche Verwandtschaft hin. Wenn sich stets alle Frauen des Romans in den Helden verlieben, so ist das kaum als Wirklichkeitsschilderung aufzufassen, aber leicht als notwendiger
15 Bestand des Tagtraumes zu verstehen. Ebenso wenn die anderen Personen des Romans sich scharf in gute und böse scheiden, unter Verzicht auf die in der Realität zu beobachtende Buntheit menschlicher Charaktere; die „guten" sind eben die Helfer, die „bösen" aber die Feinde und Konkurrenten des zum Helden gewordenen Ichs.
20 Wir verkennen nun keineswegs, daß sehr viele dichterische Schöpfungen sich von dem Vorbilde des naiven Tagtraumes weit entfernt halten, aber ich kann doch die Vermutung nicht unterdrücken, daß auch die extremsten Abweichungen durch eine lückenlose Reihe von Übergängen mit diesem Modelle in Beziehung
25 gesetzt werden könnten.[9] Noch in vielen der sogenannten psychologischen Romane ist mir aufgefallen, daß nur eine Person, wiederum der Held, von innen geschildert wird; in ihrer Seele[10] sitzt

---

7 This saying is taken from a collection of tales—*Märchen des Steinklopferhans* (1874/75)—by the Viennese dramatist Ludwig Anzengruber (1839–89) and obviously appealed to Freud, as we find it quoted elsewhere in his writings. But, as often happens with quotations, it is not quite correctly cited. Anzengruber's work closes with the line "Es kann uns nix g'schegh'n," which is in turn, one supposes, the echo of a well-known verse by Paul Fleming (1609–40): "Es kann mir nichts geschehen."

8 **Unverletzlichkeit:** inviolability.

9 **daß auch . . . werden könnten:** 'that even the most extreme deviations can be linked with this model by a whole range of transitional cases.'

10 The feminine possessive (**ihrer**) seems almost hypercorrect but is grammatically

gleichsam der Dichter und schaut die anderen Personen von außen an. Der psychologische Roman verdankt im ganzen wohl seine Besonderheit der Neigung des modernen Dichters, sein Ich durch Selbstbeobachtung in Partial-Ichs zu zerspalten und demzufolge die Konfliktströmungen seines Seelenlebens in mehreren Helden zu personifizieren. In einem ganz besonderen Gegensatze zum Typus des Tagestraumes scheinen die Romane zu stehen, die man als „exzentrische" bezeichnen könnte, in denen die als Held eingeführte Person die geringste tätige Rolle spielt, vielmehr wie ein Zuschauer die Taten und Leiden der anderen an sich vorüberziehen sieht. Solcher Art sind mehrere der späteren Romane Zolas. Doch muß ich bemerken, daß die psychologische Analyse nicht dichtender, in manchen Stücken von der sogenannten Norm abweichender Individuen uns analoge Variationen der Tagträume kennen gelehrt hat, in denen sich das Ich mit der Rolle des Zuschauers bescheidet.[11]

Wenn unsere Gleichstellung des Dichters mit dem Tagträumer, der poetischen Schöpfung mit dem Tagtraum, wertvoll werden soll, so muß sie sich vor allem in irgend einer Art fruchtbar erweisen. Versuchen wir etwa, unseren vorhin aufgestellten Satz von der Beziehung der Phantasie zu den drei Zeiten und zum durchlaufenden Wunsche auf die Werke der Dichter anzuwenden und die Beziehungen zwischen dem Leben des Dichters und seinen Schöpfungen mit dessen Hilfe zu studieren.[12] Man hat in der Regel nicht gewußt, mit welchen Erwartungsvorstellungen[13] man an dieses Problem

---

unassailable, since **Held** is not the antecedent of the pronoun, but is merely in apposition with the antecedent, **Person.**

11 **sich bescheiden:** *here,* to content oneself with.

12 In the earlier part of this essay Freud attempts an analysis of the relationship of daydreaming to time, distinguishing three points in time (**drei Zeiten**) which, taken together, precipitate the fantasy. First the mind seizes upon an impression or an occasion in the present which arouses a dormant but major wish. In the second stage of the process, there is recall of an earlier experience where this wish was fulfilled, and, as the third and final step, a future situation is imagined which represents yet another fulfillment of the wish. In Freud's own words: "Also Vergangenes, Gegenwärtiges, Zukünftiges wie an der Schnur des durchlaufenden Wunsches aneinandergereiht."

13 **Erwartungsvorstellungen:** expectations.

herangehen soll; häufig hat man sich diese Beziehung viel zu einfach vorgestellt. Von der an den Phantasien gewonnenen Einsicht her[14] müßten wir folgenden Sachverhalt erwarten: Ein starkes aktuelles[15] Erlebnis weckt im Dichter die Erinnerung an ein früheres, meist der 5 Kindheit angehöriges Erlebnis auf, von welchem nur der Wunsch ausgeht, der sich in der Dichtung seine Erfüllung schafft; die Dichtung selbst läßt sowohl Elemente des frischen Anlasses[16] als auch der alten Erinnerung erkennen.

Erschrecken Sie nicht über die Kompliziertheit dieser Formel; 10 ich vermute, daß sie sich in Wirklichkeit als ein zu dürftiges Schema erweisen wird, aber eine erste Annäherung an den realen Sachverhalt könnte doch in ihr enthalten sein, und nach einigen Versuchen, die ich unternommen habe, sollte ich meinen,[17] daß eine solche Betrachtungsweise dichterischer Produktionen nicht unfruchtbar aus15 fallen kann. Sie vergessen nicht, daß die vielleicht befremdende Betonung der Kindheitserinnerung im Leben des Dichters sich in letzter Linie von der Voraussetzung ableitet, daß die Dichtung wie der Tagtraum Fortsetzung und Ersatz des einstigen kindlichen Spielens ist.

20 Versäumen wir nicht, auf jene Klasse von Dichtungen zurückzugreifen, in denen wir nicht freie Schöpfungen, sondern Bearbeitungen fertiger und bekannter Stoffe erblicken müssen. Auch dabei verbleibt dem Dichter ein Stück Selbständigkeit, das sich in der Auswahl des Stoffes und in der oft weitgehenden Abänderung 25 desselben äußern darf. Soweit die Stoffe aber gegeben sind, entstammen sie dem Volksschatze an Mythen, Sagen und Märchen. Die Untersuchung dieser völkerpsychologischen Bildungen ist nun keineswegs abgeschlossen, aber es ist z. B. von den Mythen durchaus wahrscheinlich, daß sie den entstellten Überresten von Wunsch-

---

14 **her** serves to reinforce the sense of "coming from," *hence* 'starting with this insight.'

15 **aktuell:** topical, immediate, (*not* actual!).

16 **Elemente des frischen Anlasses:** 'elements of the occasion which recently stimulated it.'

17 **sollen** is used here to express a cautious hypothesis, akin to English "I should think."

phantasien ganzer Nationen, den *Säkularträumen* der jungen Menschheit, entsprechen.[18]

Sie werden sagen, daß ich Ihnen von den Phantasien weit mehr erzählt habe als vom Dichter, den ich doch im Titel meines Vortrages vorangestellt. Ich weiß das und versuche es durch den Hinweis auf den heutigen Stand unserer Erkenntnis zu entschuldigen. Ich konnte Ihnen nur Anregungen und Aufforderungen[19] bringen, die von dem Studium der Phantasien her[20] auf das Problem der dichterischen Stoffwahl übergreifen.[21] Das andere Problem, mit welchen Mitteln der Dichter bei uns die Affektwirkungen[22] erziele, die er durch seine Schöpfungen hervorruft, haben wir überhaupt noch nicht berührt. Ich möchte Ihnen wenigstens noch zeigen, welcher Weg von unseren Erörterungen über die Phantasien zu den Problemen der poetischen Effekte führt.[23]

Sie erinnern sich, wir sagten, daß der Tagträumer seine Phantasien vor anderen sorgfältig verbirgt, weil er Gründe verspürt, sich ihrer zu schämen. Ich füge nun hinzu, selbst wenn er sie uns mitteilen würde, könnte er uns durch solche Enthüllung keine Lust bereiten. Wir werden von solchen Phantasien, wenn wir sie erfahren, abgestoßen oder bleiben höchstens kühl gegen sie. Wenn aber der Dichter uns seine Spiele vorspielt oder uns das erzählt, was wir für seine persönlichen Tagträume zu erklären geneigt sind, so empfinden wir hohe, wahrscheinlich aus vielen Quellen zusammenfließende Lust. Wie der Dichter das zustande bringt, das ist sein eigenstes Geheimnis; in der Technik der Überwindung jener Abstoßung, die gewiß mit den Schranken zu tun hat, welche sich zwischen jedem einzelnen Ich und den anderen erheben, liegt die eigentliche *Ars poe-*

---

[18] **daß sie den . . . entsprechen:** 'that they correspond to the distorted vestiges of the wish-fantasies of whole nations, to the dreams, many centuries old, of early humanity.'

[19] **Anregungen und Aufforderungen:** 'thought-provoking ideas and suggestions.'

[20] **her:** cf. p. 190, note 14.

[21] **auf etwas übergreifen:** to touch upon.

[22] **Affektwirkung:** emotional effect. **Affekt,** not to be confused with **Effekt,** is a psychological term for strong emotion or passion.

[23] **von unseren Erörterungen . . . führt:** 'leads from our discussion of fantasies to the problems of how poetry achieves its effect.'

tica.[24] Zweierlei Mittel dieser Technik können wir erraten: Der Dichter mildert den Charakter des egoistischen Tagtraumes durch Abänderungen und Verhüllungen und besticht[25] uns durch rein formalen, d. h. ästhetischen Lustgewinn, den er uns in der Darstellung seiner Phantasien bietet. Man nennt einen solchen Lustgewinn, der uns geboten wird, um mit ihm die Entbindung größerer Lust aus tiefer reichenden psychischen Quellen zu ermöglichen, eine *Verlockungsprämie* oder eine *Vorlust.*[26] Ich bin der Meinung, daß alle ästhetische Lust, die uns der Dichter verschafft, den Charakter solcher Vorlust trägt, und daß der eigentliche Genuß des Dichtwerkes aus der Befreiung von Spannungen in unserer Seele hervorgeht. Vielleicht trägt es sogar zu diesem Erfolge nicht wenig bei, daß uns der Dichter in den Stand setzt, unsere eigenen Phantasien nunmehr ohne jeden Vorwurf und ohne Schämen zu genießen. Hier stünden wir nun am Eingange neuer, interessanter und verwickelter Untersuchungen, aber, wenigstens für diesmal, am Ende unserer Erörterungen.

Aus dem Aufsatz Der Dichter und das Phantasieren (1908),
from Collected Works, Vol. VII,

DIE PSYCHOANALYTISCHE TECHNIK

Toward the end of his life, Freud wrote a summary of the new science of which he can justly claim to be the founder. The Out-

24 **in der Technik . . . Ars poetica:** 'in the technique of overcoming the repugnance, which certainly has some connection with the barriers arising between each individual ego and the others, is to be found the real *ars poetica.*'

25 **bestechen:** *here,* to allure, captivate.

26 **eine Verlockungsprämie oder eine Vorlust:** 'an incentive bonus or anticipatory pleasure.' Modeled on the German **Vorlust,** there is also the word "forepleasure" used by some English-speaking psychologists.

line of Psychoanalysis, *begun in July 1938, soon after his arrival in London, amounted to sixty-three handwritten pages by September of the same year. (Incidentally, all Freud's manuscripts were written by himself in a somewhat abbreviated longhand.) A serious operation, and then his death the following year, prevented him from returning to it, and so the* Outline *remained unfinished. Nevertheless, all indications are that the work is substantially complete in its present form, for what we possess corresponds pretty well with the author's intentions in the short preface.*

Despite its inviting title, the Outline *is not really a book for beginners, but rather a short manual for the initiated. Generally speaking, on account of its succinctness, it presupposes a good knowledge of Freud's writings and theories. As a feat of compression, it is unsurpassed. In addition, it shows quite clearly that, at the age of eighty-two, Freud had lost none of his forcefulness and clarity of expression. The following rather difficult extract is presented in the hope that the student will gain some idea of perhaps the most celebrated aspect of psychoanalytical technique directly from the man who first devised it.*

Der Traum ist also eine Psychose,[1] mit allen Ungereimtheiten, Wahnbildungen, Sinnestäuschungen einer solchen.[2] Eine Psychose zwar von kurzer Dauer, harmlos, selbst mit einer nützlichen Funktion betraut,[3] von der Zustimmung der Person eingeleitet, durch einen Willensakt von ihr beendet. Aber doch eine Psychose und wir lernen an ihr, daß selbst eine so tief gehende Veränderung des Seelenlebens rückgängig werden, der normalen Funktion Raum geben kann. Ist es dann kühn zu hoffen, daß es möglich sein müßte, auch die gefürchteten spontanen Erkrankungen des Seelenlebens unserem Einfluß zu unterwerfen und sie zur Heilung zu bringen?

Wir wissen schon manches zur Vorbereitung für diese Unternehmung. Nach unserer Voraussetzung hat das Ich die Aufgabe, den Ansprüchen seiner drei Abhängigkeiten von der Realität, dem Es

[1] Psychosis embraces those severer forms of mental disorder commonly referred to as insanity.

[2] **mit allen . . . einer solchen:** 'with all the absurdities, wild fantasies, and illusions of a psychosis.'

[3] **mit etwas betraut sein:** to be entrusted with.

und dem Über-Ich zu genügen[4] und dabei doch seine Organisation aufrecht zu halten, seine Selbständigkeit zu behaupten. Die Bedingung der in Rede stehenden Krankheitszustände kann nur eine relative oder absolute Schwächung des Ichs sein, die ihm die Erfül-
5 lung seiner Aufgaben unmöglich macht. Die schwerste Anforderung an das Ich ist wahrscheinlich die Niederhaltung der Triebansprüche des Es, wofür es große Aufwände an Gegenbesetzungen zu unterhalten hat.[5] Es kann aber auch der Anspruch des Über-Ichs so stark und so unerbitterlich werden, daß das Ich seinen anderen Aufgaben
10 wie gelähmt gegenüber steht. Wir ahnen, in den ökonomischen Konflikten[6], die sich hier ergeben, machen Es und Über-Ich oft gemeinsame Sache gegen das bedrängte Ich, das sich zur Erhaltung seiner Norm an die Realität anklammern will. Werden die beiden ersteren zu stark, so gelingt es ihnen, die Organisation des Ichs
15 aufzulockern und zu verändern, so daß seine richtige Beziehung zur Realität gestört oder selbst aufgehoben wird. Wir haben es am Traum gesehen; wenn sich das Ich von der Realität der Außenwelt ablöst, verfällt es unter dem Einfluß der Innenwelt in die Psychose.

Auf diese Einsichten gründen wir unseren Heilungsplan. Das Ich
20 ist durch den inneren Konflikt geschwächt, wir müssen ihm zur Hilfe kommen. Es ist wie in einem Bürgerkrieg, der durch den Beistand eines Bundesgenossen von außen entschieden werden soll. Der

---

[4] **Nach unserer Voraussetzung . . . zu genügen:** 'According to our hypothesis the ego has the task of satisfying the three things on which it is dependent: reality, the id, and the superego.' With characteristic lucidity and precision the fundamental concepts of Freudian psychology and their interaction are here compressed into a single paragraph. Very briefly, the *ego* is that part of the individual psyche which experiences the exterior world through the senses, the *id* that part which demands action upon the experience, desires, and memories it has unconsciously stored up, while the *superego* (corresponding roughly to what is generally called conscience but reinforced by traditional modes of behavior) is that part of the conscious mind called upon to resolve conflicts between natural instincts ("libidinal urges") and moral restraints imposed by society or individual idealism.

[5] **wofür es . . . zu unterhalten hat:** 'for which purpose it has to expend a great deal of energy on anticathexes.' "Anticathexis" is the accepted rendering of the Freudian **Gegenbesetzung**, the dispersal of psychic energy away from a particular person, thing, or idea.

[6] **ökonomische Konflikte** is difficult to render into English other than quite literally as "economic conflicts," though this does not adequately convey the sense of "conflicts to see which party will expend the least psychic energy and so prevail."

analytische Arzt und das geschwächte Ich des Kranken sollen, an die reale Außenwelt angelehnt, eine Partei bilden gegen die Feinde, die Triebansprüche des Es und die Gewissensansprüche des Über-Ichs. Wir schließen einen Vertrag miteinander. Das kranke Ich verspricht uns vollste Aufrichtigkeit, d.h. die Verfügung über allen Stoff, den ihm seine Selbstwahrnehmung[7] liefert, wir sichern ihm strengste Diskretion zu und stellen unsere Erfahrung in der Deutung des vom Unbewußten beeinflußten Materials in seinen Dienst. Unser Wissen soll sein Unwissen gutmachen, soll seinem Ich die Herrschaft über verlorene Bezirke des Seelenlebens wiedergeben. In diesem Vertrag besteht die analytische Situation.

Schon nach diesem Schritt erwartet uns die erste Enttäuschung, die erste Mahnung zur Bescheidenheit. Soll das Ich des Kranken ein wertvoller Bundesgenosse bei unserer gemeinsamen Arbeit sein, so muß es sich trotz aller Bedrängnis durch die ihm feindlichen Mächte ein gewisses Maß von Zusammenhalt, ein Stück Einsicht für die Anforderungen der Wirklichkeit bewahrt haben. Aber das ist vom Ich des Psychotikers[8] nicht zu erwarten, dieses kann einen solchen Vertrag nicht einhalten, ja kaum ihn eingehen.[9] Es wird sehr bald unsere Person und die Hilfe, die wir ihm anbieten, zu den Anteilen der Außenwelt geworfen haben, die ihm nichts mehr bedeuten.[10] Somit erkennen wir, daß wir darauf verzichten müssen, unseren Heilungsplan beim Psychotiker zu versuchen. Vielleicht für immer verzichten, vielleicht nur zeitweilig, bis wir einen anderen, für ihn tauglicheren Plan gefunden haben.

Es gibt aber eine andere Klasse von psychisch Kranken, die den Psychotikern offenbar sehr nahe stehen, die ungeheure Anzahl der schwer leidenden Neurotiker. Die Krankheitsbedingungen

---

7 **Selbstwahrnehmung:** self-perception.

8 Unlike the neurotic, who remains aware of reality, however much he may want to escape from it, and consequently has some understanding of the nature of his own condition because he can still relate himself to reality, the psychotic has retreated into a fantasy-world of his own and therefore cannot cooperate in his own cure, since he is unaware that he is ill.

9 **einen Vertrag eingehen:** to enter into an agreement, strike a bargain.

10 **Es wird sehr bald . . . bedeuten:** 'Very soon the psychotic's ego will have cast us aside, together with the help we offer, and consigned them both to the portions of the external world which no longer mean anything to it.'

wie die pathogenen Mechanismen[11] müssen bei ihnen dieselben sein oder wenigstens sehr ähnlich. Aber ihr Ich hat sich widerstandsfähiger gezeigt, ist weniger desorganisiert worden. Viele von ihnen konnten sich trotz all ihrer Beschwerden und der von ihnen verursachten Unzulänglichkeiten noch im realen Leben behaupten. Diese Neurotiker mögen sich bereit zeigen, unsere Hilfe anzunehmen. Wir wollen unser Interesse auf sie beschränken und versuchen, wie weit und auf welchen Wegen wir sie „heilen" können.

Mit den Neurotikern schließen wir also den Vertrag: volle Aufrichtigkeit gegen strenge Diskretion. Das macht den Eindruck, als strebten wir nur die Stellung eines weltlichen Beichtvaters an. Aber der Unterschied ist groß, denn wir wollen von ihm nicht nur hören, was er weiß und vor anderen verbirgt, sondern er soll uns auch erzählen, was er nicht weiß. In dieser Absicht geben wir ihm eine nähere Bestimmung dessen, was wir unter Aufrichtigkeit verstehen. Wir verpflichten ihn auf die analytische *Grundregel,* die künftighin sein Verhalten gegen uns beherrschen soll. Er soll uns nicht nur mitteilen, was er absichtlich und gern sagt, was ihm wie in einer Beichte Erleichterung bringt, sondern auch alles andere, was ihm seine Selbstbeobachtung liefert, alles was ihm in den Sinn kommt, auch wenn es ihm *unangenehm* zu sagen ist, auch wenn es ihm *unwichtig* oder sogar *unsinnig* erscheint. Gelingt es ihm, nach dieser Anweisung seine Selbstkritik auszuschalten, so liefert er uns eine Fülle von Material, Gedanken, Einfällen, Erinnerungen, die bereits unter dem Einfluß des Unbewußten stehen, oft direkte Abkömmlinge desselben sind und die uns also in den Stand setzen, das bei ihm verdrängte Unbewußte zu erraten und durch unsere Mitteilung die Kenntnis seines Ichs von seinem Unbewußten zu erweitern.

Abriß der Psychoanalyse (1938), Kap. VI,

[11] **die pathogenen Mechanismen:** pathogenic mechanisms; i.e., mechanisms which bring about illness. 'The factors determining their illness as well its pathogenic mechanisms must be the same or at least very similar.'

DER MENSCH BRAUCHT SEINE ILLUSIONEN

This extract is taken from the closing pages of The Future of an Illusion *(1927), a longish essay, in which Freud, whose own religious beliefs might be described briefly as "Jewish agnostic," sets forth his views on the role and value of religion in human society. The argument is developed throughout with customary clarity and vigor, but to enliven the exposition at certain points, Freud falls back on a device favored by philosophers ever since they first took to setting out their thoughts in writing—the dialogue with an imaginary opponent. Freud's adversary is a decidedly liberal and articulate spokesman for the orthodox Christian standpoint, and it is the latter who begins the closing phase of the debate by taking up some of the points previously made against him.*

„Das klingt ja großartig. Eine Menschheit, die auf alle Illusionen verzichtet hat und dadurch fähig geworden ist, sich auf der Erde erträglich einzurichten! Ich aber kann Ihre Erwartungen nicht teilen. Nicht darum, weil ich der hartnäckige Reaktionär wäre, für den Sie mich vielleicht halten. Nein, aus Besonnenheit.[1] Ich glaube, wir haben 5 nun die Rollen getauscht; Sie zeigen sich als der Schwärmer, der sich von Illusionen fortreißen läßt, und ich vertrete den Anspruch der Vernunft, das Recht der Skepsis. Was Sie da aufgeführt haben, scheint mir auf Irrtümern aufgebaut, die ich nach Ihrem Vorgang[2] Illusionen heißen darf, weil sie deutlich genug den Einfluß Ihrer Wün- 10 sche verraten. Sie setzen Ihre Hoffnung darauf, daß Generationen, die nicht in früher Kindheit den Einfluß der religiösen Lehren erfahren haben, leicht den ersehnten Primat[3] der Intelligenz über das Triebleben erreichen werden. Das ist wohl eine Illusion; in diesem entscheidenden Punkt wird sich die menschliche Natur kaum 15

---

[1] **Besonnenheit:** prudence, common sense.

[2] **nach Ihrem Vorgang:** following your example, 'according to your way of thinking.'

[3] **Primat:** primacy, superiority.

ändern. Wenn ich nicht irre,—man weiß so wenig von anderen Kulturen,—gibt es auch heute Völker, die nicht unter dem Druck eines religiösen Systems aufwachsen, und sie kommen Ihrem Ideal nicht näher als andere. Wenn Sie aus unserer europäischen Kultur 5 die Religion wegschaffen wollen, so kann es nur durch ein anderes System von Lehren geschehen, und dies würde von Anfang an alle psychologischen Charaktere der Religion übernehmen, dieselbe Heiligkeit, Starrheit, Unduldsamkeit, dasselbe Denkverbot zu seiner Verteidigung. Irgend etwas dieser Art müssen Sie haben, um den 10 Anforderungen der Erziehung gerecht zu werden. Auf die Erziehung können Sie aber nicht verzichten. Der Weg vom Säugling zum Kulturmenschen ist weit, zu viele Menschlein würden sich auf ihm verirren und nicht rechtzeitig zu ihren Lebensaufgaben kommen, wenn sie ohne Leitung der eigenen Entwicklung überlassen werden. 15 Die Lehren, die in ihrer Erziehung angewendet wurden, werden dem Denken ihrer reiferen Jahre immer Schranken setzen, genau so wie Sie es heute der Religion zum Vorwurf machen. Merken Sie nicht, daß es der untilgbare Geburtsfehler unserer, jeder, Kultur ist, daß[4] sie dem triebhaften und denkschwachen Kinde auferlegt,[5] 20 Entscheidungen zu treffen, die nur die gereifte Intelligenz des Erwachsenen rechtfertigen kann? Sie kann aber nicht anders, infolge der Zusammendrängung der säkularen Menschheitsentwicklung auf ein paar Kindheitsjahre, und das Kind kann nur durch affektive Mächte zur Bewältigung der ihm gestellten Aufgabe 25 veranlaßt werden.[6] Das sind also die Aussichten für Ihren ‚Primat des Intellekts'.

„Nun sollen Sie sich nicht verwundern, wenn ich für die Beibehaltung des religiösen Lehrsysstems als Grundlage der Erziehung und des menschlichen Zusammenlebens eintrete. Es ist ein prak-

---

[4] **Merken Sie nicht, . . . ist, daß:** 'Can you not see that it is the ineradicable and innate defect of our own and every other civilization that. . . ?'

[5] **jemandem etwas auferlegen:** to set *or* impose something on someone.

[6] **Sie kann . . . veranlaßt werden:** 'It cannot, however, do otherwise, since the age-long evolution of mankind is compressed into a few years of childhood, and it is only through emotional forces that the child can be brought to accomplish the task confronting it.' **affektive Mächte:** cf. p. 191, note 22.

tisches Problem, nicht eine Frage des Realitätswerts. Da wir im Interesse der Erhaltung unserer Kultur mit der Beeinflussung des Einzelnen nicht warten können, bis er kulturreif geworden ist,—viele würden es überhaupt niemals werden,—da wir genötigt sind, dem Heranwachsenden irgendein System von Lehren aufzudrängen, 5 das bei ihm als der Kritik entzogene Voraussetzung[7] wirken soll, erscheint mir das religiöse System dazu als das weitaus geeignetste. Natürlich gerade wegen seiner wunscherfüllenden und tröstenden Kraft, an der Sie die ‚Illusion' erkannt haben wollen.[8] Angesichts der Schwierigkeiten etwas von der Realität zu erkennen, ja der 10 Zweifel, ob dies uns überhaupt möglich ist, wollen wir doch nicht übersehen, daß auch die menschlichen Bedürfnisse ein Stück der Realität sind, und zwar ein wichtiges, eines, das uns besonders nahe angeht.

„Einen anderen Vorzug der religiösen Lehre finde ich in einer 15 ihrer Eigentümlichkeiten, an der Sie besonderen Anstoß zu nehmen scheinen. Sie gestattet eine begriffliche Läuterung und Sublimierung,[9] in welcher das meiste abgestreift werden kann, das die Spur primitiven und infantilen Denkens an sich trägt. Was dann erübrigt, ist ein Gehalt von Ideen, denen die Wissenschaft nicht mehr wider- 20 spricht und die diese auch nicht widerlegen kann.[10] Diese Umbildungen der religiösen Lehre, die Sie als Halbheiten[11] und Kompromisse verurteilt haben, machen es möglich, den Riß zwischen der ungebildeten Masse und dem philosophischen Denker zu vermeiden, erhalten die Gemeinsamkeit[12] unter ihnen, die für die Sicherung 25

---

7 **der Kritik entzogene Voraussetzung = eine Voraussetzung, die der Kritik entzogen worden ist.** '. . . which in his case has to act as an assumption permitting of no criticism.'

8 **an der . . . erkannt haben wollen:** one of the more idiomatic uses of **wollen** '. . . by which you claim to have recognized the "illusion" in it.'

9 **Sie gestattet . . . Sublimierung:** 'It makes possible a refinement and sublimation of ideas.' **Sublimierung** is here used in the conventional non-psychological sense of "process of purification."

10 **Was dann erübrigt, . . . widerlegen kann:** 'What then remains is a body of ideas which science no longer contradicts and which it cannot, in truth, refute.' **Wissenschaft** can only be translated as "science" in this context; however, cf. p. 115, note 87.

11 **Halbheiten:** half measures.

12 **Gemeinsamkeit:** communal feeling, common bond.

der Kultur so wichtig ist. Es ist dann nicht zu befürchten, der Mann aus dem Volk werde erfahren, daß die Oberschichten der Gesellschaft ‚nicht mehr an Gott glauben'. Nun glaube ich gezeigt zu haben, daß Ihre Bemühung sich auf den Versuch reduziert, eine erprobte und affektiv wertvolle[13] Illusion durch eine andere, unerprobt und indifferent,[14] zu ersetzen."

Sie sollen mich nicht für Ihre Kritik unzugänglich finden.[15] Ich weiß, wie schwer es ist, Illusionen zu vermeiden; vielleicht sind auch die Hoffnungen, zu denen ich mich bekannt, illusorischer Natur. Aber einen Unterschied halte ich fest. Meine Illusionen— abgesehen davon, daß keine Strafe darauf steht, sie nicht zu teilen—sind nicht unkorrigierbar wie die religiösen, haben nicht den wahnhaften Charakter.[16] Wenn die Erfahrung—nicht mir, sondern anderen nach mir, die ebenso denken—zeigen sollte, daß wir uns geirrt haben, so werden wir auf unsere Erwartungen verzichten. Nehmen Sie doch meinen Versuch für das, was er ist. Ein Psychologe, der sich nicht darüber täuscht, wie schwer es ist, sich in dieser Welt zurechtzufinden, bemüht sich, die Entwicklung der Menschheit nach dem bißchen Einsicht zu beurteilen, das er sich durch das Studium der seelischen Vorgänge beim Einzelmenschen während dessen Entwicklung vom Kind zum Erwachsenen erworben hat. Dabei drängt sich ihm die Auffassung auf,[17] daß die Religion einer Kindheitsneurose vergleichbar sei, und er ist optimistisch genug anzunehmen, daß die Menschheit diese neurotische Phase überwinden wird, wie so viele Kinder ihre ähnliche Neurose auswachsen. Diese Einsichten aus der Individualpsychologie mögen ungenügend sein, die Übertragung auf das Menschengeschlecht nicht gerechtfertigt, der Optimismus unbegründet; ich gebe Ihnen alle diese Unsicherheiten zu. Aber man kann sich oft nicht abhalten zu sagen, was man meint, und entschuldigt sich damit, daß man es nicht für mehr ausgibt, als es wert ist.

---

13 **affektiv wertvoll:** emotionally valuable.

14 **indifferent:** 'of no particular value.'

15 At this point Freud begins to reply to his opponent's arguments.

16 **haben nicht den wahnhaften Charakter:** 'are not of the same delusory nature.'

17 **Dabei . . . die Auffassung auf:** 'In the process the idea forcibly suggests itself to him that . . .'

Und bei zwei Punkten muß ich noch verweilen. Erstens, die Schwäche meiner Position bedeutet keine Stärkung der Ihrigen. Ich meine, Sie verteidigen eine verlorene Sache. Wir mögen noch so oft betonen, der menschliche Intellekt sei kraftlos im Vergleich zum menschlichen Triebleben,[18] und Recht damit haben. Aber es ist doch etwas Besonderes um diese Schwäche; die Stimme des Intellekts ist leise, aber sie ruht nicht, ehe sie sich Gehör geschafft hat. Am Ende, nach unzählig oft wiederholten Abweisungen, findet sie es doch. Dies ist einer der wenigen Punkte, in denen man für die Zukunft der Menschheit optimistisch sein darf, aber er bedeutet an sich nicht wenig. An ihn kann man noch andere Hoffnungen anknüpfen. Der Primat des Intellekts hegt gewiß in weiter, weiter, aber wahrscheinlich doch nicht in unendlicher Ferne. Und da er sich voraussichtlich dieselben Ziele setzen wird, deren Verwirklichung Sie von Ihrem Gott erwarten—in menschlicher Ermäßigung natürlich, soweit die äußere Realität, die Ἀνάγκη,[19] es gestattet—: die Menschenliebe und die Einschränkung des Leidens, dürfen wir uns sagen, daß unsere Gegnerschaft nur eine einstweilige ist, keine unversöhnliche. Wir erhoffen dasselbe, aber Sie sind ungeduldiger, anspruchsvoller und—warum soll ich es nicht sagen?—selbstsüchtiger als ich und die Meinigen. Sie wollen die Seligkeit gleich nach dem Tod beginnen lassen, verlangen von ihr das Unmögliche und wollen den Anspruch der Einzelpersonen nicht aufgeben. Unser Gott Λόγος[20] wird von diesen Wünschen verwirklichen, was die Natur außer uns gestattet, aber sehr allmählich, erst in unabsehbarer Zukunft und für neue Menschenkinder. Eine Entschädigung für uns, die wir schwer am Leben leiden, verspricht er nicht. Auf dem Wege zu diesem fernen Ziel müssen Ihre religiösen Lehren fallen gelassen werden, gleichgiltig[21] ob die ersten Versuche mißlingen, gleichgiltig ob sich die

---

[18] **Triebleben:** instinctual life.

[19] **Ananke**: necessity.

[20] **Logos:** reason, intellect. In a footnote (omitted in our edition) the reader is referred to the "the twin gods of Logos and Ananke" of the Dutch writer Multatuli, pseudonym of Eduard Douwer Dekker (1820–87). Freud greatly admired this author, so much, in fact, that when called upon in 1907 by the editor of a literary journal to name ten good books, he placed Multatuli's letters and works at the top of his list.

[21] **gleichgiltig:** cf. p. 169, note 8.

ersten Ersatzbildungen[22] als haltlos erweisen. Sie wissen warum; auf die Dauer kann der Vernunft und der Erfahrung nichts widerstehen, und der Widerspruch der Religion gegen beide ist allzu greifbar. Auch die geläuterten religiösen Ideen können sich diesem 5 Schicksal nicht entziehen, solange sie noch etwas vom Trostgehalt der Religion retten wollen. Freilich, wenn sie sich auf die Behauptung eines höheren geistigen Wesens einschränken, dessen Eigenschaften unbestimmbar, dessen Absichten unerkennbar sind, dann sind sie gegen den Einspruch der Wissenschaft gefeit, dann werden 10 sie aber auch vom Interesse der Menschen verlassen.

Und zweitens: Beachten Sie die Verschiedenheit Ihres und meines Verhaltens gegen die Illusion. Sie müssen die religiöse Illusion mit allen Ihren Kräften verteidigen; wenn sie entwertet wird,—und sie ist wahrlich bedroht genug,—dann stürzt Ihre Welt zusammen, 15 bleibt Ihnen nichts übrig, als an allem zu verzweifeln, an der Kultur und an der Zukunft der Menschheit. Von dieser Leibeigenschaft bin ich, sind wir frei. Da wir bereit sind, auf ein gutes Stück unserer infantilen Wünsche zu verzichten, können wir es vertragen, wenn sich einige unserer Erwartungen als Illusionen 20 herausstellen.

Die vom Druck der religiösen Lehren befreite Erziehung wird vielleicht nicht viel am psychologischen Wesen des Menschen ändern, unser Gott Λόγος ist vielleicht nicht sehr allmächtig, kann nur einen kleinen Teil von dem erfüllen, was seine Vorgänger 25 versprochen haben. Wenn wir es einsehen müssen, werden wir es in Ergebung hinnehmen. Das Interesse an Welt und Leben werden wir darum nicht verlieren, denn wir haben an einer Stelle einen sicheren Anhalt, der Ihnen fehlt. Wir glauben daran, daß es der wissenschaftlichen Arbeit möglich ist, etwas über die Realität der 30 Welt zu erfahren, wodurch wir unsere Macht steigern und wonach wir unser Leben einrichten können. Wenn dieser Glaube eine Illusion ist, dann sind wir in derselben Lage wie Sie, aber die Wissenschaft hat uns durch zahlreiche und bedeutsame Erfolge den Beweis erbracht, daß sie keine Illusion ist. Sie hat viele offene und 35 noch mehr verkappte Feinde unter denen, die ihr nicht verzeihen

22 **Ersatzbildung:** substitute theory.

können, daß sie den religiösen Glauben entkräftet hat und ihn zu stürzen droht. Man wirft ihr vor, wie wenig sie uns gelehrt und wie unvergleichlich mehr sie im Dunkel gelassen hat. Aber dabei vergißt man, wie jung sie ist, wie beschwerlich ihre Anfänge waren und wie verschwindend klein der Zeitraum, seitdem der menschliche Intellekt für ihre Aufgaben erstarkt ist. Fehlen[23] wir nicht alle darin, daß wir unseren Urteilen zu kurze Zeiträume zugrunde legen? Wir sollten uns an den Geologen ein Beispiel nehmen. Man beklagt sich über die Unsicherheit der Wissenschaft, daß sie heute als Gesetz verkündet, was die nächste Generation als Irrtum erkennt und durch ein neues Gesetz von ebenso kurzer Geltungsdauer ablöst. Aber das ist ungerecht und zum Teil unwahr. Die Wandlungen, der wissenschaftlichen Meinungen sind Entwicklung, Fortschritt und nicht Umsturz. Ein Gesetz, das man zunächst für unbedingt giltig gehalten hat, erweist sich als Spezialfall einer umfassenderen Gesetzmäßigkeit[24] oder wird eingeschränkt durch ein anderes Gesetz, das man erst erst später kennen lernt; eine rohe Annäherung an die Wahrheit wird ersetzt durch eine sorgfältiger angepaßte, die ihrerseits wieder eine weitere Vervollkommnung erwartet. Auf verschiedenen Gebieten hat man eine Phase der Forschung noch nicht überwunden, in der man Annahmen versucht, die man bald als unzulänglich verwerfen muß; auf anderen gibt es aber bereits einen gesicherten und fast unveränderlichen Kern von Erkenntnis. Man hat endlich versucht, die wissenschaftliche Bemühung radikal zu entwerten durch die Erwägung, daß sie, an die Bedingungen unserer eigenen Organisation gebunden, nichts anderes als subjektive Ergebnisse liefern kann, während ihr die wirkliche Natur der Dinge außer uns unzugänglich bleibt. Dabei setzt man sich über einige Momente hinweg,[25] die für die Auffassung der wissenschaftlichen Arbeit entscheidend sind, daß unsere Organisation, d. h. unser seelischer Apparat, eben im Bemühen um die Erkundung der Außenwelt entwickelt worden ist, also ein Stück Zweckmäßigkeit in seiner

[23] **fehlen:** *here,* to err, go wrong. 'Do we not all make the mistake of basing our judgments on periods of time that are too short?'

[24] **Ein Gesetz, . . . Gesetzmäßigkeit:** 'A law which was first held to have absolute validity turns out to be a special instance of an even more comprehensive natural law.'

[25] **Dabei setzt man . . . hinweg:** 'But to do so, is to overlook several factors.'

Struktur realisiert haben muß,[26] daß er selbst ein Bestandteil jener Welt ist, die wir erforschen sollen, und daß er solche Erforschung sehr wohl zuläßt, daß die Aufgabe der Wissenschaft voll umschrieben ist, wenn wir sie darauf einschränken zu zeigen, wie uns die
5 Welt infolge der Eigenart unserer Organisation erscheinen muß, daß die endlichen Resultate der Wissenschaft gerade wegen der Art ihrer Erwerbung nicht nur durch unsere Organisation bedingt sind, sondern auch durch das, was auf diese Organisation gewirkt hat, und endlich, daß das Problem einer Weltbeschaffenheit[27] ohne
10 Rücksicht auf unseren wahrnehmenden seelischen Apparat eine leere Abstraktion ist, ohne praktisches Interesse.[28]

Nein, unsere Wissenschaft ist keine Illusion. Eine Illusion aber wäre es zu glauben, daß wir anderswoher bekommen könnten, was sie uns nicht geben kann.

Die Zukunft einer Illusion (1927), X,
from Collected Works,

ZWEIFEL AN DER PSYCHOLOGISCHEN VORAUSSETZUNG DES KOMMUNISMUS

"Applied psychology" was the phrase used by Freud to describe Civilization and Its Discontents, *his most ambitious venture into*

---

26 **also ein Stück... haben muß:** 'and it (our mental apparatus) must therefore have achieved a certain degree of suitability (for exploring the external world) in its structure.'

27 **das Problem einer Weltbeschaffenheit:** 'the problem of what constitutes the world.'

28 In these closing paragraphs Freud is much nearer to Marx and the thought of the Enlightenment than Nietzsche; cf., for example, the latter's view of cause and effect, p. 116, §31.

the field of sociology. By 1930, when it first appeared, his reputation was so well established that the first edition of 12,000 sold out within a year. Although a series of weighty philosophical problems are discussed, it is all encompassed in an essay of approximately 100 pages, and, for good measure, leavened with the ripe wisdom and insights of the septuagenerian Freud. Its main theme, summarily described, is the conflict between the primitive desires man has inherited from his evolutionary past and the restraints he has imposed upon himself in the interests of social cohesion. From these restraints, Freud maintains, spring the manifold neuroses which afflict modern man, the malaise of our modern civilization. It is characteristic of Freud that, having diagnosed the malady, he does not regard the patient's future with any great optimism—in fact, his general verdict would seem to be that there is no real cure. Yet neither is there cause for black despair, for civilized man will probably learn to live with these mental ailments. Freud's emphasizing of these primitive desires, specifically aggression, led him to be critical of Christian ethics from a standpoint remarkably close to that of Nietzsche (p. 144). But, it may well be asked, is aggressive egotism really so dominant in the human species that it entirely excludes altruism?

Though there is a connecting thread running through the whole essay, it does tend to move from one distinct topic to another—with the result that parts of it, like this section and the one following, can be read perfectly well in isolation.

Die Kommunisten glauben den Weg zur Erlösung vom Übel gefunden zu haben. Der Mensch ist eindeutig gut, seinem Nächsten wohlgesinnt, aber die Einrichtung des privaten Eigentums hat seine Natur verdorben. Besitz an privaten Gütern gibt dem einen die Macht und damit die Versuchung, den Nächsten zu mißhandeln; 5 der vom Besitz Ausgeschlossene muß sich in Feindseligkeit gegen den Unterdrücker auflehnen. Wenn man das Privateigentum aufhebt, alle Güter gemeinsam macht und alle Menschen an deren Genuß teilnehmen läßt, werden Übelwollen und Feindseligkeit unter den Menschen verschwinden. Da alle Bedürfnisse befriedigt sind, 10 wird keiner Grund haben, in dem anderen seinen Feind zu sehen; der notwendigen Arbeit werden sich alle bereitwilling unterziehen. Ich habe nichts mit der wirtschaftlichen Kritik des kommunistischen

Systems zu tun, ich kann nicht untersuchen, ob die Abschaffung des privaten Eigentums zweckdienlich und vorteilhaft ist. Aber seine psychologische Voraussetzung vermag ich als haltlose Illusion zu erkennen. Mit der Aufhebung des Privateigentums entzieht man
5 der menschlichen Aggressionslust eines ihrer Werkzeuge, gewiß ein starkes, und gewiß nicht das stärkste. An den Unterschieden von Macht und Einfluß, welche die Aggression für ihre Absichten mißbraucht, daran hat man nichts geändert, auch an ihrem Wesen nicht. Sie ist nicht durch das Eigentum geschaffen worden, herrschte
10 fast uneingeschränkt in Urzeiten, als das Eigentum noch sehr armselig war, zeigt sich bereits in der Kinderstube, kaum daß das Eigentum seine anale Urform[1] aufgegeben hat, bildet den Bodensatz aller zärtlichen und Liebesbeziehungen unter den Menschen, vielleicht mit alleiniger Ausnahme der einer Mutter zu ihrem männlichen
15 Kind. Räumt man das persönliche Anrecht auf dingliche Güter weg, so bleibt noch das Vorrecht aus sexuellen Beziehungen, das die Quelle der starksten Mißgunst und der heftigsten Feindseligkeit unter den sonst gleichgestellten Menschen werden muß. Hebt man auch dieses auf durch die völlige Befreiung des Sexuallebens, be-
20 seitigt also die Familie, die Keimzelle der Kultur, so läßt sich zwar nicht vorhersehen, welche neuen Wege die Kulturentwicklung einschlagen kann, aber eines darf man erwarten, daß der unzerstörbare Zug[2] der menschlichen Natur ihr auch dorthin folgen wird.

Es wird den Menschen offenbar nicht leicht, auf die Befriedigung
25 dieser ihrer Aggressionsneigung zu verzichten;[3] sie fühlen sich nicht

---

[1] **seine anale Urform:** its primal anal form. Freudian psychology distinguishes different stages in the development of the child: it begins with an *oral* phase, where the infant's main source of satisfaction comes from sucking, then passes through an *anal* phase, where sensual pleasure stems largely from the action of the bowels, and later comes a genital phase, where the sex organs are the prime interest. From here Freud goes on to postulate infantile fixations which arise from arrested mental development or reversion to an earlier phase, and which, he maintains, have certain distinctive characteristics. Among those attributable to the anal type are orderliness, obstinacy, and—as alluded to here—pleasure in collecting things and keeping them to oneself.

[2] **Zug:** feature, trait, characteristic.

[3] **auf die Befriedigung . . . zu verzichten:** 'to give up gratifying this aggressive disposition of theirs.'

wohl dabei. Der Vorteil eines kleineren Kulturkreises, daß er dem Trieb einen Ausweg an der Befeindung der Außenstehenden gestattet, ist nicht geringzuschätzen. Es ist immer möglich, eine größere Menge von Menschen in Liebe aneinander zu binden, wenn nur andere für die Äußerung der Aggression übrig bleiben. Ich habe mich einmal mit dem Phänomen beschäftigt, daß gerade benachbarte und einander auch sonst nahe stehende Gemeinschaften sich gegenseitig befehden und verspotten, so Spanier und Portugiesen, Nord- und Süddeutsche, Engländer und Schotten usw. Ich gab ihm den Namen „Narzißmus der kleinen Differenzen",[4] der nicht viel zur Erklärung beiträgt. Man erkennt nun darin eine bequeme und relativ harmlose Befriedigung der Aggressionsneigung, durch die den Mitgliedern der Gemeinschaft das Zusammenhalten erleichtert wird. Das überallhin versprengte Volk der Juden hat sich in dieser Weise anerkennenswerte Verdienste um die Kulturen seiner Wirtsvölker erworben;[5] leider haben alle Judengemetzel des Mittelalters nicht ausgereicht, dieses Zeitalter friedlicher und sicherer für seine christlichen Genossen zu gestalten. Nachdem der Apostel Paulus die allgemeine Menschenliebe zum Fundament seiner christlichen Gemeinde gemacht hatte, war die äußerste Intoleranz des Christentums gegen die draußen Verbliebenen[6] eine unvermeidliche Folge geworden; den Römern, die ihr staatliches Gemeinwesen nicht auf die Liebe begründet hatten, war religiöse Unduldsamkeit fremd gewesen, obwohl die Religion bei ihnen Sache des Staates und der Staat von Religion durchtränkt war. Es war auch kein unverständlicher Zufall, daß der Traum einer germanischen Weltherrschaft

4 Analagous to the Greek legend, in which the youth Narcissus is condemned to pine away after being smitten with passionate love for his own reflection in a spring, so—for the psychoanalyst—narcissism is a regression to the first stage of sexual development or, in some cases, the failure to pass beyond it. The narcissistic individual reserves his affections solely for himself. The phrase coined by Freud—"narcissism of slight differences"—is, of course, not without a touch of humor.

5 **Das überallhin versprengte Volk . . . erworben:** 'The Jewish people, scattered everywhere, has in this way rendered noteworthy service to the culture of the nations acting as their hosts.'

6 **die draußen Verbliebenen:** those who remained outside (of the Christian community). (Cf. p. 182, note 21.)

zu seiner Ergänzung den Antisemitismus aufrief,[7] und man erkennt es als begreiflich, daß der Versuch, eine neue kommunistische Kultur in Rußland aufzurichten, in der Verfolgung der Bourgeois seine psychologische Unterstützung findet. Man fragt sich nur besorgt, 5 was die Sowjets anfangen werden, nachdem sie ihre Bourgeois ausgerottet haben.

Wenn die Kultur nicht allein der Sexualität, sondern auch der Aggressionsneigung des Menschen so große Opfer auferlegt, so verstehen wir es besser, daß es dem Menschen schwer wird, sich in ihr 10 beglückt zu finden. Der Urmensch hatte es in der Tat darin besser, da er keine Triebeinschränkungen kannte. Zum Ausgleich[8] war seine Sicherheit, solches Glück lange zu genießen, eine sehr geringe. Der Kulturmensch hat für ein Stück Glücksmöglichkeit ein Stück Sicherheit eingetauscht. Wir wollen aber nicht vergessen, daß 15 in der Urfamilie nur das Oberhaupt sich solcher Triebfreiheit erfreute; die anderen lebten in sklavischer Unterdrückung. Der Gegensatz zwischen einer die Vorteile der Kultur genießenden Minderheit und einer dieser Vorteile beraubten Mehrzahl war also in jener Urzeit der Kultur aufs Äußerste getrieben.[9] Über den heute 20 lebenden Primitiven haben wir durch sorgfältigere Erkundung erfahren, daß sein Triebleben keineswegs ob[10] seiner Freiheit beneidet werden darf; es unterliegt Einschränkungen von anderer Art, aber vielleicht von größerer Strenge als das des modernen Kulturmenschen.[11]

25 Wenn wir gegen unseren jetzigen Kulturzustand mit Recht einwenden, wie unzureichend er unsere Forderungen an eine beglük-

---

7 Anti-Semitism has a long history in Germany, reaching back to the Middle Ages (equally true, of course, of other European countries), but Freud presumably has in mind its close connection with the pan-German movement which made itself increasingly felt in political life from about 1880 onward.

8 **zum Ausgleich:** to be set against this, on the other hand.

9 **aufs Äußerste getrieben:** (*lit.,* was carried to its extreme); 'could not have been greater.'

10 **ob:** literary and archaic for **wegen.**

11 **es unterliegt . . . modernen Kulturmenschen:** 'it (i.e., the instinctual life of primitive peoples) is subject to restrictions of a different kind, but perhaps greater in severity than that of modern civilized man.'

kende Lebensordnung erfüllt,[12] wie viel Leid er gewähren läßt, das wahrscheinlich zu vermeiden wäre, wenn wir mit schonungsloser Kritik, die Wurzeln seiner Unvollkommenheit aufzudecken streben, üben wir gewiß unser gutes Recht[13] und zeigen uns nicht als Kulturfeinde. Wir dürfen erwarten, allmählich solche Abänderungen 5 unserer Kultur durchzusetzen, die unsere Bedürfnisse besser befriedigen und jener Kritik entgehen. Aber vielleicht machen wir uns auch mit der Idee vertraut, daß es Schwierigkeiten gibt, die dem Wesen der Kultur anhaften und die keinem Reformversuch weichen werden. Außer den Aufgaben der Triebeinschränkung, auf die wir 10 vorbereitet sind, drängt sich uns die Gefahr eines Zustandes auf, den man „das psychologische Elend der Masse"[14] benennen kann. Diese Gefahr droht am ehesten, wo die gesellschaftliche Bindung hauptsächlich durch Identifizierung der Teilnehmer untereinander hergestellt wird, während Führerindividualitäten nicht zu jener 15 Bedeutung kommen, die ihnen bei der Massenbildung zufallen sollte.[15] Der gegenwärtige Kulturzustand Amerikas gäbe eine gute Gelegenheit, diesen befürchteten Kulturschaden zu studieren. Aber ich vermeide die Versuchung, in die Kritik der Kultur Amerikas einzugehen; ich will nicht den Eindruck hervorrufen, als wollte ich 20 mich selbst amerikanischer Methoden bedienen.[16]

Das Unbehagen in der Kultur (1930), V,
from Collected Works,

---

12 **wie unzureichend er . . . erfüllt:** 'how inadequately it satisfies our demands for a plan in our lives by which we can achieve happiness.'

13 **unser gutes Recht:** our inalienable right.

14 The phrase seems to be in part a borrowing from the eminent French psychologist Pierre Janet (1859–1947), who coined the expression "misère psychologique."

15 **während Führer individualitäten . . . zufallen sollte:** 'while individuals of the leader type are not accorded that importance which ought to be theirs in the formation of a group.'

16 Like all great men, Freud was not without his foibles—one of them undoubtedly an inability to appreciate the positive virtues of Western democracy, especially in its more extreme American version. At bottom, he was perhaps too much a denizen of the nineteenth century, too much a bourgeois citizen of the authoritarian Habsburg Empire, to feel much enthusiasm for its egalitarianism.

SCHICKSALSFRAGEN DER MENSCHHEIT

For information concerning this selection, the student should refer to the preliminary note for "Zweifel an der psychologischen Voraussetzung des Kommunismus."

Wie der Planet noch um seinen Zentralkörper kreist, außer daß[1] er um die eigene Achse rotiert, so nimmt auch der einzelne Mensch am Entwicklungsgang der Menschheit teil, während er seinen eigenen Lebensweg geht. Aber unserem blöden[2] Auge scheint das
5 Kräftespiel am Himmel zu ewig gleicher Ordnung erstarrt; im organischen Geschehen sehen wir noch, wie die Kräfte miteinander ringen und die Ergebnisse des Konflikts sich beständig verändern. So haben auch die beiden Strebungen, die nach individuellem Glück und die nach menschlichem Anschluß, bei jedem Individuum
10 mit einander zu kämpfen, so müssen die beiden Prozesse der individuellen und der Kulturentwicklung[3] einander feindlich begegnen und sich gegenseitig den Boden bestreiten. Aber dieser Kampf zwischen Individuum und Gesellschaft ist nicht ein Abkömmling des wahrscheinlich unversöhnlichen Gegensatzes der Urtriebe, Eros
15 und Tod,[4] er bedeutet einen Zwist im Haushalt der Libido,[5] vergleichbar dem Streit um die Aufteilung der Libido zwischen dem Ich und den Objekten,[6] und er läßt einen endlichen Ausgleich zu

---

[1] **außer daß:** in addition to, as well as.

[2] **blöd(e):** weak, dull.

[3] The inflected adjective **individuell** also modifies **Entwicklung** and is thus, in effect, the first half of a compound noun parallel to **Kultur-**.

[4] As a complement to the erotic instinct, a life-furthering force, Freud postulates here and in other later works a "death instinct," by which the individual seeks to escape stimulation from the external world so that the cycle of life shall continue.

[5] **Libido** in Freudian terminology is the store of psychic energy which expresses itself in "libidinal urges"—i.e., the natural instincts (**Urtriebe**), often of a sexual nature. (Cf. p. 194, note 4.)

[6] **zwischen dem Ich und den Objekten:** between the ego and objects, i.e., those other elements with which the ego has to contend.

beim Individuum, wie hoffentlich auch in der Zukunft der Kultur, mag er gegenwärtig das Leben des Einzelnen noch so sehr beschweren.[7]

Die Analogie zwischen dem Kulturprozeß und dem Entwicklungsweg des Individuums läßt sich um ein bedeutsames Stück erweitern. Man darf nämlich behaupten, daß auch die Gemeinschaft ein Über-Ich[8] ausbildet, unter dessen Einfluß sich die Kulturentwicklung vollzieht. Es mag eine verlockende Aufgabe für einen Kenner menschlicher Kulturen sein, diese Gleichstellung ins Einzelne zu verfolgen. Ich will mich auf die Hervorhebung einiger auffälliger Punkte beschränken. Das Über-Ich einer Kulturepoche hat einen ähnlichen Ursprung wie das des Einzelmenschen, es ruht auf dem Eindruck, den große Führerpersönlichkeiten hinterlassen haben, Menschen von überwältigender Geisteskraft oder solche, in denen eine der menschlichen Strebungen die stärkste und reinste, darum oft auch einseitigste, Ausbildung gefunden hat.[9] Die Analogie geht in vielen Fällen noch weiter, indem diese Personen—häufig genug, wenn auch nicht immer—zu ihrer Lebenszeit von den anderen verspottet, mißhandelt oder selbst auf grausame Art beseitigt wurden, wie ja auch der Urvater erst lange nach seiner gewaltsamen Tötung zur Göttlichkeit aufstieg.[10] Für diese Schicksalsverknüpfung ist gerade die Person Jesu Christi das ergreifendste

---

7 **beschweren:** to burden, oppress.

8 Cf. p. 194, note 4.

9 Once again, the patriarchal, if not authoritarian side of Freud comes to the fore; the "great man" interpretation of history he assumes here has a good deal in common with Nietzsche's views (p. 107), but, as we might expect, contrasts markedly with Marxist theory (p. 55).

10 The reference is to a theory, not one of Freud's most convincing, which is developed at some length in *Totem and Taboo* (1913). Here he indulges freely in what one critic has pithily called "armchair anthropology." Observing that the desire to commit parricide was a recurring motif in the utterances and dreams of adult neurotics and children and that such wishes correspond quite closely to the practices of certain primitive peoples, Freud postulated mankind at the dawn of civilization living in small groups, each under the leadership of a primal father (**Urvater**). One day the sons rise up against this father and kill him, an important event in Freud's view because it heralds the first stirrings of a revolt against group mentality. But later the sons regret this deed, and in their remorse and craving for authority they seek to reinstate the lost leader. These feelings are passed on to later generations, who bring back the primal father by deifying him.

Beispiel, wenn sie nicht etwa dem Mythus angehört, der sie in dunkler Erinnerung an jenen Urvorgang ins Leben rief. Ein anderer Punkt der Übereinstimmung ist, daß das Kultur-Über-Ich ganz wie das des Einzelnen strenge Idealforderungen aufstellt, deren Nicht-
5 befolgung durch „Gewissensangst"[11] gestraft wird. Ja, hier stellt sich der merkwürdige Fall her,[12] daß die hierher gehörigen seelischen Vorgänge uns von der Seite der Masse vertrauter, dem Bewußtsein zugänglicher sind, als sie es beim Einzelmenschen werden können. Bei diesem machen sich nur die Aggressionen des Über-Ichs im
10 Falle der Spannung als Vorwürfe überlaut vernehmbar, während die Forderungen selbst im Hintergrunde oft unbewußt bleiben. Bringt man sie zur bewußten Erkenntnis, so zeigt sich, daß sie mit den Vorschriften des jeweiligen Kultur-Über-Ichs zusammen fallen. An dieser Stelle sind sozusagen beide Vorgänge, der kultu-
15 relle Entwicklungsprozeß der Menge und der eigene des Individuums, regelmäßig miteinander verklebt.[13] Manche Äußerungen und Eigenschaften des Über-Ichs können darum leichter an seinem Verhalten in der Kulturgemeinschaft als beim Einzelnen erkannt werden.

20 Das Kultur-Über-Ich hat seine Ideale ausgebildet und erhebt seine Forderungen. Unter den letzteren werden die, welche die Beziehungen der Menschen zueinander betreffen, als Ethik zusammengefaßt. Zu allen Zeiten wurde auf diese Ethik der größte Wert gelegt, als ob man gerade von ihr besonders wichtige Leistungen
25 erwartete. Und wirklich wendet sich die Ethik jenem Punkt zu, der als die wundeste Stelle jeder Kultur leicht kenntlich ist. Die Ethik ist also als ein therapeutischer Versuch aufzufassen, als Bemühung, durch ein Gebot des Über-Ichs zu erreichen, was bisher durch sonstige Kulturarbeit nicht zu erreichen war. Wir wissen bereits, es fragt
30 sich hier darum, wie das größte Hindernis der Kultur, die konstitutionelle Neigung der Menschen zur Aggression gegeneinander, weg-

---

[11] **„Gewissensangst"**: "fear of one's own conscience." The term occurs in several of Freud's writings but can scarcely be rendered so neatly in English.

[12] **sich herstellen**: *here,* to present itself.

[13] **verklebt**: joined together, bound up with each other.

zuräumen ist, und gerade darum wird uns das wahrscheinlich jüngste der kulturellen Über-Ich-Gebote besonders interessant, das Gebot: Liebe deinen Nächsten wie dich selbst. In der Neurosenforschung und Neurosentherapie kommen wir dazu, zwei Vorwürfe gegen das Über-Ich des Einzelnen zu erheben: Es kümmert sich in der Strenge 5 seiner Gebote und Verbote zu wenig um das Glück des Ichs, indem es die Widerstände gegen die Befolgung, die Triebstärke des Es und die Schwierigkeiten der realen Umwelt nicht genügend in Rechnung bringt.[14] Wir sind daher in therapeutischer Absicht sehr oft genötigt, das Über-Ich zu bekämpfen, und bemühen uns, seine 10 Ansprüche zu erniedrigen. Ganz ähnliche Einwendungen können wir gegen die ethischen Forderungen des Kultur-Über-Ichs erheben. Auch dies kümmert sich nicht genug um die Tatsachen der seelischen Konstitution des Menschen, er erläßt ein Gebot und fragt nicht, ob es dem Menschen möglich ist, es zu befolgen. Vielmehr, es nimmt 15 an, daß dem Ich des Menschen alles psychologisch möglich ist, was man ihm aufträgt, daß dem Ich die unumschränkte Herrschaft über sein Es zusteht.[15] Das ist ein Irrtum, und auch bei den sogenannt normalen Menschen läßt sich die Beherrschung des Es nicht über bestimmte Grenzen steigern. Fordert man mehr, so erzeugt man 20 beim Einzelnen Auflehnung oder Neurose oder macht ihn unglücklich. Das Gebot „Liebe deinen Nächsten wie dich selbst“ ist die stärkste Abwehr der menschlichen Aggression und ein ausgezeichnetes Beispiel für des unpsychologische Vorgehen des Kultur-Über-Ichs. Das Gebot ist undurchführbar; eine so großartige Inflation 25 der Liebe kann nur deren Wert herabsetzen, nicht die Not beseitigen. Die Kultur vernachlässigt all das; sie mahnt nur, je schwerer die Befolgung der Vorschrift ist, desto verdienstvoller ist sie. Allein wer in der gegenwärtigen Kultur eine solche Vorschrift einhält, setzt sich nur in Nachteil gegen den, der sich über sie hinaussetzt. 30 Wie gewaltig muß das Kulturhindernis der Aggression sein, wenn

[14] Freud is, in effect, restating in psychological terms a criticism of Christian ethics already made by Nietzsche. (Cf. p. 100, §10.)

[15] **zustehen** (*dat.*): to belong to, have the right to something; '. . . that the ego has unlimited control over its id.'

die Abwehr derselben ebenso unglücklich machen kann wie die Aggression selbst! Die sogenannte natürliche Ethik hat hier nichts zu bieten außer der narzißtischen Befriedigung,[16] sich für besser halten zu dürfen, als die anderen sind. Die Ethik, die sich an die
5 Religion anlehnt, läßt hier ihre Versprechungen eines besseren Jenseits eingreifen. Ich meine, solange sich die Tugend nicht schon auf Erden lohnt, wird die Ethik vergeblich predigen. Es scheint auch mir unzweifelhaft, daß eine reale Veränderung in den Beziehungen der Menschen zum Besitz hier mehr Abhilfe bringen
10 wird als jedes ethische Gebot; doch wird diese Einsicht bei den Sozialisten durch ein neuerliches[17] idealistisches Verkennen der menschlichen Natur getrübt und für die Ausführung entwertet.

Die Betrachtungsweise, die in den Erscheinungen der Kulturentwicklung die Rolle eines Über-Ichs verfolgen will, scheint mir noch
15 andere Aufschlüsse zu versprechen.[18] Ich eile zum Abschluß. Einer Frage kann ich allerdings schwer ausweichen. Wenn die Kulturentwicklung so weitgehende Ähnlichkeit mit der des Einzelnen hat und mit denselben Mitteln arbeitet, soll man nicht zur Diagnose berechtigt sein, daß manche Kulturen,—oder Kulturepochen,—
20 möglicherweise die ganze Menschheit—unter dem Einfluß der Kulturstrebungen „neurotisch" geworden sind? An die analytische Zergliederung dieser Neurosen könnten therapeutische Vorschläge anschließen,[19] die auf großes praktisches Interesse Anspruch hätten.

---

[16] **narzißtische Befriedigung:** narcissistic satisfaction. (Cf. p. 207, note 4.) Freud consistently writes **Narzißmus** and **narizißtisch** rather than the more correct but cumbersome forms, **Narzissismus** and **narzissistisch.** As Ernest Jones tells us in his biography, Freud's "aesthetic sense was stronger than his philological conscience" and the choice of spelling was quite deliberate. That the shorter form now generally prevails in German usage is probably in no small measure due to Freud.

[17] **neuerlich** is used here in the sense of "fresh." Freud seems to be taking the wider view and comparing the ideals of socialism with the demands of Christian ethics, even though there is a time lag of some 1800 years.

[18] **Die Betrachtungsweise . . . zu versprechen:** 'It seems to me that the line of thought which attempts to trace the role of a superego in the phenomena of cultural development may well bring further discoveries.'

[19] **An die analytische Zergliedung . . . anschließen: anschließen an** + acc: 'to be joined, added to something' (used here intransitively). Best rendered with a little freedom: 'The analysis of these neuroses might be followed by therapeutic recommendations.'

Ich könnte nicht sagen, daß ein solcher Versuch zur Übertragung der Psychoanalyse auf die Kulturgemeinschaft unsinnig oder zur Unfruchtbarkeit verurteilt wäre. Aber man müßte sehr vorsichtig sein, nicht vergessen, daß es sich doch nur um Analogien handelt, und daß es nicht nur bei Menschen, sondern auch bei Begriffen 5 gefährlich ist, sie aus der Sphäre zu reißen, in der sie entstanden und entwickelt worden sind. Auch stößt die Diagnose der Gemeinschaftsneurosen auf eine besondere Schwierigkeit. Bei der Einzelneurose dient uns als nächster Anhalt der Kontrast, in dem sich der Kranke von seiner als „normal" angenommenen Umgebung abhebt.[20] 10 Ein solcher Hintergrund entfällt bei einer gleichartig affizierten Masse,[21] er müßte anderswoher geholt werden. Und was die therapeutische Verwendung der Einsicht betrifft, was hülfe die zutreffendste Analyse der sozialen Neurose, da niemand die Autorität besitzt, der Masse die Therapie aufzudrängen? Trotz aller dieser Erschwerungen 15 darf man erwarten, daß jemand eines Tages das Wagnis einer solchen Pathologie der kulturellen Gemeinschaften unternehmen wird.[22]

Eine Wertung der menschlichen Kultur zu geben, liegt mir aus den verschiedensten Motiven sehr ferne. Ich habe mich bemüht, 20 das enthusiastische Vorurteil von mir abzuhalten, unsere Kultur sei das Kostbarste, was wir besitzen oder erwerben können, und ihr Weg müsse uns notwendigerweise zu Höhen ungeahnter Vollkommenheit führen. Ich kann wenigstens ohne Entrüstung den

---

20 **Bei der Einzelneurose . . . abhebt:** 'In the case of the individual neurosis, the contrast between the patient and his environment, which is assumed to be "normal," constitutes our starting point.'

21 **bei einer gleichartig affizierten Masse:** 'in the case of a group in which all members are suffering from the same disorder.' **Affizieren:** to affect, attack, seize (usually in a medical sense).

22 An especially relevant example of this "cultural pathology" for German studies is S. Kracauer's book *From Caligari to Hitler* (1947). On the assumption that the psyche of the whole German people is mirrored in the films of the post-Versailles period, an exceedingly interesting if not altogether convincing attempt is made to analyze the national neurosis which led to the rise of Hitler. Naturally, this approach begs many questions. Moreover, it suffers from the disadvantage that diagnosing the mental disorders of a group as large—and as amorphous—as a nation can hardly be undertaken other than in retrospect, by which time it is almost certainly too late for remedial measures.

Kritiker anhören, der meint, wenn man die Ziele der Kulturstrebung und die Mittel, deren sie sich bedient, ins Auge faßt, müsse man zu dem Schlusse kommen, die ganze Anstrengung sei nicht der Mühe wert, und das Ergebnis könne nur ein Zustand sein, den der Einzelne unerträglich finden muß. Meine Unparteilichkeit wird mir dadurch leicht, daß ich über all diese Dinge sehr wenig weiß, mit Sicherheit nur das eine, daß die Werturteile der Menschen unbedingt von ihren Glückswünschen geleitet werden, also ein Versuch sind, ihre Illusionen mit Argumenten zu stützen. Ich verstünde es sehr wohl, wenn jemand den zwangsläufigen Charakter der menschlichen Kultur hervorheben[23] und z. B. sagen würde, die Neigung zur Einschränkung des Sexuallebens oder zur Durchsetzung des Humanitätsideals auf Kosten der natürlichen Auslese seien Entwicklungsrichtungen, die sich nicht abwenden und nicht ablenken lassen, und denen man sich am besten beugt, wie wenn es Naturnotwendigkeiten wären. Ich kenne auch die Einwendung dagegen, daß solche Strebungen, die man für unüberwindbar hielt, oft im Laufe der Menschheitsgeschichte beiseite geworfen und durch andere ersetzt worden sind. So sinkt mir der Mut, vor meinen Mitmenschen als Prophet aufzustehen, und ich beuge mich ihrem Vorwurf, daß ich ihnen keinen Trost zu bringen weiß, denn das verlangen sie im Grunde alle, die wildesten Revolutionäre nicht weniger leidenschaftlich als die bravsten Frommgläubigen.[24]

Die Schicksalsfrage der Menschenart scheint mir zu sein, ob und in welchem Maße es ihrer Kulturentwicklung gelingen wird, der Störung des Zusammenlebens durch den menschlichen Aggressions- und Selbstvernichtungstrieb Herr zu werden. In diesem Bezug verdient vielleicht gerade die gegenwärtige Zeit ein besonderes Interesse. Die Menschen haben es jetzt in der Beherrschung der Natur-

---

[23] **wenn jemand . . . hervorheben:** 'if someone were to point to the inevitable course on which human civilization is set.' Like many German compounds, **zwangsläufig** is more or less self-explanatory, yet often difficult to render satisfactorily in English.

[24] **denn das verlangen . . . bravsten Frommgläubigen:** 'for, in the last resort, that is what they all demand, the fiercest revolutionaries no less passionately than the most sincere and orthodox believers.'

kräfte so weit gebracht, daß sie es mit deren Hilfe leicht haben, einander bis auf den letzten Mann auszurotten. Sie wissen das, daher[25] ein gut Stück ihrer gegenwärtigen Unruhe, ihres Unglücks, ihrer Angststimmung. Und nun ist zu erwarten, daß die andere der beiden „himmlischen Mächte",[26] der ewige Eros, eine Anstrengung machen wird, um sich im Kampf mit seinem ebenso unsterblichen Gegner zu behaupten. Aber wer kann den Erfolg und Ausgang voraussehen?[27]

Das Unbehagen in der Kultur (1930), VIII,

---

25 **daher:** *here,* hence (used in much the same way as "hence" in English and therefore not accompanied by a verb.)

26 The allusion is to the verses sung by the mysterious old harpist in Book II of Goethe's *Wilhelm Meisters Lehrjahre*:

"Wer nie sein Brot mit Tränen aß,
Wer nie die kummervollen Nächte
Auf seinem Bette weinend saß,
Der kennt euch nicht, ihr himmlischen Mächte."

27 Freud added this final sentence in 1931—when the advent of the National Socialists to power was becoming a distinct possibility.